LA FIN DE TOUTES CHOSES

JAY RUSSELL

LA FIN DE TOUTES CHOSES

TRADUIT DE L'AMÉRICAIN PAR THIERRY ARSON

Titre original :
BURNING BRIGHT

First published in the UK by Raven Books,
an imprint of Robinson Publishing Ltd 1997

© Jay Russell, 1997

Pour la traduction française :
© Éditions J'ai lu, 2001

Pour Jane Stokes,
qui m'a donné le rêve

1

— Eh, cette nana a les seins à l'air.

— Monsieur ?

Je baissai le journal et jetai un coup d'œil au chauffeur. D'énormes pellicules constellaient le dos de son col. Et une bonne dose de gomina aussi. Je ne pourrais vous dire la dernière fois où j'ai vu de la gomina sur un poil humanoïde. Il me jaugea dans le rétroviseur.

— Là, dans le journal. Juste là. Bon sang, en page 3 ! Une gonzesse nue, avec d'énormes… Putain, je ne crois pas qu'elle ait l'âge de jouer à ce genre de trucs. « Sexy Sarah, 22 ans », c'est la légende. « La Suave de Swansee. » Qu'est-ce que c'est supposé sous-entendre ? Et pourquoi ça m'intéresserait de savoir qu'elle adore s'empiffrer de Mars ? Au fait, c'est quoi, un Mars, hein ? Un truc genre friandise cosmique ?

— Votre premier séjour en Angleterre, Monsieur ? dit le chauffeur.

Dans le rétro je n'apercevais que ses petits yeux marron, mais ils me semblaient affreusement amusés.

— Non, en réalité, marmonnai-je en reportant mon attention sur la photo. Impossible qu'elle ait vingt-deux ans. Mais, euh, ça fait un bout de temps que je ne suis pas revenu.

— La pin-up de la page 3, on connaît ça depuis un bout de temps, M'sieur, m'indiqua le chauffeur. Un petit cadeau de M. Murdoch. Un genre d'institution, pour ainsi dire.

— Comme la reine, en somme ?

— Plutôt comme la duchesse d'York, je dirais. À quand remonte votre dernière visite sur l'île, si je puis me permettre ?

Il me fallut prendre le temps de réfléchir. D'après mes souvenirs, à vrai dire assez vagues, ça remontait à peu de temps après l'enterrement de ma sitcom, Salt & Pepper, mais avant que ma carrière d'acteur ne subisse un bouillon magistral. Oui, à peu près à l'époque où j'avais encore un semblant de carrière audiovisuelle. Enfin, si on peut appeler ça une carrière.

— Ça doit faire environ vingt-cinq ans. J'aurais du mal à être plus précis, même si le souvenir que j'en garde était plutôt agréable, ça ne fait pas un pli.

— Bah, ici, les choses évoluent lentement, me répondit le chauffeur. C'est à la fois notre bénédiction et notre malédiction, à nous autres Anglais. Bon, il y a beaucoup plus de voitures partout, un peu moins d'espérances ici et là, aussi. La faute à Mme Thatcher, si vous voulez mon avis. Mais ça reste l'Angleterre. Certaines choses ne changent pas.

— Tout finit par changer.

J'aurais dû le prévoir. J'avais déjà connu plus de hauts et de bas qu'un liftier d'ascenseur. J'étais passé du statut d'enfant-star de la télé à celui d'adolescent largué. Et j'avais goûté aux fastes de la célébrité hollywoodienne avant de sombrer dans l'ignominie de l'anonymat. Oh, oui, j'en avais connu, des soirées à piloter la dernière Jaguar. Tout autant que des semaines au volant d'une Subaru basique de location…

Bref, vous saisissez le tableau.

Et depuis un peu plus d'un an, je profitais d'un coup de chance qui m'avait propulsé des tréfonds du néant aux sommets, de nouveau. La veille j'étais encore un encaisseur de loyers impayés qui tannait les Chicanos de L.A., le lendemain je devenais la coqueluche locale, et je régalais du récit de mes exploits les meilleurs présentateurs de talk-shows parce que j'avais abattu le plus féroce des dragons des terres télévisuelles. En une quinzaine de jours, il semblait que j'étais passé du rang de paria à celui de présentateur vedette sur la chaîne la plus écoutée de cet hémisphère.

Retour au sommet : retour dans la lucarne magique.

Par la grâce d'avoir réexpédié aux enfers d'où il était issu (avec beaucoup de chance et l'aide considérable de

quelques amis très singuliers) le «tardif mais jamais assez tardif» Jack Rippen – ponte du multimédia et soi-disant prince-
démon de Los Angeles –, je me retrouvai le cul par terre.
(Bien évidemment, d'un point de vue purement littéraire je
me retrouvai sur le sec, avec en bonus un séjour hospitalier
prolongé, mais nous parlons par images, d'accord?) Avant
que j'aie eu le temps de boucler le circuit habituel des talk-
shows – que je propose comme nouvelle discipline olym-
pique, parce qu'elle serait infiniment plus justifiée, pour ne
pas dire révélatrice, d'une endurance surhumaine que n'importe quel marathon ou décathlon –, la presse faisait de moi
l'homme clef d'un nouveau feuilleton policier, *Burning Bright*.
Je n'avais plus tourné depuis vingt ans, un paramètre qui ne
semblait inquiéter que ma modeste personne. Mais, bien sûr,
je travaillais pour l'empire Fox, ceux qui vous
ont offert tant de séries palpitantes, et j'aurais juré sur une pile
d'exemplaires originaux de la Bible de Gutenberg et sur le
mausolée de ma mère que non, jamais plus je ne replonge-
rais.

La vie est comme ça : ne croyez jamais ce qu'on vous dit,
surtout si c'est un acteur qui parle la main sur le cœur. Et
assurez-vous que sa mère est vraiment décédée quand il se
prend à jurer sur sa mémoire.

Mais revenons avant que la première caméra ne tourne le
plan d'ouverture sur moi, Marty Burns dans le rôle de Marty
Burns, privé spécialiste des quartiers sordides. Le type lui-
même n'a rien de sordide, je précise. Simplement c'est plutôt un solitaire, vous voyez le genre. Je parie même que vous
pourriez fredonner un thème musical adéquat pour la scène
de présentation.

Ce qu'il ne faut surtout pas oublier, quand même : je suis
très bon dans mon genre.

D'accord, ce n'est pas De Niro qui jette un coup d'œil nerveux par-dessus son épaule, et Gwyneth Paltrow n'est pas
catastrophée de ne pas faire la couv' de *People*, mais j'ai
visionné le produit fini et, tout bien considéré, je ne suis pas
si mauvais que ça. (Je réfute catégoriquement le commentaire fielleux d'un critique du *L.A. Times* qui a prétendu que

mon jeu était aussi mou que « l'organe fripé d'un vieux VRP ». Une coquille, sûrement.)

Quelle que soit ma qualité de comédien, *Burning Bright* a été un succès. Pas un des dix plus grands de la saison, pas du style à m'offrir les clefs de Fort Knox ni celles de la ceinture de chasteté d'une pucelle surprotégée par un père attardé, non ; disons que la série a eu assez d'écoute pour les gens qui s'offrent un verre, proposent à leurs invités de rester regarder la fin de l'épisode ou de leur présenter leur sœur divorcée, mais seulement *après* le dénouement.

Bref, une réussite de Fox Network, sans atteindre les sommets de *X-Files* ou des *Simpson*. Et la série a été reconduite pour une saison de plus, Dieu soit loué. Et même vendue un peu partout dans le monde, précédée d'une flatteuse réputation. Résultat : un voyage en Angleterre, vol en première classe, tous frais payés, ce qui pour moi est plus que gratifiant. Ce genre de succès, quoi.

Enfin, c'est ce que je m'imaginais.

— Tout finit par changer, répétai-je en me rencognant confortablement contre la banquette de la limousine.

— Puisque vous le dites, Monsieur.

Je mis le journal de côté et regardai par la vitre de la portière. À part le fait d'être du mauvais côté de la route – autre détail que j'avais un peu oublié et que je trouvais légèrement énervant, même en tant que passager –, le paysage autour d'Heathrow ressemblait à n'importe quel environnement d'un autre aéroport d'importance : gris, triste et surpeuplé par les encombrements routiers. J'ouvris le minibar de la limousine et farfouillai parmi les échantillons d'alcool. Je n'irai jusqu'à prétendre que je ne bois jamais, mais il m'arrive rarement de céder à la tentation lors de mes déplacements par avion, en particulier ceux qui durent longtemps. La plupart des passagers de première classe se divertissent avec la bouteille, en ignorant généralement que, s'ils ont réussi à économiser sur le prix du billet, ces petits verres finiront par leur extorquer le double de la différence. Certains boivent simplement pour passer le temps, ou s'aider à dormir. Quant à moi, même si je ne suis pas sujet au mal de l'air, rien que l'idée de m'enivrer en avion me donne des haut-le-cœur.

Ce qui est assez curieux, tant dans toute autre circonstance la perspective de boire ne m'indispose pas vraiment.

— Pas de bière, commentai-je, déçu.

Dans un recoin, ma mémoire devait conserver un vieux souvenir agréable de bière anglaise.

— Oh si, Monsieur, dit le chauffeur. L'étagère à votre droite. Au-dessus des verres.

Je fis coulisser un mince panneau derrière lequel je finissais effectivement par trouver mon bonheur.

— Je ne connais pas ces marques. Et les bouteilles sont tièdes.

Un souvenir assez déplaisant venait de remonter à la surface.

— C'est ainsi qu'on les consomme, Monsieur. Ce sont des « bitter », Monsieur. Mais si vous préférez les blondes, il doit y en avoir une ou deux dans le frigo.

Une exploration du réfrigérateur nain me révéla une Stella Artois à peu près fraîche. Dans le rétroviseur, le chauffeur m'observa avec envie quand je décapsulai la bouteille qui émit ce chuintement également délicieux dans tous les pays.

— Impeccable, fis-je en buvant directement au goulot. La bière anglaise est aussi bonne que dans mon souvenir.

— C'est une bière belge, soupira le chauffeur. Fabriquée sous licence.

J'examinai l'étiquette.

— Ah oui. Mais seulement depuis 1367, c'est marqué là… Enfin, je crois que je vais apprécier mon séjour ici.

— J'en suis sûr, Monsieur.

Il se trompait complètement. Moi aussi.

Les types de la chaîne diffusée par satellite qui avait acheté les droits de *Burning Bright* pour le Royaume-Uni m'avaient réservé une chambre au Savoy. En soirée, la circulation dans le centre de Londres est une horreur, mais je demandai au chauffeur d'accomplir un grand détour et de me montrer quelques curiosités locales. Nous passâmes au ralenti dans les artères les plus chics de Chelsea et de Kensington, avant de redescendre sur cette Mecque du shopping très surfaite qu'est Knightsbridge. Un vieux souvenir me revint à l'esprit quand nous longeâmes la façade de ces bons vieux magasins Harrods. Il concernait un incident auquel, en toute honnêteté, je n'avais pas repensé depuis des années.

C'était lors de ma première visite à Londres. J'avais dix-sept ans, j'étais tout gonflé du succès de *Salt and Pepper* et aussi détestable qu'un être humain peut l'être. Ma blonde conquête du moment m'avait persuadé d'un voyage éclair en Europe. Même en ajoutant les chiffres de son impressionnant tour de poitrine, je doute que le QI de cette accorte jeune fille aurait dépassé la centaine. Elle m'avait plaqué quelque part dans Carnaby Street (à cette époque, le nom voulait vraiment dire quelque chose) pour un chanteur à la voix rocailleuse en col roulé noir, et je m'étais retrouvé harponné par une Italienne professeur de macramé qui bandait pour les hallucinogènes et avait un postérieur en cœur. Je ne sais plus si nous avons goûté au peyotl, mais je me souviens que nous avons fini en copulant comme des lapins sur un lit grand format, dans le hall d'exposition de chez Harrods. Une foule intéressée s'était massée autour de nous pour assister à nos ébats avant que les types de la sécurité ne déboulent, et à cette époque ce furent les applaudissements les plus nourris que j'avais jamais reçus d'un public pour une démonstration publique. Les détails m'échappent, mais il se trouve que nous n'avions pas atterri en cellule. Je crois que nous avions partagé notre dope avec les gardiens (ah, les années 1960) et acheté le lit. En revanche je suis certain qu'il ne fut jamais livré, pas à moi en tout cas ; mais aujourd'hui encore, dans une des boîtes qui encombrent le placard de l'entrée, je conserve ce suspensoir à plante en macramé arc-en-ciel créé par les mains amoureuses de ma furie italienne. Tiens, je me demande ce qu'elle peut bien fabriquer aujourd'hui.

À vitesse réduite, le taxi se laissa porter par le flot automobile vers le siège du gouvernement à Westminster. J'ordonnai même au chauffeur de s'arrêter un instant pour que je puisse contempler le Parlement, comme n'importe quel touriste harnaché d'appareils photos. La vision de Big Ben et des courbes de la Tamise au soleil couchant me frappa par l'irréalité qui s'en dégageait. La grande tour avec son horloge et les flèches gothiques du Parlement, pour impressionnantes qu'elles soient, me parurent aussi absurdes et peu authentiques que le Château de la Belle au Bois Dormant à Disneyland. Je pense que c'est peut-être là l'héritage d'un siècle de culture fondée sur l'imagerie dispensée par le cinéma et la télévision : nous avons déjà tout vu cent fois, du monument de Washington au Taj Mahal, et ce dans des contextes tellement faux qu'à nos yeux le spectacle du réel ressemble à un décor de plus, ou à un trucage. Et un trucage qu'Industrial Light & Magic réussirait probablement mieux, c'est ce qu'on pense. Triste, vraiment.

— Dites, demandai-je au chauffeur, pourquoi est-ce que ça s'appelle Big Ben, au fait ?

— Je n'en ai pas la moindre foutue idée, Monsieur, répondit-il. Pour le Big, peut-être parce que c'est imposant.

— Hmm, marmonnai-je.

Je sais que les habitants de chaque grande ville sont généralement les moins bien informés de son histoire, mais moi au moins je suis capable de vous dire d'où Disneyland tire son nom.

Le chauffeur me demanda si je désirais poursuivre la balade, mais je ressentis d'un coup tout le poids du décalage horaire, et puis je pensais possible de me dénicher un guide plus à ma convenance. Je lui indiquai donc de me conduire directement à l'hôtel. Il n'y avait personne pour m'y accueillir, ce dont je fus un peu surpris. Il ne faut pas longtemps pour que vous vous attendiez à un traitement de star où que vous alliez, même lorsque vous n'êtes qu'un *has been* qui se retrouve miraculeusement de nouveau sous le feu des projecteurs. Toutefois la suite était des plus convenables, avec l'habituel panier de fruits à moitié pourris et la bouteille de champagne tiède. Je donnai au groom un pourboire un peu trop généreux, à en juger par sa réaction, et dès la porte refermée je me débarrassai de mes chaussures et allai m'étaler sur le lit.

Il y avait une télécommande sur la table de chevet. Par réflexe conditionné, j'allumai la télé. Pour une raison inconnue je ne recevais que cinq chaînes – si l'on excepte celles proposées par l'hôtel, spécialisées dans le porno et dans les renseignements sur les services prodigués par l'établissement. Deux émissions traitaient du jardinage. Sur un troisième canal, deux types trop gras s'affrontaient aux fléchettes, pendant qu'un gars en smoking et aux cheveux gominés hurlait leur score à chaque coup. Je ne pus trouver la chaîne par satellite pour la promotion de laquelle je venais de traverser l'océan, et j'en déduisis que le téléviseur devait être détraqué. Je songeai à appeler la réception pour demander un poste en état de marche, mais le match de fléchettes commençait à m'intéresser, avec ce mastodonte adipeux qui rattrapait son adversaire, presque aussi massif qu'une maison. Pour mon plus grand malheur, je m'endormis avant de connaître l'heureux gagnant.

Fin de partie !

2

C'est la télévision qui me réveilla le lendemain matin. L'hôtel était équipé d'un de ces systèmes internes qui allument les postes dans les chambres pour prévenir les clients qu'ils ont un message.

C'est quelque chose que je ne comprends pas dans la technologie. Jadis, dans les hôtels, un voyant lumineux clignotait sur le téléphone pour vous prévenir que quelqu'un avait cherché à vous joindre. Ou bien vous faisiez halte à l'accueil en sortant et demandiez : « Des messages pour moi ? » et, bon sang, un vrai employé obséquieux à souhait vous répondait. À dire vrai, je regrette un peu ce bon vieux temps où d'un prompt « Non, Monsieur » le réceptionniste vous faisait savoir qu'il n'y avait rien pour vous et que vous n'étiez pas le client susceptible de recevoir quoi que ce soit. Mais auparavant il vérifiait toujours avec diligence – parce qu'en ce temps-là les gens étaient consciencieux –, et non seulement il n'y avait pas une once de condescendance dans son « Non, Monsieur », mais en plus et malgré l'improbabilité de la chose, il faisait passer dans sa voix ou son regard la suggestion qu'il fallait vraiment que vous repassiez plus tard, parce que, évidemment, un message pouvait arriver à n'importe quel moment et que vous ne voudriez pas le manquer.

Du moins c'est le souvenir que je garde.

Aujourd'hui, c'est un simple écran empli de neige qui clignote pour vous prévenir, et il vous faudra toujours appeler la réception pour découvrir la teneur du message. Or, de nos jours, les employés ne sont plus jamais obséquieux, et toujours condescendants, même s'il est arrivé pour vous une tonne de messages envoyés par le Pape, le président ou Dieu sait qui.

Bon sang, parfois je me fais l'effet d'un type rasoir.

Je consultai la pendule digitale, elle aussi incrustée dans le téléviseur (ce n'est pas pour me joindre au chœur des lamentations, ni pour cracher dans la soupe, mais ce n'est évidemment qu'une question de temps avant qu'on soit forcé d'entrer nous aussi dans ce foutu écran). Il était un peu plus de huit heures. Et à Los Angeles ? J'aurais été incapable de le dire, car ces histoires de décalage horaire m'embrouillent toujours. Tout ce que je savais, c'est que j'avais l'impression de sortir d'une cuite de trois jours. Je voyage à peu près aussi bien que ces complets trois pièces de confection en polyester. Mon objectif immédiat était d'éteindre l'écran de la télé. Je cherchai la télécommande autour de moi, mais je ne me souvenais plus où je l'avais laissée la veille. Je tâtonnai sous la couverture et crus l'avoir trouvée entre mes jambes, mais ce n'était que mon sexe. Il fallait que je me vide la vessie d'urgence.

En passant je pianotai sur les boutons insérés sur le cadre du téléviseur, avec pour seul résultat de changer de chaîne et de monter le son. C'était un film «pour adultes» et je m'arrêtai une seconde à la vue d'une paire de fesses en mouvement. D'office je les attribuai à Sean Young (un grand talent, à ce qu'il paraît), et franchement il était encore trop tôt pour ce genre de choses. Je me soulageai dans le sens le plus absolu du terme, puis m'aspergeai le visage d'eau. Froide, car la chaude se faisait beaucoup désirer. N'empêche, cela me réveilla et on peut dire ce qu'on veut sur la qualité du choix télévisuel proposé par le Savoy, leurs serviettes sont délicieusement moelleuses.

Je me glissai dans un peignoir de bain tout aussi extravagant, aux armes de l'hôtel – avec mes copains de la chaîne satellite qui régleraient les frais, je savais déjà que le peignoir repartirait en Amérique dans ma valise –, ensuite j'étudiai le menu du room-service pour calculer combien pouvait coûter le plus cher des petits déjeuners. Ce n'est pas que je gagnais beaucoup d'argent avec *Burning Bright*, ni que je me mettais à jouer la star (quoique…), mais simplement que j'avais déjà emprunté les avenues de la célébrité par le passé. À l'époque, je n'étais qu'un gamin stupide et j'avais profité comme un fou de cette période *Salt and Pepper*, mais sans jamais l'apprécier pleinement. Tout était arrivé trop vite et j'étais si jeune que j'avais tout pris comme un dû à perpétuité.

Et puis tout avait disparu, aussi vite qu'un hâle à l'autobronzant.

Je savais que cela pouvait se reproduire, que ce serait même certainement le cas. Non que je sois gangrené par le doute ou un pessimisme général, mais parce que, comme tout le monde le sait, c'est comme ça, le show-biz. Cette fois donc, pas question d'en perdre une miette. J'avais l'intention de savourer chaque moment de luxe, d'auto-indulgence et de célébration de mon ego ô combien vorace.

Ce qui explique comment, du moins à l'hôtel Savoy, au cœur de Londres, vous héritez d'une facture de trente dollars pour des œufs au bacon et un café tiédasse. Mais, bon Dieu, je m'en régalai.

J'appelai la réception pour mon message.

— Chambre numéro ? demanda une voix de sexe indéterminé.

— Vous ne le savez pas ?

— Pardon ?

— Vous ne savez pas de quelle chambre j'appelle ? Ce n'est pas indiqué sur votre ordinateur ou votre central ?

— Vous ne connaissez pas le numéro de votre chambre, Monsieur ? rétorqua la voix.

— Si.

Bien sûr que je le connaissais, mais je n'étais d'un coup plus très disposé à vouloir le dire.

— Alors pourquoi ne me le donnez-vous pas ?

— Pourquoi vous le donner, si vous l'avez déjà ?

— Parce que maintenant je commence à avoir des soupçons, Monsieur…

— Mais…

Je me repris avant que la situation ne dégénère. Si j'avais vraiment eu un ego de star, j'aurais fait un scandale. Je fus assez satisfait de constater que je n'en étais pas arrivé à ce stade, et je pardonnai à l'employé(e) de m'avoir ainsi subtilement éclairé sur ma santé mentale. D'un ton joyeux, je révélai le numéro de l'antre où j'étais tapi.

— Vous avez un message de June Hanover, de Star-TV. Elle vous attendra dans le grand salon de l'hôtel quand vous en aurez le temps.

Je n'avais pas envie de remercier, et de toute manière mon interlocuteur raccrocha avant que j'en aie eu le temps. Je voulais demander à quelle heure le message était arrivé, mais je n'allais quand même pas m'abaisser à un autre appel. À la place je pris une douche rapide – cette fois j'eus droit à de l'eau chaude –, j'enfilai un pantalon et une chemise, choisis une veste sport pas trop fripée et descendis.

Les halls d'hôtel sont des endroits magiques. J'adore. Ils distillent une sensation particulière, et vous goûtez des instants de romantisme diffus en les traversant, même si vous ne logez pas dans l'hôtel, que vous ne retrouvez nulle part ailleurs. Les terminaux d'aéroports ne sont pas loin au classement, mais il y traîne trop de dingues de sectes et de nonnes chinoises qui distribuent des fleurs et le Salut. J'imagine que dans les années 1930 les gares devaient baigner dans la même atmosphère. C'est une sorte d'ambiance subliminale, le frôlement subtil d'un autre monde. Dans un hall d'hôtel, les gens se comportent et marchent différemment. Une attitude encore exagérée lorsqu'il s'agit d'un établissement aussi sélect que le Savoy, bien qu'il m'arrive d'éprouver quelque chose d'approchant quand je débarque dans un quelconque motel, pour peu qu'il ait une machine à glaçons. Peut-être que tout ça ne vient que de moi.

Je traversai le hall d'un pas nonchalant. Les inconnus vous sourient, dans ce type d'endroit ; peut-être faut-il situer l'attrait réel de ces endroits dans le fait qu'il est l'un des derniers postes avancés d'un monde civilisé autrement disparu ? J'entrai dans le grand salon. Deux douzaines de personnes, toutes fort bien vêtues, étaient éparpillées aux tables, à siroter leur café, manger leurs croissants et lire le journal. Je n'eus aucune difficulté à repérer June Hanover. Elle était assise seule, dans un grand canapé d'aspect confortable. Elle portait un ensemble strict orange pâle et avait posé auprès d'elle un attaché-case frappé du gros sigle rouge de la chaîne satellite. De plus, elle était la seule femme présente.

Ce n'est pas pour rien que je suis détective vedette dans une série policière.

Dès qu'elle m'aperçut, elle se leva, renversant dans le mouvement divers papiers quand elle voulut me tendre la main.

— M. Burns! Bonjour. Je suis June Hanover. Oh la la!

Elle paraissait déchirée entre le désir de soutenir mon regard et le besoin pressant de ramasser ses documents. Je me baissai et rassemblai les papiers pour elle.

— Oh, merci, M. Burns.

— Je vous en prie, fis-je avec un sourire. Appelez-moi Marty.

— Marty, répéta-t-elle en acquiesçant et en me rendant mon sourire.

Elle avait les dents mal plantées, et une très légère coquetterie dans l'œil, mais en dehors de ces détails elle était plutôt séduisante, de cette façon décevante qu'ont souvent les cadres moyens. L'ensemble strict, qui la mettait autant en valeur qu'une enveloppe en papier kraft, rendait difficile tout jugement précis. Mais elle avait de grands yeux brillants, et elle me plut immédiatement.

Je m'assis sur le canapé, qui n'était pas aussi confortable qu'il le semblait – mais dans un salon d'hôtel, il ne faut pas que les gens traînent trop longtemps – et June se laissa choir auprès de moi.

— Désolé de vous avoir fait attendre, déclarai-je. Si je m'étais rendu compte plus tôt que vous m'attendiez, je serais descendu bien avant. Depuis combien de temps êtes-vous là?

— Oh, seulement depuis sept heures, répondit-elle.

Je baissai les yeux sur ma montre. Elle affichait deux heures. J'avais oublié de la remettre à l'heure depuis l'atterrissage. Je consultai la pendule murale à l'autre bout du salon. Il était presque dix heures.

— Vous êtes restée ici pendant près de trois heures?

— Ça fait partie de mon travail.

Elle me considéra d'un air vaguement soupçonneux, et je craignis de ne pas me conduire comme la star qu'elle me supposait être. J'aurais voulu m'excuser un peu plus, mais elle risquait de me demander une pièce d'identité si je la jouais trop humble. Inutile de prendre ce risque.

— Alors, quelle est la suite des opérations, June?

— Eh bien, dès que vous serez prêt, je vous accompagnerai aux bureaux de Star-TV. Mais rien ne presse. Désirez-vous prendre un café avant?

Je jetai un œil à la carte sur la table. Une tasse de café servie dans le grand salon revenait à la modique somme de deux livres sterling. Je faillis me laisser tenter et en commander deux ou trois, mais le petit déjeuner m'avait rassasié et j'étais raisonnablement confiant quant à l'avenir proche : j'aurais de multiples occasions de dilapider l'argent de la chaîne ailleurs.

— Non, tirons-nous de ce claque miteux.

— Je vous demande pardon? fit June.

— Allons aux bureaux de la chaîne, traduisis-je.

— Oh, super! dit-elle.

Je jugeai la louange un rien excessive, mais je la suivis sans rien dire au-dehors, où attendait la limousine.

Les bureaux de la chaîne étaient situés dans un ensemble massif baptisé le Canary Wharf, au fin fond de l'East London. La signalisation routière en chemin affirmait que nous nous dirigions vers Isle of Dogs.

— Les bureaux sont sur une île, alors? questionnai-je.

— Non, répondit June.

— Mais c'est marqué : Isle of Dogs. L'Île aux Chiens, insistai-je en désignant un autre panneau indicateur.

— Oui, mais ce n'est pas vraiment une île, simplement un morceau de terre bordé par un méandre du fleuve.

— Ah, grognai-je, toujours sans comprendre. Alors pourquoi Isle of Dogs? Il y a beaucoup de cadors là-bas?

— Je ne crois pas. Pas plus que dans n'importe quel autre quartier de Londres, j'imagine.

— Dommage, commentai-je.

— Vous aimez les chiens ?

— Pas spécialement.

Je vis qu'elle me dévisageait bizarrement, soudain.

— Je trouvais juste ça mignon, ajoutai-je.

Elle se força à sourire.

— Une idée de la raison pour laquelle ça s'appelle Big Ben ? tentai-je.

— Pardon ?

— Big Ben. La… Euh, non, laissez tomber.

Elle hocha la tête et je résolus de ne plus poser de question.

Canary Wharf était tout sauf mignon. Un énorme complexe de bureaux, relativement récent, dominé au centre par une tour phallique presque autoparodique, le tout bâti en plein milieu de ce qui ressemblait autrement à une zone particulièrement délabrée de la ville. La limousine nous déposa devant le sexe géant. Je levai les yeux vers le gland, puis je portai mon attention de l'autre côté du fleuve, sur un hôtel d'aspect récent, lui aussi. L'ensemble était plaisant, dans le style utilitaire, je-suis-heureux-de-*seulement*-travailler-ici. Les architectes sont d'une telle stupidité, parfois…

— Ce n'est pas jaune, constatai-je.

— Pardon ? fit June.

Pourquoi ne cessait-elle de dire ça ?

— J'aurais cru que ce serait jaune, mais ça ne l'est pas. C'est juste un nom, je suppose. Alors pourquoi l'appeler Canary…

Je saisis sur le visage de cette pauvre jeune femme une expression de terreur telle que je laissai la fin de mon interrogation en suspens. Et je décidai de corriger le tir :

— J'aime bien, dis-je en souriant. Isle of Dogs. Canary Wharf. Des noms très britanniques.

Elle eut un sourire très nerveux et me précéda dans l'immeuble.

— Pourquoi un canari, alors ? soliloquai-je tandis que nous passions les portes battantes.

June feignit de n'avoir rien entendu, mais le petit muscle qui tressauta au coin de sa bouche me suggéra que c'était tout le contraire.

Les bureaux et les studios de Star-TV occupaient trois étages entiers du gratte-ciel. Je passai une grande partie de la matinée à visiter, à serrer des mains et même à signer quelques autographes, bien que j'aie eu l'impression que les secrétaires et autres employés qui sollicitaient mon paraphe y avaient été fortement encouragés, car aucun ne semblait savoir qui j'étais au juste. Il y eut ce qu'il fallait d'amusement artificiel, de ces rires forcés et autres reparties sans humour qui accompagnent toujours ce genre d'échanges, mais tout cela fait partie du boulot. Et d'après mon expérience, c'était bien plus agréable que de traquer des gens fauchés dans les bas-fonds de L.A., ce que j'avais fait pendant les dix dernières années.

Après des séances de présentation avec les grands pontes qui dirigeaient le projet – et qui adorent toujours être pris en photos avec les acteurs et les célébrités, mais qui préféreraient céder leurs *share-options* plutôt que de vous adresser la parole –, nous en vînmes au véritable travail. June Hanover me présenta au groupe de relations publiques de la chaîne, installé dans des bureaux remarquablement éloignés de ceux de la direction. Trois jeunes gens au large sourire m'attendaient. Les agents de presse frisaient tous la trentaine et avaient les cheveux identiquement noirs et plaqués en arrière. Ils avaient tombé la veste et étaient en bras de chemise. Chacun arborait des bretelles d'une couleur différente des deux autres : rouge, doré et mauve. *Mauve ?* m'étonnai-je. À leur mise, je les soupçonnai d'entretenir un accord secret stipulant qu'aucun des trois n'avait le droit de prendre la même couleur de bretelles qu'un des deux autres selon les jours.

(À propos, je n'ai aucune confiance dans les gens qui portent des bretelles. Même sur un fermier elles me déplaisent. Il y a quelque chose de trop années 1980 dans cet accessoire. Mauvaise décennie s'il en fut. D'accord, les années 1970 n'ont pas été terribles non plus, n'empêche, personne ne porte plus de costume sport. Dieu ait pitié de nos âmes.)

Ils se présentèrent un à un, mais je ne retins aucun nom. Non que je me sois donné de grands airs ou quoi que ce soit, mais punaisé au mur en face de moi s'étalait un immense poster promotionnel pour la série. Ils avaient dû y travailler eux-mêmes parce que je n'ai jamais vu ce style très particulier employé aux États-Unis, et que je me demandai d'où ils avaient tiré pareille idée. C'était un gros plan de moi adressant un clin d'œil à l'objectif, flanqué verticalement des mots *Burning* et *Bright*. Le sigle de la chaîne s'étalait en surimpression sur ma poitrine, comme le S de Superman. Mais le gros plan était tellement rapproché que chaque pore de ma peau ressemblait à un trou huileux, et l'espace entre mes dents paraissait assez large pour que David Letterman y passe en moto. Le genre d'autoportrait haïssable qu'on aurait pu attendre de quelqu'un comme Robert Crumb, mais la dernière image susceptible d'attirer des téléspectateurs pour une série.

C'était grotesque.

— Ça accroche l'œil, hein ? dit Rouge.

J'en étais réduit à les distinguer par la couleur de leurs bretelles.

— Oh oui, ça le crève, même.

— Nous pensions bien que ça vous plairait, approuva Mauve.

Il appuya son propos d'une œillade. Je me retournai vers June, qui contemplait le poster d'un air concentré. Elle redoutait sans doute que je ne la questionne encore à propos de Big Ben.

Doré prit la situation en main :

— Nous avons quelques petites idées que nous aimerions vous soumettre, Marty. Et nous avons pensé qu'on pourrait en discuter devant un bon déjeuner.

— Bonne idée, fis-je.

— Nous avons envisagé l'Indien. Il y a un bon restaurant pas très loin, à moins que nous ne commandions pour manger ici. À votre préférence.

Je regardai une seconde de plus le poster. La perspective d'avaler un curry face à cette monstruosité me coupait déjà l'appétit.

— Allons au resto, décidai-je.

— C'est parti! s'exclamèrent à l'unisson Mauve et Rouge. Et notre joyeuse compagnie sortit.

Doré ne voulant pas inviter June, j'insistai lourdement. Je me disais que si dès l'aube elle avait dû attendre trois heures dans le salon d'un hôtel qu'apparaisse mon auguste personne, le moins que pouvaient faire ces types aux cheveux graisseux était de la convier à notre déjeuner. Mauve réprima mal une grimace quand elle répondit qu'elle serait enchantée de se joindre à nous, mais Doré se contenta d'un sourire mécanique.

La limousine était repartie depuis longtemps. À sa place, un gros taxi noir patientait devant l'entrée. Bien que le restaurant ne fût pas à une très grande distance, deux pâtés de maisons hors de l'ensemble de bureaux, le quartier affichait des signes visibles de pauvreté. Les façades blanches bien propres de Canary Wharf cédèrent très vite la place à des immeubles de pierre brune recouverte de graffitis. En fait, ce contraste me fit penser au quartier des affaires, dans le centre de L.A., où les immenses tours des banques côtoient les soupes populaires et les refuges pour sans-abri. Ce qui est plus que ce qu'on peut dire des gens qui travaillent dans ces grandes firmes.

Ma garde à bretelles ne cessait de me répéter quel potentiel recelait *Burning Bright* et combien ils étaient excités à l'idée de travailler sur la série, et bla-bla-bla, mais ils avaient tous enfilé leur veston avant de sortir de leur bureau, de sorte que je ne disposais plus d'aucun moyen de les différencier. Je réussis à identifier de nouveau Doré quand il paya la course, et j'ôtai ma veste dès qu'on nous désigna la table devant la façade. Bien évidemment, les Bretelles's Boys m'imitèrent aussitôt, révélant leur véritable couleur, et je me félicitai de mon ingéniosité. June perçut mon petit bruit de gorge satisfait, ce qui me valut un autre regard perplexe. Puis elle se tourna vers le trio, qu'elle détailla discrètement, et revint à moi avec dans les yeux une lueur de connivence. Je crois qu'elle était bien entrée dans mon jeu.

Si la vue offerte sur la rue par la vitrine n'avait rien de réjouissant, la salle du restaurant était nickel et décorée de façon chaleureuse. De très bonnes odeurs y flottaient également. Le seul point négatif revenait à la musique lancinante diffusée en sourdine, comme dans tous les restaurants indiens où j'ai mis les pieds. La salle était tout en longueur, avec des tables disposées aussi proches les unes des autres que possible. Presque toutes étaient occupées à notre arrivée, la plupart par des individus des deux sexes en costumes ou ensembles sobres. Sans doute des robots échappés de Canary Wharf. La carte proposait un choix interminable, et très déroutant pour moi. À L.A., j'avais mangé indien quelques fois, mais ce n'est pas une des cuisines les plus répandues dans le sud de la Californie. Elle n'a pas une chance face aux petits restos thaïs ou mexicains. Je devais faire une connexion synaptique entre « vindaloo » et « diarrhée », mais en dehors de ça rien de tout le reste ne me semblait très familier.

— Et si nous commandions un assortiment, pour partager ? proposa June.

J'approuvai et refermai mon exemplaire de la carte, soulagé de ne pas avoir à prononcer le nom des plats.

— Ici la cuisine est délicieuse, affirma Rouge. C'est le seul établissement dans ce quartier qui fait de la cuisine d'Inde du Sud et qui propose aussi les habituelles spécialités tandoori. C'est devenu un peu trop fréquenté depuis l'article de FHM, mais ça reste le meilleur restaurant du coin.

Le serveur vint prendre la commande des boissons. Les autres optèrent tous pour des Kingfisher, et bien que je n'aie aucune idée de ce que c'était, je me dis que lorsque je serais à Bombay…

Nous bavardâmes au sujet des hors-d'œuvre – tout un assortiment de bouchées délicieuses –, mais les samosas m'embrouillèrent un peu l'esprit :

— Ce n'était pas le nom de cet ancien dictateur du Nicaragua ? demandai-je en inspectant le petit beignet triangulaire à la recherche d'un piège.

Les Bretelles Brothers échangèrent un regard amusé, mais June éclata carrément de rire.

— *Somoza*, dit-elle. Ce sont des *samosas*. La prononciation est différente. Et elles ont certainement meilleur goût, aussi.

Elle avait raison pour le goût, mais je ne pouvais toujours pas m'empêcher de me sentir un peu contre-révolutionnaire en les mangeant. Comme si le Clash n'aurait pas approuvé ma conduite. La Kingfisher était très bonne, également. Décidément, je commençais à apprécier les bières anglaises, du moins jusqu'à ce que je lise sur l'étiquette que celle-ci venait d'Inde.

Notre conversation se limitait toujours à des futilités qui n'engagent à rien. Ils me posèrent les questions habituelles sur L.A. – Non, je n'avais jamais rencontré O.J. Simpson ; oui, personne ne se déplaçait jamais à pied ; désolé, j'ignorais si cette rumeur à propos de Uma Thurman et Matthew McConaughey était vraie – et je les gratifiais de deux ou trois anecdotes hollywoodiennes du moment. Les Bretelles formaient un auditoire convenablement appréciateur ; ils riaient et ou se rembrunissaient et secouaient la tête aux moments appropriés, mais je savais qu'ils attendaient simplement de pouvoir en venir au sujet qui les intéressait, après le repas. Je me retrouvai donc à assumer le gros de l'animation et à croiser le regard de June, qui était quelque peu distraite par l'excellence des plats servis, ce dont je ne pouvais lui tenir rigueur.

Le patron du restaurant s'arrêta à notre table pour accepter nos compliments sur sa cuisine. Mauve en profita pour glisser qu'un des plats, quelque chose jalfrezi, je crois, était peut-être un peu trop salé. Mortifié, l'Indien se confondit en excuses, ce qui semblait être l'exacte réaction visée par Mauve. J'avais l'impression que c'était le genre à toujours prendre avantage d'une situation où il tenait la supériorité sociale, aussi décidai-je de le contredire. J'affirmai au patron que j'avais tout particulièrement apprécié ce plat, mais le pauvre homme semblait hésiter entre me remercier et continuer à s'excuser auprès de Mauve. Heureusement le serveur vint débarrasser, ce qui permit à l'autre de s'éclipser.

— Voilà, Marty, fit Doré une fois la table vide. Nous avons eu une idée.

— C'est toujours dangereux, dis-je.

June commença à rire et masqua son hilarité par une toux quand Doré la fusilla du regard.

— Pour quoi êtes-vous le plus célèbre ? me demanda Doré avec un rictus à la celle-là-va-te-tuer-net.

Je fis mine de réfléchir.

— Hmm… Ma calvitie précoce ?

Ils s'esclaffèrent juste ce qu'il convenait.

— Non, sérieusement. Quel fait précis ? insista Doré.

Je souris, haussai les épaules mais ne répondis rien.

— Jack l'Éventreur ! aboya Mauve.

— Exact, lâcha Doré d'un ton glacial, ce qui me laissa à penser que Mauve n'était pas censé lui voler la vedette. Vous êtes l'homme qui a eu raison de ce bon vieux méchant de Jack Rippen. Marty Burns, détective privé de première classe, résout le cas Jack l'Éventreur Rippen.

— C'est du réchauffé, non, les gars ? remarquai-je en souriant à June. Et la fille.

— Attendez une minute, dit Gold en levant l'index.

— C'est excellent, murmura Rouge.

Mauve acquiesça. Je coulai un regard vers June et notai (en privé de première classe, évidemment) qu'elle manifestait nettement moins d'enthousiasme.

— Et pour quelle série de crimes l'Angleterre est-elle célèbre ? lâcha Doré.

Avec tristesse, je fus tenté de répondre quelque chose sur les deux siècles d'impérialisme culturel et la soumission coloniale de centaines de millions d'individus sur toute la surface du globe, mais je devinai que ce n'était pas là ce qu'espérait Doré.

— Jack l'Éventreur ? proposai-je en étouffant un soupir.

— Ouiii ! couina Doré en battant des mains.

Sa chique crachée, il se laissa aller contre le dossier de son siège. Rouge prit le relais :

— Imaginez ça. Marty Burns, la vedette de *Burning Bright*, est venu en Angleterre non seulement avec une nouvelle série qui fera date, mais aussi pour résoudre le mystère centenaire des meurtres de Whitechapel. L'homme qui a vaincu Jack « l'Éventreur » Rippen révèle la véritable identité du Jack l'Éventreur original.

— C'est un rêve de publicitaire devenu réalité, ajouta Mauve avec conviction.

Ce rappel de mes exploits passés ramena à mon esprit des images déplaisantes, mais je fis de mon mieux pour les ignorer.

— Et, hem, comment vais-je découvrir qui était le vrai Jack l'Éventreur ?

Doré reprit la main :

— Ça n'a aucune importance, Marty. Personne ne s'attend vraiment à ce que vous résolviez le mystère de son identité. Merde alors ! il n'y a pas de solution à cette énigme ! Pensez plutôt à la publicité que va générer l'annonce de votre intention. La presse populaire va en faire ses choux gras. Et avec vos antécédents, même ces tantouzes du *Guardian* tomberont dans le panneau. Nous lancerons ce coup avant la première de *Burning Bright* et ensuite nous continuerons à jouer le jeu de notre mieux pendant deux ou trois jours. Cela devrait nous permettre d'obtenir quelques jolis articles pour démarrer. Ensuite, on laissera tomber, tout simplement.

— Et que devrai-je faire ?

— Très peu de choses, vraiment, me rassura Rouge. Nous vous enverrons dans l'East End. Nous prendrons quelques vidéos et des photos de vous en train de fouiner dans les divers endroits où ont eu lieu les meurtres de Jack l'Éventreur. Peut-être un petit saut à la British Library, afin de vous montrer plongé dans de vieux bouquins, ou dans les journaux de l'époque. Ensuite, pour brouiller les pistes, nous donnerons quelques indices sur ce que vous avez trouvé aux journaux à scandale.

— Mais je n'aurai rien trouvé.

— Marty, avez-vous une idée du nombre de livres qui ont été écrits sur les meurtres de Whitechapel ? La Jackologie est une industrie artisanale. Il nous suffira de prendre des bouts de théories dans différents livres et de les assembler pour créer une variation légèrement différente de tout ce qui a déjà été imaginé.

— La famille royale, intervint Mauve. On ne peut pas se planter en suggérant une implication d'un membre de la famille royale.

— Précisément, approuva Doré. Les théories de conspiration sont légion. À nous de choisir. Nous offrirons peut-être même quelque chose de neuf au public.

— Peut-être même que je parviendrai à résoudre cette énigme, dis-je.

Une soudaine tension s'abattit sur notre tablée. Ils n'arrivaient pas à décider si j'étais sérieux.

— Je blague, précisai-je.

Petits rires approbateurs.

— Alors, qu'en dites-vous, Marty ? s'enquit Doré.

Je dus admettre que l'idée n'était pas mauvaise du tout. Après tout, ces types étaient peut-être plus dans le bain que je ne l'avais cru de prime abord. À coup sûr, ce serait un très bon coup de pub, même si je craignais que tout le monde ne s'en rende compte.

— Qu'en pensez-vous ? demandai-je à June.

Trois paires d'yeux se braquèrent sur elle comme des faisceaux laser, ce qui évidemment ne lui échappa pas.

— J'aime beaucoup, Marty, affirma-t-elle. Je pense que cela focalisera l'intérêt sur vous et votre série. Et je crois que cela vous divertira.

Un large sourire illumina le visage de Doré, mais j'eus l'impression que Mauve était déçu, ou bien seulement surpris par l'esprit d'équipe dont June venait de témoigner.

— Mais il ne faudrait pas que j'aie quelques connaissances sur cette affaire ? demandai-je.

— Nous avons déjà réuni des éléments, répondit Rouge. C'est un résumé, en fait, mais avec tous les noms clefs et les dates. Vous ne devriez pas avoir plus de difficultés à l'apprendre que les dialogues d'un épisode. Et il vous suffira de tromper quelques journalistes. Nous empêcherons les vrais jackologistes de vous approcher.

Les *jackologistes* ? Ce n'était donc pas une plaisanterie ? Je laissai passer, tout comme je ne précisai pas que je n'avais jamais été très doué pour mémoriser mes répliques. Ce n'est pas pour rien qu'on m'avait surnommé Burns Vingt-Prises. Quand même…

— D'accord, fis-je en adressant à dessein mon consentement à June, avant de regarder Doré.

— Super, Marty, commenta ce dernier.

— Fantabuleusement super ! couina Mauve.

Je commençai à m'interroger sur le rôle précis de celui-là dans leur triumvirat.

— Bon, dis-je en me levant. Quelqu'un peut me dire où le cagibi de Jack se trouve dans ce restaurant ?

Gold désigna un escalier au fond de la salle. J'avais fait deux pas dans l'étroite allée entre les tables quand un bruit énorme de verre brisé s'éleva derrière moi. Je fis volte-face parmi les cris et les exclamations et vis que la grande vitre près de notre table avait explosé. Des échardes de verre jonchaient l'intérieur du restaurant.

Doré et Rouge étaient debout et chassaient de la main les débris de verre qui constellaient leurs vêtements. Mauve était au sol, et du sang jaillissait d'une entaille à son front. Je vis des éclats brillants dans la chevelure de June, laquelle était déjà auprès de Mauve et pressait sa serviette sur la coupure. Incroyable, mais il n'y avait pas d'autre blessé.

Je me ruai au-dehors, à temps pour apercevoir une voiture noire tourner le coin du pâté de maisons dans un crissement de pneus. Pas la moindre chance de relever l'immatriculation, et bien sûr j'aurais été incapable de distinguer une automobile anglaise d'une autre, même si j'avais eu le temps de l'observer.

Je revins à la table. Rouge et Doré aidaient Mauve à se relever. Ils le menèrent jusqu'à une chaise loin de tout ce désordre. Le patron du restaurant était au téléphone, sans doute en train d'appeler une ambulance et la police, pendant que les serveurs s'efforçaient de calmer les autres clients. Ou au moins de les empêcher de filer en douce sans régler l'addition.

June se tenait toujours immobile devant notre table. Elle avait l'air un peu choquée. Du sang maculait son avant-bras, mais c'était celui de Mauve. Je pris une serviette propre pliée, en trempai un coin dans un pichet d'eau et nettoyai le sang sur sa peau. Elle me regarda faire sans réagir.

— Ne bougez pas, dis-je sans nécessité avant de lui ôter les éclats de verre des cheveux.

Le patron arriva, suivi d'un serveur, et inspecta les dommages. Il s'excusa autant qu'il était humainement possible, en se tordant les mains. Comme si c'était sa faute.

C'est seulement alors que je remarquai la brique qui avait atterri au centre de notre table. À l'évidence, c'était le projectile qui avait brisé la devanture (Je suis un privé d'élite, vous vous souvenez?).

C'était une vieille brique sale, aux angles rongés, mais de deux bons kilos. Je me gardai bien de la toucher avant l'arrivée de la police, mais je n'eus pas besoin de le faire pour lire ce qui avait été gravé sur chaque face :

ULTIMA THULÉ

3

L'équipe des relations publiques de Star-TV se mit au travail et, deux jours plus tard, bien trop tôt le matin pour quelqu'un de normal, je me retrouvai à un coin de rue dans le London East End, entouré par une meute de cameramen et de photographes. Comme promis, Doré, dont le vrai nom était Mahr, m'avait fourni un bref résumé de l'histoire de Jack l'Éventreur. Il m'avait également envoyé une douzaine d'ouvrages sur le sujet et j'avais passé la majeure partie de la journée précédente à les parcourir. Apparemment il existait autant de théories sur l'identité de Jack et les circonstances dans lesquelles s'étaient déroulés les meurtres de Whitechapel que d'auteurs qui avaient pensé pouvoir en glaner un peu d'argent. Et à en juger d'après la longueur des bibliographies dans chaque livre, il y avait effectivement de l'argent à faire.

Mahr ou un de ses mignons – je n'avais toujours pas réussi à percer l'identité terrestre de Mauve et de Rouge – avait bien synthétisé l'ensemble dans un résumé, et je m'étais efforcé de le mémoriser. Il y avait pas mal de noms et de dates, et j'avais quelque difficulté à me remémorer quelle prostituée avait été tuée tel jour, mais June Hanover m'avait aidé assez de fois à ressasser ma leçon. Je me sentais donc fin prêt pour affronter les médias. À l'origine, c'est à Rouge que Mahr avait confié la tâche de me coacher, mais j'avais insisté pour avoir June. Si Mahr ne s'était pas trop fait tirer l'oreille pour accepter, j'avais remarqué le regard qu'il lançait à June, comme pour lui dire : pourquoi voudrais-tu cela ?

En fait, et malgré ce que pensait certainement Mahr, je ne portais pas le moindre intérêt « romantique » à June. Certes elle était assez séduisante, à sa façon, mais autant j'appréciais de nouveau les pièges futiles et excessifs de la célébrité, autant je n'avais pas envie de jouer au prédateur sexuel. Qu'on me comprenne bien : j'aime me divertir comme n'importe qui, mais je me souviens trop bien de ces jours de folie où je me suis laissé gagner par le priapisme hollywoodien, et j'estime qu'il vaut mieux les réserver au passé.

Tout d'abord, je ne suis plus aussi jeune ; j'ai toujours de l'appétit, mais pas celui de ma jeunesse. Ou alors je m'alimente avec plus de discernement.

Et puis, j'avais une relation avec quelqu'un à L.A. Rosa Mendez. Nous nous étions mutuellement sauvé la vie, et nous entretenions toujours des rapports intermittents et assez indéfinis. Quand j'avais décollé de Hollywood, notre histoire était passée en mode « pause » une fois de plus, mais je n'avais pas encore envie de couper la ligne.

Bref, je demandais juste à June de s'occuper de moi, non dans un but purement sexuel, mais parce que je l'aimais bien. Et parce que j'appréciais beaucoup moins le trio des Bretelles ou la façon dont ils la traitaient.

(Un renvoi pervers d'honnêteté qui bouillonne quelque part près de mon pancréas m'oblige toutefois à avouer que cette magnifique morale d'homme mûr n'est pas sans tache : lors d'un tournage à Hawaï pour l'épisode de *Burning Bright* spécial Noël – sur un scénario très ciblé louchant vers le privé incarné par Tom Selleck –, j'avais vu mes commandements d'abstinence sexuels battus en brèche devant l'offre d'une jeune actrice dont les rumeurs louangeuses concernant ses talents oraux avaient atteint mes oreilles généralement innocentes. Les rumeurs s'étaient révélées exactes, pour une fois, mais mes aveux honteux à Rosa – vous sentez le bouillonnement de mon honnêteté, là ? – avaient provoqué le premier passage à la position « pause ».

Tout cela tendrait à prouver que nous n'acquérons guère de sagesse avec l'âge, et que nous sommes simplement un peu plus conscients de notre propension à une stupidité fondamentale.)

Je découvris que l'East End regorgeait de pubs et de plaques commémoratives célébrant – le mot n'est pas trop fort – les assassinats de Jack l'Éventreur. June m'apprit que certains petits malins proposaient même des circuits touristiques suivant les forfaits de Jack. En effet, un groupe de gogos bardés d'appareils photos et menés par une accompagnatrice trapue en robe victorienne et manteau bordé mouton s'arrêta pour observer notre propre cirque alors que nous étions près de Mitre Square, sur le lieu du massacre de cette pauvre Catherine Eddowes. Ce n'était pas bien méchant, je suppose, si l'on se rappelle que le meurtre s'était produit plus d'un siècle plus tôt, mais quelque chose chez ces curieux surexcités me mit mal à l'aise. Je me demandai si d'ici cinquante ans, un groupe comparable ne suivrait pas l'itinéraire sanglant d'un John Wayne Gacy, d'un Ted Bundy ou d'un Henry Lee Lucas, drivé par un fringant accompagnateur du XXIe siècle à bretelles mauves et cravate assortie. Je ne sais pourquoi, mais cette image ne me parut pas drôle du tout.

Nous en finîmes avec la presse peu après une heure de l'après-midi. J'étais dans le circuit depuis assez longtemps pour endurer ces séances publicitaires sans me plaindre, mais là j'avais atteint mes limites et après avoir dû poser et boire des pintes de bière dans les divers pubs pour les photographes, je me sentais un peu parti, et je ressentais le besoin d'offrir à mon estomac quelque chose de plus solide. Tout le monde était reparti, à l'exception de June et d'un photographe joyeux de Star-TV, un dénommé King qui était supposé m'accompagner et fixer sur la pellicule les étapes de mon « enquête ».

— Déjeuner, fit June. Hum…

— Quoi ?

— Eh bien, c'est vraiment le coin rêvé pour manger indien. Il y a là les meilleurs restaurants, sur Brick Lane. Mais je ne sais pas si cela vous dit, après ce qui s'est passé l'autre jour…

— Il y a toujours le Klein's, dit King avec un clin d'œil qui se voulait complice.

— Oh, Seigneur, soupira June.

— C'est quoi, le Klein's ? demandai-je, intrigué.

— Casher, expliqua King. Ça existe depuis toujours. On dit qu'ils envoyaient chercher des plats préparés au Klein's pendant la construction de la Tour de Londres.

— Ça me va, dis-je. J'avalerais bien quelques *knishes*. J'adore les raviolis à la juive.

June parut interloquée, mais le photographe éclata de rire. Je découvris bientôt la raison de son hilarité.

Le Klein's ressemblait un peu au Cantor's ou au Junior's, ou à n'importe laquelle de ces épiceries fines-traiteurs faussement casher de L.A., mais rien de plus. À la place de matrones adeptes des plaisanteries les plus éculées – le personnel de rigueur chez n'importe quel traiteur de Los Angeles –, les serveurs ici sont tous des Juifs légèrement voûtés en blouse blanche de laboratoire. Et je n'appellerai pas ce qu'ils offrent un service, mais plutôt un acte de tolérance. Après seulement trois jours à Londres, j'en étais venu à constater que n'importe quel employé qui vous sert estime avoir sur vous l'avantage et en conséquence ne se croit pas obligé d'être agréable – apparemment le sens du mot « service » n'est pas très bien compris en Angleterre – mais le personnel du Klein's poussait la notion unique d'anti-service jusqu'à des limites proches de l'absolutisme théorique.

J'aurais voulu du corned-beef et des *knishes*, mais je ne trouvai ni l'un ni l'autre sur le menu.

— Ici, on appelle ça du bœuf au sel, mon pote, m'informa King.

June, qui dans un dictionnaire yiddish correspondrait au mot « shiksa », semblait complètement désorientée.

Quand un serveur daigna enfin approcher de notre table pour prendre la commande – avec sa blouse blanche, c'était le sosie parfait de Lester Bowie –, je demandai des *knishes* avec mon bœuf au sel. Il me toisa d'un regard qui aurait fait ciller Clint Eastwood en personne, et finit par lâcher :

— Je vais apporter quelque chose.

Pour quelque obscure raison, peut-être sa tentative réussie d'intimidation, je le remerciai alors qu'il s'éloignait.

— Chouette boutique, dis-je à King. Très gentil à vous de l'avoir suggérée.

— C'est un élément essentiel de l'atmosphère de l'East End.

— Ça m'a juste l'air un peu déplacé, vous ne trouvez pas?

Le serveur passa près de nous et sans s'arrêter posa une banette de pain au centre de la table. C'était du pain de mie, qui ressemblait diantrement à du Wonder Bread, bien que je doute que le Wonder Bread soit casher. Pas de beurre. King entreprit de mastiquer une tranche.

— Peut-être pas aujourd'hui, répondit-il enfin, mais tout ce coin était juif, dans le temps. Des années durant, ça a été le quartier de la confection. Il y a un siècle, à peu près. L'East End a toujours été l'endroit où s'installaient les immigrants. Ils débarquent d'abord ici, et dès qu'ils ont gagné un peu d'argent, ils s'empressent de déguerpir ailleurs. Maintenant, c'est surtout bengali.

— J'aurais cru que c'étaient plutôt des gens du Bangladesh, non? fit June.

— N'importe, répondit King. Je confonds toujours. Mais les Allemands, les Irlandais, les Juifs… Ils sont tous passés par ici, à une époque ou une autre. Quelques-uns sont même restés. Il y a une mosquée en haut de Commercial Street, en face du vieux Spitafields Market, qui auparavant était une synagogue. Et avant, une église protestante. Je parierais qu'elle a été bâtie sur le site d'un autel druidique. Mais évidemment, maintenant tout est musulman. À l'exception d'une petite synagogue vers Liverpool Street.

— Comment connaissez-vous aussi bien l'East End? s'enquit June.

— J'y suis né et j'y ai grandi, chérie. East Ham, Bow, Stepney. Ma mère habite toujours Hackney, dit-il en indiquant vaguement une direction de la tête. Juste en face de Martin Amis, pas moins.

— Un requin ordinaire, hein ? dit-elle.

— Bah, j'ai travaillé pour *News of the World*, pas vrai ?

— Un requin ? demandai-je.

— Un bon gars, expliqua King en me décochant un clin d'œil.

— Ce qui veut dire : ne lui faites pas confiance, dit June en souriant.

Du regard, je survolai le restaurant.

— Ça, j'y avais déjà pensé, fis-je.

Le serveur apporta notre commande. Cette fois il s'arrêta assez longtemps pour déposer les assiettes devant chacun de nous. Ma viande ressemblait de loin à du corned-beef, et encore. Un peu comme si vous aviez commandé un Michael Jackson et qu'on vous servait un Tito. L'autre plat était d'aspect totalement inconnu.

— Ce ne sont pas des *knishes*, fis-je.

— Bon appétit, ordonna le serveur en tournant les talons.

Je décidai qu'il s'agissait d'un *kugel* de pommes de terre. La chose était lourde – je crois qu'ils en font les ancres pour les transatlantiques – et n'avait rien à voir avec des *knishes*, mais ce n'était pas mauvais du tout. Quant au bœuf au sel, il se laissait très bien manger, lui aussi. Mes deux compagnons semblaient également satisfaits de leurs mets, bien que June parût quelque peu troublée par les raisins secs dans son pudding aux vermicelles. Cependant elle l'engloutit avec entrain.

Alors que le serveur m'apportait un café, et du thé pour June et King, je me remémorai quelque chose qui me tracassait depuis l'incident au restaurant indien, deux jours plus tôt.

— Qu'est-ce que ça veut dire, « Ultima Thulé » ? demandai-je à June.

Derrière moi il y eut un bruit de verre brisé. Je regardai par-dessus mon épaule. Un vieux Juif était assis dans le box voisin. C'était un individu tout en rondeurs, avec des cheveux gris bouclés et une barbe broussailleuse. Il portait un petit *yarmulke* et devant lui était posée une assiette contenant en tout et pour tout une saucisse de Francfort d'un rouge vif, aussi ronde que lui. Des glaçons et des éclats de verre jonchaient la table, et un filet d'eau coulait sur le sol. Notre serveur se précipita – jamais je n'aurais imaginé qu'il était capable de se déplacer aussi vite – pour nettoyer. J'eus le sentiment que le vieillard était le propriétaire, ou au moins un rabbin. En tout cas il me fixait d'un regard brûlant.

— Oups, souffla King, mais heureusement il n'adressa pas de clin d'œil à l'autre.

— Je ne sais pas, dit June en observant elle aussi l'étrange client.

— Hein ?

— Ultima Thulé. Je n'ai jamais entendu ces mots auparavant.

King eut une grimace exprimant son ignorance totale du sujet. Mais une voix derrière moi répondit :

— La Fin de Toutes Choses, dit le petit homme.

Il avait une voix étonnamment grave et un de ces accents étrangers insaisissables, moitié Bela Lugosi, moitié Ricardo Montalban. Probablement d'un pays de l'Est.

— Je vous demande pardon ? lui dis-je en me retournant.

Il me transperçait toujours du regard.

— Ultima Thulé… La Fin de Toutes Choses.

Nous le contemplâmes sans comprendre, mais il semblait n'avoir rien à ajouter.

— Ah, fis-je. Eh bien, merci.

Nous échangeâmes un regard avec mes deux complices, et King marmonna quelque chose de certainement profane.

— L'addition, s'il vous plaît.

June la prit et annonça que la chaîne paierait, ce qui me convenait tout à fait. En général, j'ai tendance à laisser des pourboires généreux, en particulier quand c'est mon employeur qui paie le repas, mais dans ce cas précis j'insistai pour que nous ne laissions pas plus de deux cents.

— Pas question que je laisse un pourboire de deux pence, rétorqua June.

— Combien estimez-vous que ce service valait?

Elle s'agita un peu, et King se mit à rire, mais finalement elle me recommanda de m'occuper de mes affaires. Quand nous nous levâmes pour partir, je jetai un coup d'œil au vieil homme. Il me surveillait toujours. Le petit hot dog sans pain occupait toujours le centre de l'assiette, intact, et ressemblait à s'y méprendre à une bite de chien. Nous passions la porte quand je le regardai une dernière fois. Il m'observait toujours. Je réprimai un petit frisson.

— Eh bien, ce n'était pas spécial, ça? dis-je.

À l'extérieur du restaurant, June parut rechigner un peu à prendre congé.

— Vous êtes certain que tout ira bien? me demanda-t-elle. Certains coins de ce quartier sont très louches, vous savez.

— Je le garderai à l'œil, chérie, dit King avec un clin d'œil.

— Tout ira bien, affirmai-je. Je vais juste faire un petit tour, rien de plus. Pour m'imprégner de l'atmosphère. Et peut-être me dénicher un *serial-killer*.

Elle ne semblait pas très rassurée, mais King héla un taxi noir en maraude et l'y poussa. Alors que le véhicule redémarrait, elle se retourna pour nous regarder par la vitre arrière. Je lui adressai un petit signe de la main, et King un clin d'œil.

— Bon sang, bougonna-t-il. J'ai bien cru que jamais maman poule ne nous lâcherait.

— Vous ne l'aimez pas?

— Oh non, ça va, elle est cool. Un peu trop snob pour le coin, c'est tout. Mais elle n'est pas aussi mauvaise que ces glandeurs pour qui elle trime.

— Des glandeurs?

— Oui, des branleurs, même! Tous autant qu'ils sont. Foutus agents de presse. Qui d'autre que moi bosserait pour une équipe pareille?

Il cligna une fois encore de l'œil. Ce tic commençait à m'agacer.

Nous remontâmes Whitechapel High Street. Je n'avais aucune destination précise à l'esprit, je pensais juste refaire le circuit des meurtres de Jack l'Éventreur que Mahr m'avait donné, pour mémoriser un peu la géographie des lieux. Ce matin, nous avions filé d'un endroit à un autre avec mon trio de Bretelles, et les divers pubs, rues et ruelles formaient une image confuse dans ma mémoire. Mahr avait été très clair : je n'avais pas à me soucier de tout cela. Cependant, et sans aucune illusion sur une prétendue enquête sur les meurtres de Whitechapel un siècle après, j'avais envie de profiter de l'occasion pour découvrir une partie de Londres qu'autrement je n'aurais jamais visitée. Et puis, à l'instar de beaucoup d'Américains, je le reconnais, j'adore le mythe romantique de l'histoire anglaise. Grattez la surface de l'Américain moyen, et vous trouverez le cœur d'un anglophile.

Du moins tant que les Britanniques paient pour voir nos films, qu'ils nous vendent leur pétrole et qu'ils font exactement ce qu'on leur dit à l'OTAN.

King poursuivait une sorte de monologue interminable tandis que nous déambulions dans les rues derrière White-chapel. Il avait une opinion – et souvent plus d'une – sur absolument n'importe quel sujet et ne montrait aucune réticence à la partager avec moi. Après quelque temps je parvins à l'oublier, même s'il se rappelait à mon bon souvenir régulièrement lorsqu'il s'arrêtait pour prendre quelques clichés. Même pendant qu'il cadrait et qu'il photographiait, il n'interrompait pas son discours.

Quelles que soient les notions romantiques que j'avais pu entretenir à propos de Whitechapel, elles furent vite dissipées par notre visite du quartier. C'était une partie de la ville triste et délabrée, où pullulaient restaurants de tandoori et de balti et des marchands de fringues au rabais. L'endroit me rappelait le quartier de la confection à L.A., à la différence près que les Asiatiques qui dirigeaient les ateliers clandestins dans l'East End étaient des Indiens et des Pakistanais au lieu de Coréens et de Chinois. Cela mis à part, la pauvreté a le même visage partout. Quelque chose en rapport avec le capitalisme international, je suppose. Une bonne chose que je ne fasse pas de politique.

La pauvreté affichée était la mode dominante dans le quartier, même si elle n'était jamais aussi affreuse que chez nos clochards américains moyens. Des musulmanes enveloppées de noir de la tête aux pieds, et des vieillards à barbe grise vêtus de blanc (mais d'une coupe très différente de la blouse des serveurs du Klein's) déambulaient ici et là. Je ne pensais pas désirer spécialement me balader dans le coin en pleine nuit, mais en même temps je ne me sentais pas aussi malvenu ou intrus que je l'aurais pu à L.A. Nous ne reçûmes que quelques regards curieux sur notre passage. Il existe certains endroits comparables à Los Angeles où vous ne vous promèneriez pas, même avec une escorte armée.

Comme sur un signal, une voiture de police nous croisa de l'autre côté de la rue.

— C'est vrai que les policiers d'ici ne portent pas d'armes ? demandai-je.

— Ahhh, fit King, et il se remit à débiter sa logorrhée.

J'aurais dû me méfier. J'appris que les flics ne portent pas d'arme à feu, puis j'eus droit à un bref historique de la Police Métropolitaine de Londres, en commençant par Sir Robert Peel, suivi d'une critique cinglante des failles du système judiciaire britannique et des déficiences du ministère de l'Intérieur actuel. King en était à l'homosexualité rampante dans le milieu judiciaire quand je décidai de l'interrompre.

— Au fait, pourquoi appelle-t-on Big Ben, Big Ben ?

King stoppa net son verbiage. Il regarda la rue dans un sens puis dans l'autre, comme si un doigt allait apparaître et tracer la réponse sur les façades en lettres de feu.

— Mince alors, lâcha-t-il enfin. Aucune idée, vieux.

— Et pour… Waow ! m'exclamai-je alors que nous tournions le coin de la rue.

— Hein ?

— Qu'est que c'est que ça ? dis-je.

À deux ou trois pâtés de maisons devant nous, la rue se terminait en cul-de-sac sur un édifice absolument stupéfiant.

— Vous ne l'avez jamais vue ? s'étonna King. C'est Christ Church. Une des dernières gloires encore debout dans Spitafields et tout l'East End.

— Comment ai-je pu la rater ? dis-je, songeur.

L'église s'élevait du sol telle une immense pointe de pierre blanche. Elle semblait hors contexte, et dominait les rues avoisinantes comme une première dent ses gencives dans la bouche d'un bambin. La géométrie de la construction paraissait vaguement impossible : ce n'était que tour et clocher. Sa vue me fit penser à cette dernière image dans *La Planète des singes*, lorsque Charlton Heston découvre le haut de la Statue de la Liberté qui émerge du sable. De la même façon, l'église donnait l'impression de jaillir de la rue, comme si ses deux tiers inférieurs avaient été coupés ou enterrés dans le sous-sol de la ville.

La puissance brute de l'architecture devint encore plus prononcée quand nous nous approchâmes de la façade. En levant les yeux vers le beffroi, au-dessus d'un porche à arche centrale avec quatre colonnes, la flèche m'emplit d'un sentiment de vertige. Je chancelai. J'entendis King rire, mais je ne pouvais détacher mon regard du monument. Je me déplaçai sur le côté, ce qui réduisit un peu l'effet de l'ensemble. La flèche était magnifique, d'où qu'on la contemplât.

— Eh, gaffe ! grogna une voix.

Je baissai les yeux et vis que j'avais failli marcher sur les jambes d'un vieil ivrogne en hardes affalé sur le sol près de l'escalier en pierre qui menait à l'entrée en contrebas.

— Désolé, murmurai-je.

Je distinguai deux ou trois autres types assis sur les marches, qui me jetèrent des regards noirs. King me saisit le coude et m'emmena à l'écart.

— C'est un centre de réhabilitation, expliqua-t-il. Il y a des réunions dans la crypte. Pour les alcooliques, surtout. Et les sans-abri. C'est le principal usage de l'église, aujourd'hui.

— Vous plaisantez, ce n'est pas possible, dis-je en considérant à nouveau le superbe édifice.

Je remarquai toutefois que le flanc de la bâtisse était en bien plus mauvais état que la façade. Les pierres étaient effritées, et sales. L'église aurait pu profiter d'un bon décapage à la sableuse, si les murs pouvaient supporter pareil traitement de choc.

— Ils parlaient de la démolir, il n'y a pas si longtemps, précisa King.

— Pas question !

— Vous pouvez croire ça ? Je me souviens, quand j'étais gosse on jouait avec mes potes dans les ruines qui encombraient le cimetière. Il fallait qu'on se glisse sous la palissade. C'était un drôle d'endroit, le genre qui donne des frissons, avec toutes ces tombes, ces statues et la végétation folle. Toutes sortes d'histoires de fantômes et de hantises circulaient à propos de ce lieu. L'église elle-même était en piteux état. Depuis ils ont fait un sacré boulot. À l'époque les fenêtres étaient seulement condamnées par quelques planches, et on se défiait mutuellement d'aller à l'intérieur.

— Et vous l'avez fait ?

— Oh non, j'avais trop les foies, ricana King en me lançant un clin d'œil. C'était probablement foutrement dangereux, quand j'y repense, mais évidemment on adorait ça.

— Je ne crois pas avoir jamais vu un édifice comparable, dis-je en revenant devant la façade pour l'admirer.

Je me rendis également compte que c'était la première fois que j'avais le vertige alors que j'étais au niveau du sol.

— Je ne suis pas trop calé sur ces conneries d'héritage culturel dont vous autres les intellos êtes tellement friands… Quand on pense que la moitié des habitants de ce pays merdique se croient encore au XIXe siècle…

— Ou bien rêvent d'y être encore, suggérai-je.

— Admettons. Toutes ces dramatiques en costumes qu'ils passent sur la BBC… Mais je suis heureux qu'ils aient conservé cette église-là. De ce que j'ai entendu dire, ils ont consacré une bonne partie du pognon ramassé à la loterie pour financer sa restauration.

Je me surpris à hocher la tête en signe d'approbation. La découverte de cette église validait entièrement ma décision de passer l'après-midi à visiter l'East End.

— Ça vous dirait, une pinte? demanda King.

Il désigna un pub en face de Christ Church, là où jadis les victimes de l'Éventreur se retrouvaient pour boire. C'est du moins ce qu'on prétendait.

— Pourquoi pas?

Une clientèle étonnamment fournie occupait le pub pour cette heure de la journée.

— Des touristes, lâcha King avec mépris.

Je n'entendais pourtant que des accents anglais. À une table, trois jeunes types nous décochèrent des regards mauvais alors que nous installions. Ils parlaient très fort et avaient l'air menaçant. Leurs rires sonnaient aussi froids que la glace, et sans vraiment prêter attention à leur conversation j'entendis clairement revenir le mot «négro».

— Sympa, l'ambiance, commentai-je.

— Bah, c'est le quartier. Qu'est-ce qu'on y peut, hein?

Je leur retournai leur œillade, mais la mienne n'était pas assez méchante, ou bien ils s'en fichaient. Je n'appréciais pas beaucoup leur conversation, mais King avait raison: qu'y pouvait-on?

Trois pintes plus tard – quatre pour King, qui raillait les bières blondes et la lenteur avec laquelle je les buvais –, j'en eus assez. La bière était bonne, et fraîche, mais le *one-man show* du photographe commençait à me taper sur le système. Ça ne m'avait pas dérangé au début, quand il m'avait dit ce qu'il savait sur l'église et Nicholas Hawksmoor, l'homme qui l'avait dessinée, puis lorsqu'il avait enchaîné avec l'histoire du quartier, mais je ne sais trop pourquoi il en était venu à discourir sur le cricket, et il s'était mis en tête que nous ne quitterions pas le pub avant que je n'aie saisi les complexités de ce jeu. J'ai dû voir par hasard une partie de cricket ou deux en zappant tard le soir, mais les explications de King et les diagrammes qu'il traçait sur les dessous de bière ne signifiaient absolument rien pour moi. Il avait dû se rendre compte que c'était peine perdue car il embrayait sur le rugby quand je lui annonçai que je devais rentrer à l'hôtel pour y attendre un appel de L.A. Il n'y avait aucun coup de téléphone, bien sûr, mais il venait de commander une autre pinte et je pensai qu'il valait mieux profiter de cette chance. Avant de sortir, je vis du coin de l'œil qu'il avait déjà harponné une autre victime pour lui expliquer Dieu seul sait quel sujet.

Je n'avais rien d'autre sur mon agenda pour ce jour, et j'aurais effectivement pu prendre un taxi pour retourner à l'hôtel, mais sans autre perspective qu'un autre dîner hors de prix dans ma chambre, je décidai de traîner encore un peu dans le coin. J'admirai une dernière fois l'église, puis je suivis mon nez dans les petites rues de Whitechapel, dans la direction approximative où je me souvenais d'avoir vu une bouche de métro.

Tout en marchant un peu au hasard, je me rendis compte que Christ Church était souvent visible entre les vieux immeubles. La façon dont la vieille église dominait le quartier était surprenante, une fois que vous pensiez à la chercher du regard. Cet endroit baignait dans une atmosphère étrange : il était difficile de s'en faire une idée d'après les immeubles, tous assez affreux, mais à l'évidence d'époques diverses. King m'avait raconté que cette partie de l'East End avait été détruite par les bombardements de la Luftwaffe durant la Seconde Guerre mondiale, et il était presque incroyable que Christ Church ait été épargnée. Si les informations débitées par le photographe étaient exactes, l'église remontait au XVIIIe siècle, et apparemment quelques constructions éparses dans cette zone étaient encore plus anciennes.

Mais en déambulant tranquillement dans les petites rues, je ne vis rien qui parût beaucoup plus vieux que nos devantures habituelles à L.A. De temps à autre je passai devant une façade d'aspect historique, mais elle était prise en sandwich entre deux autres beaucoup plus récentes mais incroyablement laides de cités. Tous les habitants du coin semblaient asiatiques, et le parfum des currys maison fit gargouiller mon estomac.

Je me rendis rapidement compte que je n'avais pas pris la direction souhaitée initialement. Je disposais d'une des cartes des méfaits de l'Éventreur, prodiguée par les frères Bretelles, mais Londres semblait faire un effort pervers pour rendre les noms des rues aussi difficiles que possible à repérer, et quand enfin j'aperçus une plaque je ne pus situer la rue sur le plan. À un certain moment je m'engageai dans une allée qui me conduisit en plein milieu d'une cité – un ensemble de logements à caractère social, comme disait King – et pour la première fois je m'attirai quelques regards inamicaux d'un groupe de jeunes Asiatiques. Je pressai le pas et me sentis mieux en constatant qu'ils ne prenaient pas la peine de me suivre. Si la même scène s'était déroulée à L.A., les joyeux adolescents auraient déjà balancé mon corps démembré dans les poubelles avant d'aller revendre ma montre et mes chaussures.

Je ressortis de la cité et me retrouvai sur une rue pavée déserte. Pas de plaque visible, évidemment. Je regardai à droite, puis à gauche, avec l'espoir d'apercevoir la flèche de l'église et ainsi de m'orienter. La rue était bordée d'arbres et d'immeubles de trois et quatre étages, et au-dessus de leurs façades je ne parvenais à voir aucun repère. Au hasard je pris à droite, mais deux pâtés de maisons plus loin je commençai à douter de mon choix, car le quartier déjà triste autour de Christ Church devenait ici franchement sordide. Ça ne ressemblait quand même pas à East L.A. ou Long Beach, mais les rues étaient nettement plus sales et pour la première fois je remarquai des graffitis aux murs. Je n'y prêtai guère attention jusqu'à ce que je lise ULTIMA THULÉ inscrit en rouge, dans une teinte beaucoup trop semblable à celle du sang.

Je n'étais pas encore inquiet – j'avais déjà été agressé dans des endroits bien pires durant ma vie – mais marcher seul dans un quartier peu recommandable d'une cité inconnue n'est pas exactement la chose la plus intelligente à faire. Et quelque chose à propos de cette Ultima Thulé me rendait particulièrement nerveux. Depuis cinq minutes, les seules personnes que j'avais croisées étaient des musulmanes vêtues de noir qui ne levaient jamais les yeux, et des gangs de jeunes Asiatiques qui eux me fixaient avec insistance ; j'estimai qu'aborder les uns ou les autres aurait été une très mauvaise idée.

Alors qu'une panique vague mais réelle grandissait sournoisement en moi, la rue pavée déboucha sur une artère un peu plus large, avec plusieurs petits magasins en vue. Pour cette heure de la journée, cette rue elle aussi me parut affreusement calme, mais je poussai un soupir de soulagement en voyant le commerce au coin. Je traversai en biais vers lui, avec l'idée d'acheter une boisson fraîche et de demander mon chemin jusqu'au métro.

Un petit carillon retentit quand je franchis la porte et un Asiatique d'une quarantaine d'années, moustaches à la Groucho Marx et bajoues, me salua d'un hochement de tête. Je lui répondis d'un sourire et d'un « Comment va ? » qui parut le déconcerter. Le magasin étroit et tout en longueur n'avait qu'une seule allée, mais il était encombré d'à peu près tout, des soupes en boîtes aux barres chocolatées. Un présentoir à magazines était accroché à un mur, et je notai que peu de revues étaient en anglais. Au centre du commerce, une table était recouverte de vidéocassettes dont les couvertures représentaient des acteurs et des actrices en saris colorés. Les titres étaient en hindi, du moins je le supposai. Je localisai le réfrigérateur au fond du magasin, près d'un rideau orné de perles qui devait donner sur une pièce privée. Je mis le cap sur cet objectif, en pariant que le propriétaire serait plus serviable avec un client qui achetait quelque chose.

Le frigo ronronnait poussivement. Il contenait surtout des Coke et des Diet Coke, et aucune des cannettes n'était très fraîche – surprise, surprise –, mais je dénichai quelques bouteilles de Snapple en bas. Je m'accroupis pour les atteindre et j'eus alors la sensation qu'on m'observait. Je regardai par-dessus la boisson aux fruits de la passion que je venais de pêcher et vis deux yeux sombres qui m'étudiaient. Ils appartenaient à une ravissante fillette, la fille du propriétaire sans doute, qui ne devait pas avoir plus de quatre ans. Elle avait de longs cheveux noirs brillants et portait un tee-shirt au slogan assez incongru : « Les gentilles filles vont au Paradis ; les méchantes filles vont à Londres », qui lui descendait bien au-dessous des genoux. Je lui souris et agitai les doigts dans sa direction ; elle répondit par un petit rire étouffé, puis se fit soudain toute timide et alla se réfugier derrière le rideau.

Je n'arrivais pas à me décider entre la Mangue et le Pamplemousse. Je tendis les deux bouteilles à ma nouvelle amie pour qu'elle choisisse. Elle parut prendre cette responsabilité très au sérieux et étudiait avec soin les deux étiquettes quand le carillon de la porte d'entrée tinta de nouveau. Je ne m'y intéressai pas jusqu'à ce que je voie le regard de la gamine quitter les bouteilles pour se fixer sur un point situé au-delà de mon épaule. Son sourire disparut aussitôt et la peur écarquilla ses yeux. Je me retournai vers l'entrée du magasin pour voir ce qui l'effrayait et quelque chose de considérablement plus froid qu'un jus de fruits envahit mon estomac.

Deux jeunes voyous blancs harcelaient le propriétaire, qui avait l'air terrorisé. L'un était l'archétype du skinhead : petit, trapu, le crâne rasé et les oreilles en chou-fleur. Il portait un jean noir, un tee-shirt blanc et des bottes dignes de la créature de Frankenstein. L'autre, grand et mince, avait les cheveux longs fins et trois poils en guise de barbe. Il nageait dans un blouson en cuir trop grand et tenait quelque chose de brillant au poing. Le skinhead s'était penché sur le comptoir et avait saisi le propriétaire par le col. Il giflait l'Asiatique avec méthode ; pas très fort, mais suffisamment pour qu'on entende le claquement de la chair contre la chair. Il hurlait quelque chose au commerçant, mais je ne parvenais pas à comprendre quoi, à cause de son accent cockney. Le type en cuir était nerveux et son regard ne cessait de faire l'aller-retour entre le comptoir et la rue. Aucun des deux ne m'avait aperçu, agenouillé que j'étais au fond du magasin.

Le skinhead riait à pleins poumons tout en injuriant et en frappant le pauvre Asiatique. Il me sembla qu'il le traitait de « enculé de Porky », ce qui n'avait aucun sens pour moi. Son acolyte souriait, mais restait silencieux. Il scruta la rue un moment, puis passa derrière le comptoir.

Ce qui luisait dans sa main, c'était la lame d'un couteau.

— Merde et bordel de merde, murmurai-je.

Ou quelque chose d'aussi savoureux.

Dans l'existence, il y a des moments où vous ne pensez pas, vous agissez. Certains de ces moments sont positifs, d'autres moins :

Vous vous baladez dans votre voiture, en chantant « Two Hearts » avec Bruce Springsteen, et vous grillez un stop au ralenti : mauvais.

À la caisse du supermarché, vous remarquez qu'une vieille dame avec juste un paquet de biscottes est derrière vous dans la queue. Vous lui cédez votre place : bien (à moins qu'elle ne veuille payer avec la petite monnaie dispersée au fond de son sac à main).

Lors d'une soirée, vous êtes présenté à une jeune femme aussi intelligente que belle. Vous vérifiez le contenu de son décolleté avant de vous intéresser à la couleur de ses yeux : mauvais. Au mieux vous obtiendrez son ancien numéro de téléphone.

Je ne réfléchis pas.

Je me redressai et fonçai vers l'entrée du magasin. Un grondement sauvage montait quelque part en moi.

Je lançai la première bouteille aussi violemment que je le pus.

Je vis le projectile filer en tournoyant sur lui-même et le liquide rosâtre devenir presque fluorescent dans l'éclairage (que mettent-ils dans ce truc ?). Les deux voyous se retournèrent vers moi en même temps. L'éclat vicieux dans leurs prunelles fut remplacé par la surprise.

La bouteille explosa en écrasant l'arête du nez du skinhead. Un jet de liquide rose éclaboussa la devanture quand le petit salopard lâcha le propriétaire et s'écroula au sol.

Son pote en cuir sautait déjà par-dessus le comptoir quand je lançai mon second projectile. Ce qu'elle contenait était brunâtre et ne brilla pas autant sous les néons du magasin. Le type était à mi-chemin de la porte quand la bouteille le percuta entre les omoplates et le projeta dans la rue. J'entendis le verre se briser, mais je n'aurais pu dire si c'était contre le corps du gars ou sur le sol.

Je courus jusqu'à la porte. Le propriétaire était à genoux, derrière le comptoir, mais il semblait seulement secoué. Le skinhead se tordait par terre en gémissant, les deux mains plaquées sur son visage en sang. Entre ses doigts, des échardes de verre étaient fichées dans ses joues. Je sortis. L'autre s'était carapaté. Je vis la bouteille explosée sur le trottoir, mais même si elle s'était brisée sur lui, elle n'avait pu lui causer grand mal. Dommage.

Je rentrai dans le magasin. Le propriétaire s'était un peu ressaisi. Il avait contourné le comptoir et se tenait immobile, une batte de cricket brandie au-dessus de sa tête, prêt à présenter ses civilités au skinhead. Il me regarda et je vis la question muette dans ses prunelles.

— Eh, vas-y, Grand chef, lui dis-je. Vise bien. Je ne dirai rien.

Le petit homme leva la batte un peu plus haut encore, mais il n'eut pas le temps de frapper. Une femme portant la fillette dans ses bras arriva en courant du fond du magasin en pleurant et en criant dans une langue qui m'était inconnue. Le propriétaire céda lui aussi aux larmes. Il jeta la batte dans l'allée et étreignit sa femme et sa fille.

Je contemplai le skinhead. Il était couvert de sang et de jus de fruits. Je remarquai les ferrures renforçant le bout de ses bottes. Et en m'approchant je vis que sur son tee-shirt deux mots étaient imprimés en lettres argentées : ULTIMA THULÉ.

Je reculai et lui décochai un shoot magnifique dans les parties.

M'est avis qu'on l'entendit hurler jusqu'à Sunset Boulevard.

Il y eut l'éclair d'un flash dans mon dos. King se tenait sur le seuil du magasin, appareil en main. Il prit encore plusieurs clichés.

— Super, dit-il avec un sourire radieux sans cesser de mitrailler la scène. Foutrement super.

4

BURNS, UN GARS QUI EN A !!! hurlait la manchette à la une du journal aux jeunes filles poitrinaires en page 3. La taille des lettres ne me gênait pas tellement, mais le troisième point d'exclamation me semblait un peu excessif. Une bonne partie du reste de la page était occupée par un des clichés de King. J'y apparaissais, l'air plutôt tranquille, debout devant le skinhead recroquevillé sur le sol. Bien entendu, ce n'était pas la photo sur laquelle je frappais ce petit fumier au bas-ventre. L'autre gros titre agrémenté d'un cliché concernait un membre éloigné de la famille royale qui aurait eu pour projet de changer de sexe.

En fait je faisais la une de la plupart des journaux du lendemain, même si j'étais en bas de page sur tous, sauf le *Times*. Seul le *Guardian* n'ayant pas publié une photo de King, j'en déduisis que mon guide intarissable avait dû ramasser un joli paquet. Mahr et ses acolytes n'avaient même pas eu à lever le petit doigt pour toute cette publicité. Les lemmings des médias se marchaient dessus pour sauter du haut de ma falaise. L'histoire de l'Éventreur que nous avions élaborée le matin précédent fut abandonnée – pas une grande perte – devant l'éclat de mon aventure dans le magasin. Mahr résuma fort bien la situation : « Quel besoin de ces conneries d'agents de presse quand on dispose d'un véritable héros ? »

J'eus à moitié envie de lui rappeler que ces « conneries d'agents de presse » représentaient sa vie, mais il ne faut pas réveiller le chat qui dort, etc.

« Héros » était un qualificatif un peu excessif aussi, à vrai dire, mais c'est sous cet angle que les journaux narraient l'incident, et les gars de la chaîne ne furent que trop heureux – ravis serait plus proche de la réalité – d'accompagner le mouvement. Les directeurs qui le premier jour m'avaient serré la main pour aussitôt disparaître effectuaient un retour en force. Mahr me présenta à tout un tas de pontes tout sourire, mais je ne mémorisai aucun de ces visages. De toute façon, ces gars-là se ressemblent tous : aussi fades et passe-partout que vus de dos à cent mètres.

Une pleine journée d'interviews et de séances photos m'attendait, et Mahr et son gang travaillaient déjà à modifier la campagne de pub de *Burning Bright* afin de capitaliser ma notoriété toute neuve. Je passai la matinée à courir de studio en studio pour apparaître dans les diverses émissions qui accompagnent le petit déjeuner du téléspectateur docile. J'ai toujours détesté ces niaiseries comme *Good Morning America* ou *Today*, avec cette fausse joie matinale partout – qui diable peut bien être joyeux à sept heures du matin ? – et je ne fus pas surpris de découvrir que leurs équivalents britanniques ne valaient pas mieux. La première émission à laquelle je participai était présentée par un homme et une femme non mariés ensemble mais qui agissaient comme s'ils l'étaient, et la deuxième par un couple marié mais qui se comportait comme s'il ne l'était pas. Sur un autre plateau, je me retrouvai avec une véritable armée de présentateurs, et je ne me posai pas la question de deviner qui avait épousé qui. Ils étaient tous gais jusqu'à la nausée, et se harcelaient comme les Israéliens et les Palestiniens pendant les trêves.

Naturellement, tous m'interrogèrent sur mon acte de bravoure dans l'East End, mais j'avais été mis au parfum par la machinerie Bretelles and Co, et très vite je revenais au plus important et leur montrais des bandes-annonces de *Burning Bright*. Je n'ai jamais été trop à l'aise lors d'interviews, mais j'avais dû me soumettre au même cirque lorsque *Burning Bright* avait été lancé au pays, et je connaissais par cœur le boniment standard à débiter. J'avais également mémorisé un résumé bref et modeste de ce qui s'était passé dans le magasin, et je n'eus pas à m'écarter beaucoup du script pour répondre aux questions aimablement flagorneuses.

Aucun de mes interlocuteurs ne mentionna Ultima Thulé.

Je n'en fus pas autrement étonné. Le laïus concocté par Mahr et ses sbires expliquait comment j'avais fait échouer une tentative de vol, et c'est très exactement ce que racontaient les journaux du matin. Le communiqué officiel de la police allait dans le même sens, et me félicitait particulièrement pour avoir honoré mon devoir civique, même si j'étais un étranger. Quelque chose à propos de ces « Américains effrontés ». Ou était-ce « courageux » ?

Pour moi, l'affaire n'était pas aussi simple.

Les premiers flics arrivés sur les lieux étaient deux îlotiers. Ils prirent nos témoignages et appelèrent une ambulance pour le skinhead, mais la jeune femme officier était à la hauteur, et lorsque King lui révéla qui j'étais, elle envoya immédiatement un message radio pour qu'un supérieur vienne. Elle n'avait pas entendu parler de moi – « Je déteste ces séries policières avec des détectives », me confia-t-elle. « Ils sont vraiment trop ridicules » – mais ayant été informée de mon statut de célébrité, elle adopta une attitude prudente. Elle alla même jusqu'à me demander un autographe, pour ensuite étudier mon nom avec une perplexité mal dissimulée.

Son supérieur était un grand type au regard dur et à la mâchoire carrée incroyable. En fait, comme beaucoup de ce que j'ai pu voir en Angleterre, il me sembla particulièrement monty-pythonesque. Il se présenta comme étant l'inspecteur-chef Carling et attira sa jeune collègue à l'écart pour avoir sa version. Quand il revint vers moi, il était tout miel et compliments, bien qu'il ait tant empiété sur mon espace vital que je craignis un instant d'avoir l'œil arraché par un *coin* de son menton. L'îlotier féminin, qui s'appelait Walton, traînait trois pas derrière lui.

— Eh bien, dit Carling, c'est là une aventure que vous avez eue, M. Burns. Bien joué, en vérité, Monsieur.

— Le bon endroit au mauvais moment, dis-je nonchalamment. Ou le contraire.

— Oui, fit-il en se grattant le menton, et je me demandai combien de temps cela lui prenait pour se raser chaque matin. Je viens de revoir votre relation des faits telle que vous l'avez communiquée au policier Walton. Tout semble très clair, Monsieur, mais j'aurais une petite question à vous poser au sujet de ce que vous dites avoir entendu pendant la tentative de vol.

— Que voulez-vous dire ?

Carling tendit la main et Walton lui donna son calepin.

— Vous avez déclaré, fit-il sans même consulter les notes, que les « voyous » avaient agressé le propriétaire du commerce et l'avaient insulté, en même temps qu'ils le menaçaient physiquement.

— Exact.

— Vous avez également déclaré qu'ils l'avaient traité, excusez-moi, de : « enculé de Porky ».

— C'est bien ce que j'ai cru entendre, répondis-je. Pour moi, le patron du magasin ne me semblait pas aussi gros que le Porky du dessin animé, et j'ai pensé que l'injure n'avait aucun sens. Mais ensuite l'officier Walton m'a expliqué qu'ils l'avaient sans doute appelé « Paki », pour Pakistanais. Aux States, je n'ai jamais entendu ce mot, mais je crois comprendre qu'ici c'est une insulte à caractère raciste ?

— Parfois, lâcha Carling en lançant une œillade mécontente à Walton, qui détourna la tête. Êtes-vous bien sûr de ce que vous avez entendu, Monsieur ?

Quelque chose commençait à sentir diantrement mauvais, et ce n'était pas seulement la boisson aux fruits de la passion qui avait tourné.

— Comme je l'ai dit, j'ai cru les entendre le qualifier de « Porky », mais j'étais au fond du magasin et j'ai du mal à comprendre certains accents anglais. Mais d'après ce que m'a dit votre officier ici présent – Carling décocha un autre regard incendiaire à Walton –, il semble assez logique de penser qu'ils ont traité le propriétaire de « Paki », et que j'ai mal compris.

— Mais vous les avez entendus dire « Porky », insista-t-il.

— Au premier abord, je suppose que oui.

Je commençais à entrevoir où tout cela nous mènerait.

— En ce cas, fit-il en se penchant encore un peu plus près, pourrais-je vous demander de déposer ce détail précisément de cette façon lorsque vous ferez et signerez votre déposition?

De plus en plus je devais me pencher en arrière pour éviter la muraille de sa mâchoire, et après un temps je décidai de me redresser. Il recula.

— Qu'est-ce qui se fricote?

— Monsieur?

Je posai sur Carling mon regard le plus pénétrant. À la vérité, pas plus perçant que le rayon faiblard d'une lampe-stylo.

— Qu'est-ce que ça veut dire, tout ce cirque?

— M. Burns, vous êtes de Los Angeles, exact?

— Ouais. La Cité des Anges.

— Je n'y suis jamais allé en personne, mais je crois savoir que Los Angeles est une ville où règne une certaine… disharmonie raciale.

— Nous avons une saison officielle pour les émeutes, si c'est ce que vous voulez savoir. Mais il faut réserver longtemps à l'avance.

— Oui, Monsieur, c'est précisément ce que je veux dire. Et voyez-vous, nous aimerions beaucoup que la même chose ne se produise pas ici.

— C'est-à-dire?

— C'est-à-dire qu'il y a toujours des tensions qui mijotent sous la surface, dans une ville aussi grande et diversement peuplée que Londres. En particulier dans un voisinage comme celui-ci, où l'on peut trouver un rassemblement de groupes culturels divergents.

Je prévoyais la suite, et elle ne me plaisait pas. Je décidai de ne pas lui faciliter la tâche.

— Pourquoi ne pas formuler clairement ce que vous voulez, chef?

Carling eut une petite moue et se tourna vers Walton, qui faisait de son mieux pour ne croiser aucun regard.

— Pourquoi n'allez-vous pas voir si Baxter a besoin d'un coup de main? lui dit-il.

À peu près aussi fin et délicat que son menton. Dès que nous fûmes seuls, il reprit :

— Nous avons des problèmes raciaux incessants, dans le coin. La communauté asiatique est régulièrement harcelée par ces petits voyous, même si c'est sans grande gravité. Ces agressions tendent à déclencher une réponse tout aussi violente de la part des jeunes Asiatiques du quartier, ce que je comprends fort bien. Nous nous efforçons de ne pas monter en épingle ces incidents, car toute publicité n'aurait pour effet que d'envenimer les choses. Or il n'est pas douteux que vous allez vous attirer beaucoup de publicité pour votre intervention. Alors, si l'incident peut en rester au stade de la tentative avortée de vol, grâce à vous, il y aura probablement très peu de répercussions négatives. Mais s'il y a la moindre allusion à une agression de type raciste…

— Ce qu'elle était, l'interrompis-je.

— Eh bien, nous n'en avons pas l'absolue certitude, n'est-ce pas ? Et si vous répétez seulement ce que vous avez entendu ces voyous dire, plutôt que la suggestion de quelqu'un d'autre sur leurs propos, nous serons en mesure d'éviter des incidents plus graves dans les jours qui viennent.

Il se tut et attendit, plein d'espoir. J'imagine que son discours n'était pas sans fondement, mais il y avait un petit truc là-dedans que je n'aimais pas trop. Bon, simplement, la malhonnêteté du procédé. N'empêche, c'était son domaine et qui diable étais-je pour lui dire ce qui était bien, ou comment maintenir l'ordre dans ce secteur ?

— Ultima Thulé, dis-je.

Haussement de sourcils et abaissement de mâchoire en face.

— Pardon ?

— Ultima Thulé. Qu'est-ce que ça signifie ?

— Où avez-vous entendu cette expression ?

Je désignai le skinhead qu'on était en train d'emmener. On pouvait toujours lire l'inscription sur son tee-shirt, malgré le sang.

— Ah, je vois, fit Carling.

— Et moi j'ai déjà vu ce slogan dans le coin. Particulièrement sur une brique qui a été lancée dans la vitrine d'un restaurant indien et qui a atterri dans le plat dont je me régalais. Mais j'ai vu cette inscription ailleurs, sur les murs…

— C'est un slogan adopté par certains des voyous locaux. Une référence à quelque chose comme le Jour du Jugement Dernier, si je me souviens bien. Plutôt apocalyptique, dans l'ambiance millenium et fin du monde, toutes ces foutaises. Et c'est justement en rapport direct avec ce que je viens de vous expliquer. C'est pourquoi votre coopération est aussi importante. Et serait très appréciée.

Il me couvait d'un regard interrogateur. Je ne sais pas : si on lui retirait la moitié du menton, ce type semblait correct. Pour un flic, s'entend.

— « Porky », c'est ce qu'il a dit, fis-je.

— Merci, M. Burns, dit-il en s'apprêtant à partir.

— Eh ! fis-je, et il s'arrêta. Vous appelez vraiment ces types-là des « voyous » ? Je veux dire, vous ne vous payez pas ma tête, là, hein ?

— Croyez-moi, M. Burns, c'est exactement ce qu'ils sont : des voyous.

J'acquiesçai et allai lui poser d'autres questions, mais Mahr et son gang de la presse arrivèrent et je n'en eus pas le temps.

J'effectuai une autre interview pour le journal télévisé de la mi-journée sur la BBC avant de profiter d'un peu de repos. J'aurais préféré la compagnie de June, manque de chance Mahr insista pour m'escorter jusqu'au soir. Vu l'importance qu'avait prise la chose, je ne pouvais pas refuser. Mais le type se révéla un enquiquineur de première, et il finit par sérieusement me porter sur les nerfs. Il me demanda si j'avais une préférence pour le déjeuner, justement le moment où je voulais m'éclipser.

— Écoutez, lui dis-je, j'aimerais profiter d'une heure ou deux de solitude. Histoire de mettre mes idées en ordre, d'accord ?

Ma réflexion parut le frapper d'horreur.

— C'est que nous avons un emploi du temps chargé pour l'après-midi…

— Ouais, pas de problème, fis-je en feignant la bonhomie. Mais je veux juste aller faire un petit tour. Me détendre un peu.

Mahr semblait un peu perdu. À l'évidence il ne désirait surtout pas me lâcher, mais il ne pouvait pas non plus me froisser.

— À quand est fixé le premier rendez-vous ? m'enquis-je.

Il exhiba un petit agenda électronique.

— Un portrait pour l'*Observer* est prévu à deux heures. C'est dans Clerkenwell.

— D'accord, déclarai-je en me drapant dans les prérogatives des vedettes. Dites-leur que je serai là-bas à… – Je consultai ma montre ; il était déjà presque une heure – trois heures.

— Mais où serez-vous entre-temps ? Il n'y a pas grand-chose à faire dans cette partie de la ville.

Il me rappelait ma mère.

— Je prendrai un taxi. Je suis un grand garçon. Je veux simplement marcher un peu, et manger un morceau. Une part, un chien, n'importe.

— Une part ? Un chien ?

— Une part de pizza, ou un hot-dog, un chien chaud, quoi. Vous connaissez ?

Il avait l'air effaré.

— Peu importe, enchaînai-je. Il me faut un peu d'espace, c'est tout. C'est un tic qu'on prend en Californie.

À contrecœur, Mahr accepta. De toute façon il n'avait pas vraiment le choix, et nous convînmes de nous retrouver pour l'interview. Alors que je remontai la rue, sans aucune idée de ma destination ni de ma position, je sentis son regard fixé sur moi. À un demi-pâté de maisons, je me retournai. Comme je m'y attendais il n'avait pas bougé d'un pouce. Il était toujours planté devant les studios de la BBC, à m'observer. Je lui fis un petit signe, agrémenté d'un sourire. Il leva à moitié le bras pour répondre, mais le cœur n'y était pas. Il donnait l'impression d'être au bord des larmes et je me sentis comme un gamin qui part pour sa première journée d'école.

Je ne me retournai pas avant d'avoir la certitude que Mahr serait hors de vue.

Mahr avait raison à propos du quartier : rien de folichon. Je déambulai quelque temps, en profitant du calme, mais il n'y avait rien alentour sinon des immeubles de bureaux aux façades rébarbatives, qui semblaient pour beaucoup appartenir à la BBC. Je commençais à avoir faim. Je tombai sur une bouche de métro et étudiai le plan. Je n'étais pas très loin de Kensington, un nom qui éveillait de vagues échos positifs dans ma mémoire. Je montai donc dans la première rame distribuant Kensington High Street.

Le métro de Londres est très bien conçu. Au contraire de celui de Los Angeles, encore naissant, il vous permet d'aller partout, et à la différence de l'immense réseau newyorkais il est plutôt agréable à prendre. En fait, avec ses sièges rembourrés, ses ouvertures de portes automatiques et son éclairage, ses wagons dépourvus de graffitis, il ne correspond pas du tout à la définition américaine du métro. Même les plans sont faciles à lire ; la preuve flagrante que personne ayant travaillé aux États-Unis n'a mis son grain de sel ici.

Kensington ne me sembla pas le moins du monde familier quand j'émergeai dans la rue, mais c'était le genre d'endroit que je recherchais : boutiques classe, cafés et restaurants en quantité, et attirants. La plupart me parurent toutefois un peu trop luxueux, et je ne voulais rien de tel. Mahr m'avait averti que la chaîne organisait une petite fiesta ce soir, je préférais donc éviter les excès pour l'instant.

Je me risquai dans un snack-bar propret et choisis un sandwich à la dinde et un Coca. Je ne prêtai vraiment attention à ce qu'on m'avait donné qu'après m'être attablé et avoir goûté ma commande.

C'était un sandwich à la dinde.

Littéralement.

Deux tranches ultrafines de dinde coincées entre deux

tranches de pain blanc beurré. Rien d'autre.

Et le Coke était tiède.

Je sais bien qu'à l'étranger les Américains ont une réputation bien établie de râleurs. En règle générale, je ne suis pas du genre à me plaindre, mais le truc qu'on m'avait servi était au sandwich américain ce que le métro de Londres est à celui de New York. À l'envers, si vous me comprenez.

L'homme derrière le comptoir, qui avait des allures de Grec mais parlait avec un accent slave, parut sincèrement étonné de ma plainte, et totalement hermétique : il m'avait donné ce que j'avais commandé et, plus important, ce que j'avais déjà payé. À mieux le regarder, il avait l'air heureux de l'homme dont l'argent du consommateur cliquette dans sa poche. J'entrepris de lui narrer l'histoire et la philosophie du sandwich – laitue, tomate, fromage, mayonnaise, et même concombre, dans certaines contrées exotiques – mais cela ne le dérida pas.

— Salade et tomate sont en supplément, laissa-t-il tomber.

— Et la mayo ?

— En supplément.

Je m'en voulus de le demander, mais je ne pus résister :

— Le fromage ?

— Nous n'avons pas de fromage.

Je dus donc me délester de quarante *pences* supplémentaires pour ces extras et les incorporer moi-même à mon sandwich. Un verre propre avec des glaçons me fut en revanche concédé gratuitement. Je voulus lui expliquer que je n'avais pas voulu de beurre, mais je renonçai avant de m'énerver. La prochaine fois, j'irais dans un McDonald's. Je supposai qu'ils ne beurraient pas les petits pains ronds avant d'y coller la garniture.

J'en étais à la moitié du sandwich et plongé dans un journal à scandales que quelqu'un avait abandonné sur la table voisine quand l'homme s'assit en face de moi. L'établissement était petit et il n'y avait pas d'autre table libre, aussi ne me formalisai-je pas de sa venue. Mais oui, je sais jouer collectif quand la situation le requiert. Je ne levai même pas les yeux du tabloïd, que je pliai en deux pour libérer un peu de place.

Il me fallut trente secondes avant de me rendre compte que le type me regardait fixement.

La notoriété vous apporte pas mal de petits avantages agréables : l'argent, l'adoration des foules, l'argent, une place au restaurant sans faire la queue, l'argent. Mais tout ça a toujours un prix.

Retombé au plus bas, après mes succès adolescents, je hurlais de rage quand j'entendais un acteur ou une célébrité quelconque geindre sur les tracas et les inconvénients de la gloire, et sur la perte de toute vie privée et toutes ces fadaises. La plupart de ceux qui prétendent ça sont de gentils menteurs. À moins d'être une méga-star – et elles ne sont qu'une poignée à chaque génération – vous pouvez être un acteur et mener une existence normale si c'est ce que vous désirez.

Mais la plupart ne le veulent pas, justement.

Depuis la diffusion de *Burning Bright* aux États-Unis, il m'était arrivé d'être reconnu au supermarché, parfois de me voir demander un autographe, mais cela n'avait rien d'intolérable. Je supportais même les rares insultes lancées par un petit trou du cul qui voulait impressionner ses amis. Tout cela faisait partie du jeu.

De temps à autre, pourtant, vous rencontrez un fan qui vous file la pétoche. Le type attablé en face de moi me donna aussitôt cette prémonition.

Difficile de le croire, puisque *Burning Bright* n'avait pas encore été lancé ici, mais entre le coup de pub avec Jack l'Éventreur et mon intervention en plein vol, ma trombine était apparue un peu partout ces deux derniers jours. Je n'aurais peut-être pas dû m'étonner.

Il n'était pas très costaud, mais il avait cette intensité bizarre, un peu comme Anthony Perkins dans *Psychose*. C'est son crâne rasé qui m'alerta en premier. Immédiatement, je pensai « un skinhead ». Mais il était asiatique – indien, pour être plus précis – donc ça ne collait pas. Il semblait jeune, cependant le crâne rasé rendait toute approximation difficile ; il pouvait avoir vingt ans comme trente-cinq.

Les piercings étaient l'autre détail qui m'avait mis en alerte. Une jolie diversité de bijoux pendait à ses oreilles ou les traversait : une série de torsades en or et d'anneaux en bois épais. Un clou en or transperçait sa narine gauche, et il avait un petit anneau passé dans la peau au-dessus de l'œil droit, juste sous la pointe du sourcil.

J'essayai le plan A : un sourire, un hochement de tête, un clin d'œil à la Mel Gibson et retour à mon assiette.

Il continua de me dévisager. Maudit soit ce Mel Gibson.

Plan B :

— Comment va ? Content de vous voir.

Il passa la langue sur ses lèvres crevassées. Elle était percée par une sphère en or de la taille d'un petit pois.

Je jetai un œil aux tables voisines, mais la seule personne qui s'intéressait à nous était une femme âgée devant une pomme de terre. Elle regardait fixement mon invité surprise, le visage figé sur une grimace.

Je tentai la méthode du silence, mais très vite je n'y tins plus.

— Il y a un problème, mon pote ? finis-je par lui demander.

— Vous zêtes M. Martin Burnz, déclara-t-il.

Il avait à peine une pointe d'accent indien, mais son machin en or sur la langue le faisait sérieusement zézayer.

— C'est exact.

— Ze vous zai vu ce matin, à la télévision et dans les journaux.

— La journée a été plutôt chargée, dis-je.

Son visage demeurait impénétrable ; impossible de deviner ce qu'il pensait.

— Ce que vous zavez fait était très bien, et très courazeux, dit-il.

Je vidai mes poumons lentement et me décontractai un peu.

— Merci. J'ai simplement fait ce que je pensais devoir faire sur le moment.

— Alors pourquoi ne le faites-vous pas maintenant ? demanda-t-il.

Je me recrispai illico.

— Que voulez-vous dire ?

— Vous passez à la télé, à la radio. Pourquoi ne parlez-vous pas de la Thulé ? Pourquoi ne zaizissez-vous pas l'occasion pour diffuzer un messaze d'alarme ? Vous devez le faire.

— Je ne comprends rien à ce que vous racontez, soufflai-je.

— L'Ultima Thulé est la Fin de Toutes Sozes, M. Burnz. Ze pense que vous le savez. Vous savez qui ils sont, ze à quoi ils azpirent, et pourtant vous ne dites rien du péril qu'ils zincarnent. En conservant zette pozition, vous zallez vous rendre complice de leurs zhorreurs.

— Je ne vois vraiment pas de quoi vous voulez parler, dis-je, mais je sentais que ma dinde beurrée cherchait à s'enfuir de mon estomac.

L'Indien se leva brusquement. Il ne portait qu'un tee-shirt tendu sur son torse, et je vis diverses protubérances sous le coton. Il était percé de partout.

— L'Ultima Thulé serse à tous nous détruire ! s'écria-t-il. On ne doit pas rester zilencieux face à la tempête qu'ils fomentent. Il faut répliquer avec autant de force. De telles zoccasions ne se reprézenteront peut-être pas.

À présent, tout le monde dans la salle de restaurant le regardait. Il abattit ses deux mains à plat sur la table, ce qui envoya mon soda s'écraser sur le sol.

— Mort à l'Ultima Thulé ! rugit-il.

Et il se mit à chanter dans une langue qui m'était inconnue.

Le type slave derrière le comptoir se précipita en criant « Dehors ! Dehors ! ». Il saisit l'autre et, ce qui me surprit un peu, n'eut aucune difficulté à le pousser dans la rue. L'Indien continuait de délirer et chercha à rentrer dans le restaurant, mais le patron lui en barrait l'accès. Je le vis appeler deux flics qui traversaient la rue. Le dingue dut les remarquer aussi, car immédiatement il se mit à courir dans la direction opposée.

Et maintenant, tous les clients me fixaient du regard.

— Eh, je voulais juste un sandwich, moi, expliquai-je à la cantonade. Sans beurre.

Satisfait de la fuite du perturbateur, le patron revint dans la salle.

— Vous, Monsieur l'amateur de fromages, dit-il en me braquant de l'index. Dehors.

Il restait la moitié de mon sandwich dans l'assiette, et je faillis protester, mais cet incident m'avait coupé l'appétit. Et j'estimais qu'une entrevue avec la police ne serait pas le genre de publicité dont la chaîne raffolait. Je levai les mains en signe d'apaisement et sortis.

La dinde était trop sèche, de toute façon.

Je hélai un taxi pour traverser la ville dans l'autre sens. La circulation était infernale et le compteur cliquetait comme l'appareil photo d'un photographe de mode tandis que nous roulions au pas, mais je ne m'en souciai pas. J'avais encore du temps avant de rencontrer Mahr aux bureaux du journal.

Et j'étais un rien ébranlé.

Je n'aurais pas dû éprouver ce genre de sentiment. Comme je l'ai déjà dit, les dingues courent les rues, et il n'y a pas besoin d'être une célébrité pour en rencontrer un.

Mais ce type était différent.

Si j'avais été le vétéran lambda de la Guerre du Golfe, du Vietnam ou du Mouvement Hippy, avec une plaque de métal dans le crâne et la foi des choses simples chevillée au corps, j'aurais balayé l'incident d'un rire. Bon, peut-être d'un rire un peu nerveux. Mais même s'il avait pété une durite au terme de notre courte entrevue, et bien qu'il fût aussi hérissé qu'une pelote à épingles New Age, sa tirade à propos de l'Ultima Thulé m'avait inquiété. Honnêtement, je ne voyais pas où il voulait en venir, mais je commençai à me demander si le flic, Carling, m'avait tout raconté sur ce gang de l'Ultima Thulé.

Peut-être qu'une petite enquête de mon côté s'imposait, finalement.

J'arrivai en retard aux bureaux de l'*Observer*, normal : on devrait *toujours* faire attendre les journalistes. Cela les empêche d'être aussi morveux qu'à l'accoutumée. Mahr donna quelques signes de nervosité à mon apparition, néanmoins l'interview se déroula en douceur et je redevins son frère de sang et son meilleur copain d'enfance quand la prise fut terminée. Nous prîmes un autre taxi pour retourner à Canari Wharf. Mahr était surexcité par les événements des deux derniers jours, et clairement ravi de ce qu'il estimait constituer le coup publicitaire de sa carrière. J'appréciais son enthousiasme, mais le problème avec ces types des services de presse, c'est qu'ils sont tellement habitués à raconter des craques qu'ils ne savent pas quand la fermer. C'est pour cette raison qu'ils sont toujours divorcés. Ou gays. Ou les deux.

— Vous avez déjà entendu parler de l'Ultima Thulé ? glissai-je lors d'une des rares interruptions dans son monologue.

Le chauffeur, un type ayant la peau la plus noire que j'aie jamais vue, me lança un coup d'œil dans le rétroviseur.

— Non, non, fit Mahr en pianotant des doigts sur sa cuisse. Attendez, ah si ! C'est un de ces jeux vidéo, non ? Pour la Nintendo 64. Je crois bien avoir vu une pub pour ce produit sur une chaîne de science-fiction. Tony Kaye. Remarquable boulot.

— Ça m'étonnerait.

— Ah non ? Bah, peut-être que je me trompe. À la réflexion, je crois que c'était pour Play Station, et pas Nintendo. J'ai dû voir cette pub au cinéma.

Il se remit à parler publicité, et je coupai le son. Toutefois je remarquai l'attention du chauffeur jusqu'à la fin du trajet. Alors que nous gravissions les marches du bâtiment, je jetai un coup d'œil par-dessus mon épaule et vis l'homme m'adresser un geste curieux avant de démarrer. Même moi, je sais qu'en Angleterre on ajoute l'index dressé au majeur pour vous envoyer paître, mais ce n'était pas du tout ça. J'allais en parler à Mahr, mais il s'était déjà éloigné dans le hall.

J'avais encore une obligation à remplir avant d'en avoir terminé pour la journée, mais cela se passerait dans un autre studio de la BBC, en début de soirée. Mahr voulait que je me soumette à une autre séance avec le photographe de la chaîne, alors que je n'imaginais pas qu'ils puissent avoir besoin d'autres clichés de moi à ce stade de la promotion. Mais ça fait partie du boulot. Je lui répondis que je devais d'abord aller au « bureau du détective », et que je le rejoindrais dans le sien dès que je serais prêt.

Après le départ de Mahr, j'empruntai le téléphone d'un bureau proche et demandai à être mis en relation avec June Hanover.

— Oh, salut, Marty, pépia-t-elle. Où êtes-vous ?

— Ici, dans l'immeuble. Question, June : vous avez une bibliothèque dans ces locaux ?

— Vous êtes dans l'immeuble ? répéta-t-elle.

— Au cinquième, quelque part. J'ai réussi à me débarrasser de Mahr pour un petit moment.

— Je vois, fit-elle en baissant le ton. Ah oui, le voilà qui entre.

— Vous pouvez venir me retrouver ?

— Je pense que oui. Où êtes-vous ?

— Je… je ne sais pas. Attendez une seconde…

La personne à qui j'avais emprunté le téléphone revenait à son bureau. Elle me dévisagea d'un regard brillant, sans éclat de folie. J'en déduisis qu'elle me reconnaissait.

— Comment vous appelez-vous ? lui demandai-je.

— Amanda. Jones.

— Je suis au bureau d'Amanda Jones, dis-je à June.

— Laquelle ?

— Hein ? Je l'ignore. Comment le saurais-je ?

— Eh bien, est-ce que c'est Amanda la mince ou Amanda la grosse ?

Je regardai la jeune femme. Là, je séchai. Et je craignais de donner la mauvaise réponse.

— Euh…

— Amanda la mince, déclara Amanda, pas très contente.

— Amanda la mince, approuvai-je vigoureusement. Très mince, même. Elle devrait peut-être prendre quelques kilos.

— J'arrive, dit June qui riait encore quand elle raccrocha.

Heureusement Amanda la mince avait la peau épaisse et se laissa amadouer par un autographe et un sourire conquérant. Chance supplémentaire, June était une personne qui ne lambinait pas et nous prîmes congé avant que je ne puisse souffrir d'une autre gêne.

— Nous partageons une bibliothèque avec deux journaux, me dit June dans l'ascenseur. En fait elle appartient à des huiles qui sont en haut de l'organigramme dans les trois boîtes.

— C'est partout pareil.

— Alors, vous avez aimé votre journée ?

— Oh, la promotion est quelque chose qu'on endure, pas qu'on aime.

— J'imagine, fit-elle.

June était si douce et agréable que j'en avais presque oublié qu'elle faisait partie du service de presse. Je me rendis compte que je l'avais peut-être vexée.

— Il n'empêche, c'est ce qui rend possible le reste du business, offris-je en tablant sur mon instinct d'acteur pour faire passer la ficelle.

Elle parut accepter.

La bibliothèque ne ressemblait à aucune de celles que j'avais connues. Elle était constituée d'une série de cabines en acier et verre, chacune équipée d'un ordinateur sur le petit bureau. Cela me remémora le décor d'un film de science-fiction du début des années 1970 dans lequel j'avais joué, et dont le scénario développait la domination des ordinateurs sur la planète. Orson Welles avait fait la voix de l'ordinateur central. Attristant.

— Où sont les livres ? m'étonnai-je.

Un petit homme au visage avenant ombré de barbe et aux cheveux noirs bouclés vint nous accueillir.

— Salut, Raphael, lui dit June.

— Eh, June, qu'est-ce qui se passe ? fit l'autre.

Je notai immédiatement son accent new-yorkais.

— *Norteamericano!* m'exclamai-je en levant les bras.

— Eh, fit-il, c'est vous… Kid Daillneumailltt!

— Vous retardez de dix bonnes années, soupirai-je. Et je ne parle pas de deux chaînes et d'une série de doublages.

— Ah oui, fit le bibliothécaire, je vois… – il me dévisagea – Marty Burns, pas vrai?

J'expliquai à Raphael qui, à mon avis, en pinçait dur pour June, que je cherchais des renseignements sur l'Ultima Thulé.

— C'est un groupe d'extrême droite, non? me dit-il. Comme Combat 18 et ce genre de trucs.

— Raph connaît tout et tout le monde, dit June.

Je me demandai si l'attirance était réciproque. Je le trouvai un peu petit pour elle.

— Le deuxième nom ne me dit rien, mais oui, apparemment c'est un groupuscule de skinheads. Mais c'est tout ce que j'ai pu apprendre.

— Les skinheads ne font plus trop parler d'eux, de nos jours, commenta le bibliothécaire. L'extrême droite est devenue beaucoup plus maligne qu'avant. Mais ils se servent toujours des groupes de skins pour faire le coup de poing, à l'occasion.

— Dites-m'en un peu plus.

— Oui, j'ai appris ce qui s'est passé. Joli coup. Mais comme je l'ai dit, les fascistes et les groupuscules néonazis ont tendance à se montrer un peu plus subtils aujourd'hui. Ils jouent plutôt la carte des sites Internet. Je vais voir ce que nous avons sur eux.

Raphael nous conduisit à un ordinateur et lança une recherche. Je le regardai taper «Ultima Thulé» et je pianotai des doigts en rythme tandis que nous attendions des résultats.

— C'est une base de données qui regroupe les plus grandes publications du pays. S'il a été fait mention d'Ultima Thulé durant les trois dernières années, ça ressortira.

La machine émit un bip et le bibliothécaire cliqua dans plusieurs fenêtres successives. Une liste d'une demi-douzaine de lignes s'afficha sur l'écran.

— Pas grand-chose, fit-il. Vous voulez jeter un œil ?

— Avec plaisir.

Il orienta l'écran dans ma direction et cliqua sur le premier article. C'était un texte court de l'*Independent* remontant à dix-huit mois qui relatait plusieurs agressions racistes dans une ville appelée Bradford.

— Dans le Nord, me précisa June, qui lisait par-dessus mon épaule. Il y a une grosse communauté asiatique.

L'article citait un officier de police qui déclarait qu'un nouveau groupe extrémiste nommé l'Ultima Thulé était probablement responsable de ces incidents, mais il n'y avait pas d'autres détails.

— C'est plutôt mince, maugréai-je. Presque autant qu'Amanda Jones.

June réprima un petit rire. Je passai à l'article numéro 2, mais les trois suivants étaient en fait des variations sur le même événement parues dans d'autres journaux.

— C'est rasoir, lâcha Raphael.

Le cinquième article n'en était pas un. « Ultima Thulé » était une partie d'une définition du 23 horizontal des mots croisés du *Times*.

Le sixième était complètement tordu. Paru dans une publication écossaise, il avait pour thème une description de circuits en bateau dans les îles Orkney, à l'extrême nord du pays. Il y était expliqué que la Thulé était un endroit mythique, un lieu de pouvoir magique, supposé avoir naguère existé dans ces îles, mais sans rien ajouter. Aucune mention de skinheads ou de néonazis.

— Bof, ça ne nous aide pas beaucoup, dis-je en me tournant vers Raphael. Comment se fait-il que vous ayez su de quoi je parlais ?

L'autre haussa les épaules.

— Bah, je garde plein de données débiles en mémoire, dit-il. Tenez, savez-vous que le Canada utilise autant de gaz naturel chaque année qu'en consommeraient deux milliards de Pakistanais?

— C'est vrai? s'étonna June.

Le bibliothécaire répondit d'un autre haussement d'épaules.

— Il n'y a pas une autre base de données que l'on pourrait consulter? insistai-je.

— Des douzaines. Si vous voulez…

À cet instant précis, Mahr fit irruption dans la salle.

— Ah, vous voilà, dit-il. Marty, il faut absolument que nous vous préparions pour la BBC. Vraiment, June, c'est pour les Disques de l'Île Déserte!

Il l'avait dit du même ton que si toute une ville de western avait dû se figer. June parut embarrassée, mais Raphael s'était remis à jouer de la souris.

— Tic-tac, fit Mahr en tapotant sa montre de l'index.

Je hochai la tête en direction du bibliothécaire et me dirigeai vers la porte.

— Saviez-vous que le volume total de radium utilisé pour peindre l'écran des réveille-matin pendant toutes les années 1950 aurait permis de produire une bombe atomique trois fois plus puissante que celle d'Hiroshima? lança Raphael sans quitter l'écran des yeux.

— Vraiment? fit Mahr.

— Celle-là, vous venez de l'inventer, lançai-je.

Le bibliothécaire eut un large sourire.

— Exact, dit-il. À plus, mon pote.

Je ne comprenais pas trop pourquoi, mais tout le monde était ravi que je sois invité à cette émission sponsorisée par Les Disques de l'Île Déserte. À moi, cela me semblait un vieux truc éculé que toutes les stations de radio américaines avaient utilisé dans les années 1940 – quelle musique emporteriez-vous sur une île déserte et pourquoi –, mais apparemment ce programme marchait du tonnerre de Dieu depuis des dizaines d'années et avec le temps il avait acquis le statut d'icône culturelle.

Je crus comprendre que les stars de la télé, et les américaines tout spécialement, ne figuraient pas parmi les invités habituels. Raison pour laquelle Mahr et ses sbires étaient aux anges. Hélas, en toute franchise la musique n'occupe pas une place très importante dans mon existence, et j'éprouvai quelques difficultés à concocter une liste que je puisse mémoriser, et plus encore à trouver des anecdotes sur chaque disque. On avait déjà abordé le sujet plus tôt dans la journée, et bien que Mahr m'ait fortement incité à ajouter quelques œuvres classiques à mon choix, j'avais dû avouer que je n'en connaissais aucune.

— Allons, vous en connaissez sûrement quelques-unes, avait-il insisté.

Je crois que jamais je ne m'étais senti autant acteur de séries télévisées.

— Euh, pas vraiment… dus-je admettre. Bon, il y a bien ce truc, ta-ta-ta-TA ! L'air de Beethoven.

— Je ne crois pas, avait grimacé Mahr.

— Je connais cet autre truc, pour Taco Bell.

Mahr me gratifia d'un regard horrifié.

— Mais si, vous savez bien : ils s'en servent tout le temps dans les pubs : Da-da-DA-da, da-da-DA-da, DOUM-di-da-da, DOUM-di-dou-dou…

Je ne manque pas d'oreille, mais une carrière musicale n'a jamais été une des options viables de mon destin. Malgré tous ces handicaps, le visage déprimé de Mahr s'éclaira un peu.

— Pachelbel. Le canon.

— Ouais ! C'est ça : Pachelbel.

— Je suppose que si nous n'avons rien d'autre, il faudra nous en contenter. Est-ce que vous avez une anecdote à raconter en rapport avec ce morceau ?

— Hum… À dire vrai, je déteste cette mélodie. Elle m'horripile.

En fin de compte, ce que nous trouvâmes de plus proche de la musique classique fut la *Rhapsody in Blue* de Gershwin. À moins que vous ne comptiez comme œuvre classique le morceau titre d'Ennio Morricone pour *Le Bon, la Brute et le Truand*. Mahr, lui, ne le voulut pas.

Toute la journée, il avait entretenu la certitude qu'après avoir découvert ma sélection, la BBC téléphonerait pour annuler ma prestation. Même pendant que nous roulions vers le studio pour l'enregistrement, il ne quittait pas d'un œil inquiet le téléphone cellulaire qu'il serrait dans sa main, comme s'il attendait un appel annonçant la grâce une nuit d'exécution capitale. Alors que je relisais ma liste et cherchai quelques petites histoires à accoler aux morceaux – Mississippi Goddamn, Kicks, At Long Last Love, Rock and Roll High School – je me pris d'une certaine sympathie pour lui. (Et pourtant Mahr avait absolument refusé une chanson de Barry White ; un manque de respect impardonnable pour le Morse de l'Amour, mais il était demeuré inflexible.) Et puis, qui écoute encore la radio, à notre époque ?

Nous arrivâmes aux studios un peu plus tôt que prévu et on nous parqua dans le salon réservé aux personnalités – je détesterais voir où la BBC fait poireauter les intervenants qui ne sont pas des « personnalités ». On nous y offrit du café amer et des petits gâteaux trop secs. L'hôtesse de l'émission passa brièvement la tête par la porte entrebâillée et nous fit un petit signe de salut, mais elle disparut avant que j'aie eu le temps d'avaler les miettes desséchées. Je ne prêtai pas attention aux nouvelles qui s'écoulaient en sourdine des petits haut-parleurs encastrés dans le plafond jusqu'à ce que j'entende le claquement du portable de Mahr qui venait de tomber au sol. Je levai les yeux de mes notes et le vis qui regardait fixement en l'air. Je l'imitai et tendis l'oreille.

Il n'y avait pourtant rien à voir, sinon que la BBC devrait faire repeindre le plafond de ses locaux plus fréquemment. Mais le journaliste qui parlait à cet instant le faisait de façon très évocatrice. Quelques phrases, et une image claire se forma dans mon esprit.

Il y avait eu un attentat à la bombe incendiaire dans l'East London. Un commerçant indien et sa famille – sa femme et leurs quatre enfants, âgés de deux à douze ans – avaient péri dans le brasier.

Le reporter précisa que c'était ce même magasin où s'était illustrée la vedette de télévision américaine Marty Burns en empêchant un vol avec violence, la veille. La police n'écartait pas une corrélation entre les deux événements.

Je n'eus jamais à débiter mon histoire à propos de *Rock and Roll High School*. Ce qui n'était sans doute pas plus mal, parce qu'elle contenait une bonne dose de nudité et quelques actes de violence gratuite.

5

Lorsque les gars du service de presse vous hurlent au visage, vous savez que vous avez touché un de leurs points sensibles.

À notre réunion du lendemain matin, Mahr était livide, les autres frères Bretelle inconsolables. L'un restait assis dans son fauteuil pivotant, bras croisés sur la poitrine, et secouait la tête d'avant en arrière comme un enfant irritable ; l'autre tirait machinalement sur ses boucles brunes.

Jusqu'à June qui semblait de mauvaise humeur.

— Non, non, non et non ! s'écria Mahr. C'est absolument, résolument, définitivement non !

— Alors que dites-vous, au juste ? tentai-je.

Il n'était visiblement pas d'humeur.

Confrontée à des faits indéniables, la police avait à regret qualifié l'incendie criminel et les meurtres de la veille d'actes racistes. Cette admission avait déclenché une cascade d'événements, qui avaient culminé avec des combats de rue entre Asiatiques et jeunes Blancs peu avant l'aube. En dehors des habituels appels à la modération lancés par les politiciens et autres leaders des différentes communautés, une marche de protestation à travers l'East End et devant le magasin calciné avait été annoncée par une coalition de divers groupements antiracistes pour demain. Et j'avais commis l'erreur d'informer Mahr que je comptais y participer.

— Vous ne pouvez pas, non, impossible ! me répéta-t-il pour la cinquantième fois.

— Oh si, je peux, répondis-je, en notant mentalement d'ajouter *Annie Get Your Gun* à ma liste si j'avais une autre chance pour Les Disques de l'Île Déserte.

— Marty, soyez raisonnable. Vous ne pouvez pas apparaître lors de cette manifestation. Nous sommes déjà assaillis de questions sur ce qui s'est véritablement produit l'autre jour dans cette boutique.

— Et alors ? Je n'ai aucune gêne à en parler, moi.

— Ah non ? Très bien, alors dites-moi donc, M. Burns : que pensez-vous que les agresseurs voulaient dire quand ils ont traité le commerçant d'« enculé de Porky » ?

— Comment êtes-vous au courant ?

— Je suis bon dans ma partie, répliqua Mahr et d'un coup je le crus, figurez-vous. Tout comme les reporters des journaux à sensation qui obtiendront bientôt la même information.

— C'est ce que les flics voulaient que je dise, expliquai-je. Ils m'ont pratiquement supplié de le faire.

— Ça, je l'avais compris. Mais la police n'est peut-être pas aussi contente de corroborer vos dires à l'heure actuelle, et le public risque de ne pas comprendre. Votre apparition dans cette marche ne peut que soulever d'autres interrogations et créer le genre de publicité qui n'aidera aucun de nous. Vous moins que quiconque.

— Je croyais que la mauvaise publicité n'existait pas.

— Parlez-en plutôt au Prince Charles, grogna Bretelle qui se défrisait toujours.

— On a déjà des retombées, dit Mahr en brandissant un journal plié en quatre. Nous ne voulions pas vous le montrer, mais peut-être que cela vous donnera une petite idée de ce que nous risquons, et de la façon dont les tabloïds jouent la partie ici. Si nous ne vous positionnons pas comme il faut, et au millimètre près, ce style de ragot s'étalera en une, et pas dans un entrefilet de la page 23.

— Oh merde, soufflai-je en reconnaissant instantanément le cliché. *Honey Pot.*

Le journal reproduisait une photo un peu floue tirée d'un film dans lequel j'avais tourné quand j'étais dans le voyage-au-centre-de-la-terre de ma carrière. C'était franchement un truc atroce, un navet de *soft porn* avec une vague histoire de motards et de drogue intitulé *Honey Pot*, où je jouais un flic obsédé, évidemment vicieux et drogué. J'avais accepté le contrat parce que j'avais désespérément besoin de quelques billets – quelque chose en rapport avec une ardoise dans un bar, si je me souviens bien – mais le tournage n'avait duré que cinq jours et en fin de compte le producteur m'avait refilé un chèque en bois avant de s'évanouir dans la nature. Il y avait une scène de fellation suggérée (ce n'était qu'un porno très soft), mais bien entendu c'est ce passage que le tabloïd avait déniché. Sur le cliché on voyait de dos la tête d'une blonde qui flottait au-dessus de mes cuisses et moi qui affichais une expression entre l'extase et la grimace quand vous sentez une odeur d'œufs pourris. La légende disait en caractères gras : **NOTRE HÉROS** ?!?

(En fait *Honey Pot* avait été un boulet que j'avais traîné des années durant simplement parce qu'il contenait la dernière apparition du désormais légendaire Ed Wood. Les fanatiques qui vouaient un culte à Wood avaient organisé des séances spéciales pour ce film pendant une éternité, en m'emportant dans le courant, ce dont je me serais bien passé. À l'époque, Wood ne m'avait pas spécialement marqué, et je ne garde de lui que le vague souvenir d'un type tout droit sorti de *L'Invasion des profanateurs de sépultures*, avec une odeur corporelle d'ivrogne invétéré et le regard le plus triste du monde.)

— En soi, ce n'est pas très grave, dit Mahr. Si l'on considère le public que vous visez avec *Burning Bright* et le créneau du feuilleton, cela pourrait même nous apporter quelques téléspectateurs de plus. Mais ce n'est pas pour ça que ce torchon a publié la photo.

— Je ne saisis pas, fis-je. Cette connerie est vieille de vingt ans et aussi excitante qu'un discours politique. Qui cela peut-il bien intéresser ?

— Au royaume des tabloïds, le temps ne compte pas, expliqua une June un rien pontifiante. Vingt années, vingt minutes, peu importe. Tout se mélange dans leur univers de célébrités et de scandales. Ils ont sorti cette photo parce qu'elle leur permet de publier une anecdote un peu sulfureuse. Donnez-leur une autre occasion et ils ne vous rateront pas.

— Jusqu'ici, tout va plutôt bien pour nous, Marty, enchaîna Mahr. Nous avons bénéficié de beaucoup plus de publicité que ce que nous aurions pu espérer. Votre nom est célèbre, à présent, et nous pouvons faire fructifier l'intérêt du public dans un sens positif. En gros, on voit en vous un héros. Et nous ne voulons surtout pas faire quoi que ce soit qui mette en danger ce que nous bâtissons.

— Et vous estimez que ma participation à la marche de protestation demain reviendrait à risquer le tout.

D'un index nerveux, Mahr tapota la photo sur le journal.

— J'en suis même certain.

Je me tournai vers June. Elle hocha la tête avec détermination.

— Je ne sais pas, dis-je enfin. Je crois qu'il faut que j'y réfléchisse.

Je passai par la bibliothèque pour rendre une petite visite à mon copain américain et voir si je pouvais grappiller quelques renseignements supplémentaires sur la Thulé, mais Raphael était absent. Je m'assis donc devant un des écrans et pianotai une commande d'entrée avec l'idée que je pouvais peut-être consulter tout seul une base de données ou deux, mais cette foutue bécane se mit à biper et je battis précipitamment en retraite de la salle.

Jusqu'à la fin de la journée, mon agenda était vide. Mahr jouait la parano à fond et il avait annulé deux ou trois interviews mineures. Il voulait me garder loin de tout journaliste jusqu'à ce que la fièvre autour des meurtres de l'épicerie retombe un peu et que mon rôle dans cette affaire soit oublié. Je n'étais pas certain d'être d'accord avec lui – en fait cette attitude me déplaisait souverainement – mais je ne pouvais pas m'opposer à sa décision. J'étais dans le milieu depuis assez longtemps pour savoir que le public est une créature des plus inconstantes. Un peu comme un chat qui semble un gentil matou domestique et qui en l'espace d'une seconde se retourne contre vous avec la férocité d'un tigre. J'avais déjà vu le phénomène toucher des acteurs et des actrices qui croyaient maîtriser leur image et qui un jour voyaient la bête les déchiqueter à belles dents.

J'avais pas mal ramé pour atteindre la position qui était la mienne maintenant, et je ne désirais pas tout démolir par une décision prise à la hâte. Bien que j'eusse très envie de participer à la manifestation dans l'East End, je devais penser d'abord à moi en ce moment. Beaucoup de gens comptaient sur *Burning Bright* et son succès. Cela faisait un bout de temps que je ne m'étais pas trouvé avec une donne aussi bonne en main. Naguère, quand je n'étais qu'un gosse, le destin de ceux qui m'entouraient, la distribution, l'équipe du tournage et même les types de la chaîne de télé, c'était exactement le genre de sujets auquel je n'accordais pas la moindre pensée. Je me saoulais, je sautais tout ce qui passait et sniffais tout ce qu'on me présentait sans me soucier une seconde des conséquences.

Mais je n'étais plus un gosse. J'avais promis à Mahr de réfléchir à ce qu'il m'avait dit, et c'était exactement mon intention.

Mais avant de prendre une décision, il y avait quelque chose que je me sentais un devoir de constater par moi-même.

La première fois, j'étais tombé sur l'épicerie par hasard, mais aujourd'hui elle était très – trop – facile à retrouver. À plusieurs pâtés de maisons alentour, les flics grouillaient. Ils avaient l'air tendu, sur le qui-vive. À part le détail troublant pour moi qu'aucun d'entre eux n'exhibait d'arme de poing, j'aurais pu me croire dans East L.A. et non dans l'East End de Londres.

L'espace devant les ruines du magasin avait été isolé par la police, avec quatre officiers en tenue qui gardaient avec une décontraction apparente le périmètre interdit. La boutique elle-même n'était plus qu'un grand trou noir dans la bâtisse noircie de trois étages. Toutes les vitres avaient été soufflées, y compris celles des maisons voisines. D'où j'étais je ne pouvais voir à l'intérieur de l'épicerie, mais aux débris qui jonchaient le trottoir et la rue devant il n'était pas difficile d'imaginer la férocité du brasier dans lequel cette pauvre famille avait été prise au piège. Je revis la jolie fillette avec son tee-shirt « Les méchantes filles vont à Londres », et un frisson me parcourut l'échine.

La chaussée devant la ruine était recouverte de fleurs. Parmi les muguets et les jonquilles, j'aperçus quelques peluches et de petits jouets, ce que je trouvais un peu bizarre avant de songer que c'était là un hommage aux enfants qui avaient péri. Alors que j'étais là, immobile, à contempler la maison ravagée, une femme vêtue de noir de la tête aux pieds et accompagnée d'un garçonnet fut autorisée à franchir le cordon pour ajouter un petit bouquet à tous les autres. Le gamin plaça délicatement une simple rose près d'un ours en peluche, et alors que je pensais qu'il ne pouvait comprendre exactement ce qu'il faisait, quand ils repartirent je vis qu'il pleurait.

Un des policiers me surveillait ostensiblement. En restant de l'autre côté de la rue, je passai devant le magasin. Au bout du pâté de maisons j'aperçus l'étal d'un fleuriste ambulant et je m'y rendis. Je choisis un bouquet d'un blanc sombre – les étiquettes n'étaient pas rédigées en anglais, de sorte que je n'étais pas sûr de ce que j'achetais – afin de les ajouter aux autres.

Le même flic me suivit des yeux tandis que j'approchais du magasin. Je lui montrai discrètement les fleurs en haussant les sourcils en manière de questionnement. Il acquiesça et me fit signe de franchir le cordon. Un espace étroit était resté dégagé entre les monceaux de fleurs afin qu'on puisse accéder à l'endroit où il y avait eu la porte. Je le parcourus sans hésiter. Un coup d'œil à l'intérieur me confirma que tout y avait été calciné. Quelques boîtes de conserve noircies parsemaient le sol, dans des flaques d'un liquide noirâtre, et je repérai la forme du réfrigérateur, mais je ne reconnus à peu près rien d'autre. On sentait encore la cendre et l'incendie, mais il y avait également une autre odeur, plus lourde et douceâtre…

Celle de la viande grillée.

Je plaquai une main sur ma bouche et reculai en hâte. Je m'efforçai de recréer mentalement l'image du magasin ; est-ce que cette boutique vendait de la viande fraîche ?

Je ne le pensais pas.

Je sentis la nausée monter en moi et je dus me détourner. Et soudain je me rendis compte que je tenais toujours les fleurs. Ma main s'était tellement crispée sur elles que j'avais brisé la plupart des tiges. Je les jetai sur les autres, ce qui me valut un nouveau regard suspicieux de deux autres flics.

C'est alors que je le remarquai.

Il était immobile de l'autre côté de la rue, non loin de l'endroit où je m'étais trouvé quelques instants plus tôt quand j'étais arrivé. C'est son crâne soigneusement rasé qui attira d'abord mon attention, mais quand il tourna légèrement la tête de côté, le soleil fit luire l'anneau qui perçait son arcade sourcilière.

C'était bien le dingue de la sandwicherie. L'Asiatique qui s'était mis à me hurler au visage des trucs sur l'Ultima Thulé.

— Eh ! lançai-je au moment où il me vit, avant de crier plus fort : Eh !

Il ne bougea pas tout de suite. Il pressa ses deux mains devant lui, paume contre paume, dans une attitude qui ressemblait à celle de la prière, et hocha à peine la tête.

Puis il s'éloigna.

— Eh ! répétai-je, car je ne suis jamais à court de vocabulaire.

Les flics, dont une femme, étaient devenus visiblement nerveux et s'étaient mis à converger vers moi. Elle regardait de l'autre côté de la rue mon ami au crâne rasé tout en parlant dans une radio attachée à son épaule par un velcro. Tête d'œuf marchait de plus en plus vite dans la direction opposée. Je franchis le périmètre et me dirigeai vers lui.

— Un moment, Monsieur, me dit le policier le plus proche en levant la main.

J'admets l'avoir un peu ignoré dans ma hâte de suivre le chauve. Je passai sous le cordon et eus le temps de faire un pas dans la rue. Le flic me saisit par la manche et me fit pivoter vers lui.

— J'ai dit : un moment, siffla-t-il.

— Cet homme… voulus-je expliquer.

Je perçus alors le chuintement-cliquetis reconnaissable d'un appareil photo. Je regardai sur la droite et aperçus mon vieux pote King qui mitraillait pendant que le flic me retenait et que ses collègues approchaient pour lui prêter main-forte.

De l'autre côté de la rue, Tête d'œuf n'était plus qu'un souvenir.

— Tu sais que je t'aime, mec ? me lança un King aux anges sans cesser de manger de la pellicule. Tu vas me faire gagner cette Mercedes dont j'ai toujours rêvé !

Qu'il est doux d'être aimé.

Cette nuit-là, je ne dormis pas très bien. Je passai par le bar de l'hôtel, puis je commandai un repas tardif et extrêmement cher au room-service – pourquoi les Anglais mettent-ils des frites partout ? Avec le poisson pané, je comprends, mais avec les lasagnes ? –, et même l'estomac plein je ne me sentis pas mieux. J'allumai la télé et je fus presque déçu de ne tomber sur aucune retransmission de tournoi de fléchettes. Je contemplai une énième fois le fax que Mahr m'avait envoyé juste avant dix heures.

C'était une copie légèrement floue de la une de la première édition d'un des plus gros tabloïds du pays. La photo qui s'y étalait, prise par mon cher King, me représentait aux prises avec le flic. Et j'avais l'air qu'a n'importe qui lorsqu'un flic le saisit : coupable. De quoi, peu importe, mais il y avait indéniablement là l'impression d'une action de rébellion. Et King avait choisi un cliché où j'étais bouche entrouverte, ce qui me donnait l'air coupable *et* stupide ; j'imagine que je ne lui en voulais pas, il faut bien que tout le monde mange. Petite remarque cependant : il n'est pas obligatoire que ce soit du caviar arrosé de champagne sur la banquette arrière d'une automobile de luxe allemande.

Après avoir pris son content de photos, King était intervenu auprès du policier pour moi. King est de ces types qui semblent connaître tout le monde, où qu'il se trouve, et ils me relâchèrent sur sa demande, plus facilement encore lorsqu'un des flics m'eut reconnu d'après une des photos de King parue dans le journal de la veille. Mais ils me suggérèrent de rester à distance des ruines de l'épicerie à l'avenir. Je voulus remercier King de son aide, mais il m'interrompit d'un « Ne me remercie pas encore » des plus sibyllin avant de filer.

Maintenant je comprenais pourquoi.

C'était prévisible (et pas tout à fait illogique), Mahr sortit de ses gonds lorsque je lui rapportai l'incident. Il se mit à me tancer comme un méchant garnement avant de se remémorer qui j'étais et ce que lui faisait avec moi. Même ainsi, il dut me quitter pour ne pas exploser de nouveau. Le fax envoyé le lendemain n'était accompagné d'aucun commentaire, seulement du coup de tampon « avec les compliments de » et signé de sa main. J'appris que son prénom était Nigel, première personne que je connaisse avec ce prénom. Qui lui allait plutôt bien, à mon avis.

Je ne tenais pas en place, et j'errai dans le hall d'entrée. Il était minuit passé, les bars et les restaurants de l'hôtel avaient fermé et il n'y avait pas âme qui vive dans les parages. Je me risquai dehors, mais un crachin tenace noyait la ville, et malgré mon début de déprime une balade nocturne sous la pluie ne me tentait vraiment pas. J'allai m'écrouler dans un fauteuil profond à souhait dans le salon pendant quelque temps, mais je finis par me lasser des regards en coin que me jetaient les employés de l'hôtel au passage. Je me dis que rester assis seul dans le salon du Savoy à cette heure n'améliorait guère mon image de star non plus.

Il m'arrive d'oublier tout ce cirque qui entoure la célébrité.

Je remontai dans ma chambre. Là, je me rendis compte qu'en fait je me sentais simplement seul. Je pensai à appeler Rosa, j'allai jusqu'à décrocher le téléphone, mais je me ravisai. Ce n'était surtout pas la conversation à avoir dans mon état d'esprit : entre deux personnes distantes de plus de neuf mille kilomètres.

Ensuite je me souvins que June m'avait donné son numéro personnel. Elle l'avait griffonné au dos de sa carte de visite. Au cas où.

Il était peut-être un peu tard, mais je me sentais assez pathétique pour bousculer les convenances, et exploiter un peu mes nouvelles prérogatives de vedette.

— Allô, grogna une voix mécontente et indubitablement masculine.

— Aahh ? improvisai-je. Oups…

Et je raccrochai.

Je ne sais pas trop ce que j'espérais. Je n'avais aucune raison d'être surpris, et encore moins de couper. Pour ce que j'en savais, June pouvait très bien être heureuse en mariage, avec trois marmots, même si j'avais remarqué qu'elle ne portait pas d'alliance. Ou bien occupée à s'amuser avec l'équipage d'un cargo turc, ou une équipe de basketteuses. Bon, la voix masculine qui avait répondu semblait infirmer la dernière hypothèse. Mais il pouvait s'agir de l'entraîneur, non ?

Non que j'eusse de desseins romantiques concernant June. Je voulais juste parler à quelqu'un. Je l'aurais écrit cent fois au tableau si j'avais disposé d'un tableau. Et de craies.

Le téléphone sonna deux minutes plus tard.

— Marty ? C'est June Hanover.

— Oh, fis-je. Salut.

— Bonsoir. Désolée si je me trompe, mais… vous ne venez pas de m'appeler ?

— Euh… Oui.

— Pas de problème, dit-elle en riant. Vraiment. J'ai dit à Terry que je pensais que c'était vous.

— Terry ? répétai-je, en le regrettant aussitôt.

— Un ami.

Elle avait répondu avec décontraction, sans gêne aucune.

— C'est bien, fis-je. Les amis, je veux dire. Ils sont là quand vous avez besoin d'eux. Mais bien sûr, vous devez être là quand eux ont besoin de vous, aussi…

Mais qu'est-ce que j'étais en train de raconter ?

— Tout va bien, Marty ?

— Oh oui, impeccable. Je… je cherchais juste à bavarder

avec quelqu'un. L'ambiance des chambres d'hôtel a cet effet sur moi, de temps en temps. Je crois que ça a quelque chose à voir avec les petites tablettes de savon qu'ils donnent.

Elle rit, et ce simple son me réconforta.

— Moi je crois que c'est cette Cellophane dont ils enveloppent les gobelets en plastique. Je n'ai jamais compris pourquoi ils faisaient ça.

— Ou le papier de protection sur la cuvette des W-C.

— Oh non, je trouve ça bien, fit-elle le plus sérieusement du monde. Ça me donne une impression de propreté, d'hygiène. Un faux sentiment de sécurité, j'en suis sûre. Mais il faut se raccrocher à ce qu'on a, quoi que ce soit, c'est ce que je dis toujours.

Nous rîmes tous les deux, mais notre hilarité alla decrescendo jusqu'à des bêlements gênés. Puis nous nous mîmes à parler en même temps.

— Je ne… commença-t-elle.

— Est-ce que vous… fis-je.

— Allez-y, dit-elle comme le silence s'installait.

— J'ai reçu un fax de Mahr.

— Moi aussi, soupira-t-elle.

— Celui du torchon du matin ?

— Oui, Marty. Ce n'est pas très bon, mais ce n'est pas catastrophique non plus. Vous ne faisiez rien de mal, donc cette publicité ne devrait pas être trop négative.

— Oui, pas trop…

Elle soupira encore.

— Je ne vais pas vous affirmer que c'est une bonne chose, Marty, mais ce qui est fait est fait. Pourquoi êtes-vous retourné là-bas ?

— Je voulais juste revoir l'endroit. J'avais l'impression qu'il le fallait, avant de décider quoi faire demain.

— Et vous avez décidé ? fit June, et j'eus l'impression qu'elle retenait son souffle.

— Vous posez la question en tant qu'employée modèle de Star-Television ?

Un bref silence, puis :

— Je ne sais pas. Je suppose qu'il est normal que vous le

pensiez. Bien qu'il soit trop tard pour que je prévienne Mahr, si cela peut vous rassurer.

— Est-ce que quelqu'un l'appelle Nigel ?

— Je ne crois pas. Pourquoi le ferait-on ?

— Bonne question.

— Vous n'avez pas répondu à la mienne, rappela-t-elle.

— Je sais.

J'entendis le murmure d'une autre voix – celle de Terry, certainement – mais je ne pus distinguer ce qu'elle disait. June lui répondit, sans que je comprenne non plus.

— Désolée, dit-elle. Écoutez : c'est à vous de décider, bien évidemment, mais au-delà de la question du service de presse et de *Burning Bright*, je crains que vous ne compreniez pas la situation dans son intégralité.

— Qu'est-ce que vous voulez dire ?

— Ces marches antiracistes, il y en a tout le temps à Londres, et elles ne sont pas toutes ce qu'elles prétendent être. Avec les derniers événements, je ne mets pas en doute les bonnes intentions qui ont donné naissance à cette manifestation, mais ces mouvements cachent souvent autre chose.

— Je crois que je ne comprends plus trop, là…

— Je m'en doute. Et c'est bien ce qui m'inquiète. La politique britannique est très particulière. Ces marches de protestation sont soutenues par différents groupes, pour des raisons parfois très diverses. Vous avez ce qui reste de la vieille gauche : ceux qui protestent contre tout et n'importe quoi. Et puis des groupes qui se proclament antiracistes, mais qui suivent leur propre doctrine, pas toujours très tolérante, comme certains groupes islamistes fondamentalistes. Et puis il y a la frange des Verts les plus acharnés, les extrémistes de la libération des animaux, et d'autres groupuscules qui exploitent n'importe quelle manifestation vaguement de gauche pour tenter d'engranger quelques adhésions à leur cause. Et enfin il y a les gens qui défilent vraiment pour protester contre le racisme.

— À la façon dont vous présentez les choses, on dirait qu'ils sont très minoritaires.

— C'est que parfois je crains qu'ils ne le soient.

— Donc vous pensez que la marche de demain ne sera pas très légitime ?

— Je n'en sais rien, Marty. Elle peut être exactement ce qu'elle prétend être, ce sera probablement le cas. Je veux simplement que vous compreniez bien la situation et que vous ne vous embarquiez pas dans quelque chose que vous ne vouliez pas au départ. Dans les circonstances actuelles, on pourrait facilement vous… manipuler.

— Vous m'avez l'air fichtrement bien renseignée sur ce genre de choses, commentai-je.

Une autre pause, un autre soupir.

— Ça a été le cas, dit-elle. Quand j'étudiais à la South Bank University ici, à Londres, j'ai participé à toutes les manifestations antinazies. À l'époque, le National Front faisait vraiment peur.

— Le National Front ?

— Un groupe d'extrême droite… Oh, mais ce serait trop long à vous expliquer maintenant. Et c'est un peu là que je veux en venir aussi. Et il est trop tard. Mais à l'époque j'étais vraiment très impliquée.

— Ça semble une bonne définition de l'étudiant, non ?

— Je suppose. Enfin, ça l'était en ce temps-là.

— Alors que s'est-il passé ?

— J'ai perdu mes illusions. Et j'ai décroché mon diplôme. Ensuite je suis entrée au service de presse d'un des groupes de média les plus gros et les plus riches du monde.

Un long silence suivit. C'est elle qui le rompit par une question :

— Alors, Marty, qu'allez-vous faire ?

Je ne lui demandai pas si c'était la personne privée ou l'employée qui parlait.

— Je vais aller me coucher. Et vous devriez en faire autant, vous aussi. Une bise à Terry de ma part. Bonne nuit, June.

Je raccrochai avant qu'elle ait pu dire quoi que ce soit. Ou avant que j'aie pu entendre ce qu'elle risquait de dire.

Je fis un très mauvais rêve. Il me réveilla en sursaut vers

quatre heures du matin, mais s'estompa si vite que je n'en conservai qu'un sentiment désagréable.

Une impression de froid, de ténèbres, et malgré la température douce qui régnait dans la chambre, je remarquai que j'étais couvert de transpiration.

C'était comme si la Mort en personne était venue me rendre visite pour m'embrasser en pleine nuit.

Dans le minibar, je trouvai une mignonnette de Jack Daniels. Ah, cette forme entre toutes reconnaissable…

Il fallut près d'une heure – et une autre mignonnette de l'ami Jack – avant que je ne retrouve le sommeil.

6

Le téléphone sonna tôt le lendemain, mais je ne pris pas la peine de répondre. J'imaginai que c'était Mahr, et je n'avais pas envie de m'en assurer.

Je crois que j'avais toujours su que je me rendrais à la marche de protestation. Bien sûr les propos de June m'avaient fait réfléchir, mais j'ai toujours été du genre qui doit voir pour croire. Bon sang, j'étais même allé voir *Les Portes du Paradis*. Mais en 70 mm, il y a des limites à tout. June avait sans doute raison à propos des subtilités de la politique dans son pays et quant à la vraie nature de la manifestation, en fin de compte cela n'avait pas d'importance pour moi. Je voulais y aller uniquement pour exprimer ma colère et ma tristesse pour ce qui était arrivé, et j'imaginais que quelques-unes des autres personnes seraient là pour la même raison. Si un assez grand nombre de gens qui ressentaient la même chose faisaient connaître leur présence, alors tous les fanatiques, les extrémistes et les dingues de tous horizons qui viendraient se montrer à la manifestation n'y changeraient rien.

C'est du moins sous cet angle que je présentai ma décision à June.

Elle m'attendait dans l'entrée, voyez-vous. J'avais prévu de me rendre tôt au point de rassemblement, en partie parce que je n'étais pas trop sûr de l'itinéraire pour y parvenir, mais aussi pour renifler un peu l'ambiance avant le départ, au cas où la marche me semblerait une démonstration à laquelle je ne voulais pas participer. Une fois encore, j'ignorais depuis combien de temps elle était là, mais je ne fus pas surpris de sa présence.

Ni mécontent.

— Vous devriez prendre garde, fis-je en manière de salutation. Continuez à traîner ici et la direction va finir par croire que vous attendez le client.

— Pourquoi, je ressemble à une prostituée? répliqua-t-elle en souriant.

Elle portait un jean noir, un sweat-shirt blanc, et avait chaussé des Reebok noires. Pas vraiment l'uniforme de jour pour une call-girl. Ni pour une marcheuse contre le racisme, quand on y réfléchissait.

— Non, reconnus-je en m'asseyant à côté d'elle. Mais à L.A., au Polo Lounge, on peut reconnaître les prostituées au fait qu'elles ne ressemblent pas du tout à des prostituées.

— C'est un peu confus.

— C'est vrai. Mais heureusement les patrons de télés sont beaucoup plus faciles à identifier.

— Ne me dites pas que ce sont ceux dont le nez s'allonge quand ils mentent.

— Non, mais eux ressemblent tous à des putes. Bon, et puis vous êtes beaucoup trop jeune pour ce genre de cynisme.

— Je ne suis pas *si* jeune que ça.

— Bah, vous n'êtes pas aussi cynique que ça non plus. Mais vous finirez par le devenir si vous me fréquentez trop longtemps.

Je commandai un café à un serveur qui passait. June ne voulut rien.

— Je suis très content de vous voir, June, mais, hum, qu'est-ce que vous faites ici? Vous ne devriez pas être au boulot? Ou êtes-vous en train de travailler, justement?

— Je me suis fait porter pâle. Première journée de repos depuis un an.

— Vous vous faites exploiter.

— C'est la règle dans la compétition pour réussir. En particulier si vous n'avez pas la chance de posséder une paire de testicules.

— Et si vous en aviez une? demandai-je.

Elle haussa les épaules et grimaça.

— Chouette manière de gagner sa vie, grommelai-je.

— Tout le monde ne peut pas être la star d'un feuilleton, Marty, dit-elle.

Le sourire persistait sur son visage, mais il était un peu plus dur que d'habitude.

J'avais été un rien-du-tout pendant tant d'années que je me considérai encore comme tel la plupart du temps. C'est en partie parce que j'ai pris la sage résolution de ne pas retomber dans le trip de l'ego boursouflé si commun dans le show-biz, ce que j'avais déjà expérimenté naguère. Mais même avec toutes ces tentations et ces opportunités de jouer la célébrité inaccessible et pleine de morgue, tentations auxquelles je confesse avoir cédé à l'occasion, tout ce cirque ne m'emballe pas plus que ça. J'aime l'argent et ce sentiment d'adulation un peu étrange qu'on éprouve – qui ne l'aimerait pas ? – mais aujourd'hui j'ai l'impression de voir plus clair dans tout ce jeu de faux-semblants. Comme si je connaissais le truc du presti-digitateur, et que le numéro ne m'impressionne plus autant.

Et puis, bien sûr, il y a ces autres choses que j'ai vues, des choses étonnantes et secrètes, qui font des petits trompe-l'œil en strass de Hollywood et du show-biz en général un spectacle vraiment minable et pathétique, ce qu'il est d'ailleurs en réalité.

Le problème, c'est que j'oublie toujours que les autres ne sont pas au courant du secret, et que la majorité des gens pense que l'escamotage d'un lapin dans une émission de variétés constitue un miracle irréfutable.

— Je suis désolé, June, dis-je. Sincèrement désolé. Je ne pensais pas du tout ce que j'ai dit. Croyez-moi quand je dis que je sais que vous travaillez deux fois plus dur que je n'ai jamais bossé sur *Burning Bright*. Et je ne voudrais surtout pas vous vexer.

Son sourire se décrispa un peu.

— Je vous crois. Oublions ça.

— Bon, suis-je dans l'erreur si je déduis de votre présence ici que vous avez l'intention de m'accompagner à la manifestation ?

— Eh-eh, oh-oh, ah-ah ! chantonna-t-elle. Le racisme ne passera pas !

Sa performance nous attira quelques regards en biais des trois personnes présentes dans l'entrée du Savoy.

Oh-oh, en effet.

Quand ça devient laid, ça devient laid *très vite*.

Nous prîmes le métro jusqu'au lieu prévu pour le rassemblement, près de Brick Lane. Je faillis héler un taxi, mais June me fit remarquer qu'à cause de la manifestation la circulation dans l'East End devait déjà tenir du cauchemar.

— Et puis, Marty, ajouta-t-elle, j'admets que ça fait un certain temps que je n'ai pas participé à une marche de protestation, mais il me semble que s'y rendre en taxi ne colle pas très bien avec l'idée générale.

J'aurais pu argumenter, mais je me rangeai à son avis.

Le métro nous déposa à Aldgate East, où nombre d'autres manifestants descendirent avec nous. C'était une foule plutôt jeune, mais plus diversifiée que je ne m'y étais attendu. Il y avait beaucoup de tee-shirts portant des slogans curieux – je vis un couple dont l'homme arborait fièrement « Les Animaux sont des Humains Aussi » et sa compagne « Les Humains sont des Animaux Aussi » – mais je vis aussi plus d'un complet veston. Il y avait certes un pourcentage important de personnes du style hippy ignorant le savon, beaucoup coiffés de dreadlocks et accompagnés de chiens aussi faméliques qu'eux. J'en fis la remarque à June.

— Des Crasseux, fit-elle, sans enthousiasme excessif.

— Pardon ?

— On les surnomme les Crasseux. Des hippies qui se sont mis au New Age.

On entendait les cornes de brume hululer avant même d'arriver au niveau de la rue. La police avait bloqué certaines rues adjacentes, même si quelques véhicules privés avaient toujours accès à l'artère principale qui traversait Whitechapel. Les protestataires se massaient un peu partout, ils passaient les cordons établis par la police ou les contournaient, et certains, en majorité des Crasseux, provoquaient les flics en cherchant à aller là où on le leur interdisait. Je repérai quelques officiers de la police montée aux abords, et une présence d'uniformes impressionnante par le nombre, ce qui en général est bon signe.

Le slogan de la manifestation était « Non aux nazis », et les membres du service d'ordre officiel arboraient tous un tee-shirt blanc frappé en noir de la mention NON ! Ils semblaient communiquer entre eux par téléphone portable et s'efforçaient de canaliser la foule dans Brick Lane avec un succès assez lent mais constant. Le tout était un peu chaotique, mais l'ambiance me parut plutôt détendue, surtout si l'on considérait la raison première du rassemblement. Lorsque nous entrâmes dans Brick Lane, je remarquai que la plupart des restaurants indiens avaient installé devant leur devanture des étals pour vendre des sandwichs et des boissons fraîches. Il y avait même quelques musiciens de rue qui parcouraient les flancs mouvants du cortège en chantant et en grattant leur guitare. La foule poussa un rugissement collectif quand la police chassa un mime.

Une particularité chez les manifestants me frappa : ils étaient en grande majorité de couleur.

Dans la réalité de tous les jours, L.A. est peut-être socialement et économiquement une métropole aussi stratifiée que n'importe quelle ville comparable, dans les comportements de surface en tout cas elle forme une communauté profondément multiethnique. Si l'on s'en tient aux statistiques, les habitants de race blanche représentent une minorité, de sorte que vous n'êtes pas spécialement interloqué lorsque vous vous trouvez entouré de Noirs ou de Jaunes tout le temps.

Mais en voyant l'armée de Noirs et d'Asiatiques dans la foule (même s'ils n'étaient pas majoritaires), je me pris à penser que j'avais vu très peu de non-Blancs à Londres depuis mon arrivée. Certes, la réception du Savoy, les studios de Star-TV et de la BBC ne sont pas réputés pour leur multiculturalisme, il n'empêche que la présence soudaine de tant de visages d'origine visiblement étrangère me rendit assez contestable l'homogénéité de ce que j'avais vu jusqu'alors.

Ce qui me chagrinait le plus, cependant, c'était de ne pas l'avoir remarqué jusqu'à maintenant.

Je ne saurais dire quand ou comment la manifestation se mit en marche, mais d'un coup je me retrouvais à remonter au pas Brick Lane avec le flot humain. June s'était débrouillée pour obtenir auprès d'un des membres du service de sécurité la photocopie du parcours, et je vis qu'il suivait Brick Lane, passait devant l'épicerie incendiée puis remontait vers un endroit nommé Bethnal Green, où devaient être prononcés discours et hommages rendus aux victimes du racisme aveugle. Nous nous trouvions non loin de la tête du cortège, et les banderoles multicolores affichant le nom des associations organisatrices flottaient au-dessus de la marée de têtes à moins d'un pâté de maisons devant nous.

Il n'y avait rien de bien remarquable dans le déroulement de cette marche, sauf peut-être son côté peu remarquable, justement. June et moi suivions le mouvement. De temps en temps un groupe de personnes entonnait un slogan, mais il était rarement repris. Le tout me semblait assez peu organisé. La police avait disposé ses hommes le long du parcours, à intervalles réguliers, et j'aperçus des groupes d'hommes à cheval stationnés dans les rues perpendiculaires, mais il n'y avait pas la moindre trace d'agitation.

Jusqu'à ce que cela se produise.

Le brouhaha qui montait de la foule se calma, un peu comme le public dans une salle de théâtre lorsque s'ouvrent les rideaux, juste au moment où nous nous engagions dans la rue où se trouvait la boutique incendiée. Les ruines de l'épicerie étaient en vue quand la première explosion retentit.

Elle n'était pas aussi puissante ou assourdissante qu'on peut le croire dans ce genre de situation, mais c'était une sacrée explosion quand même. Forte.

Et brusquement des flammes jaillirent devant la tête du cortège. Une des banderoles portant le nom d'une association antinazie s'enflamma, et une femme aux cheveux en feu hurla de douleur et de terreur. L'instant suivant vint la deuxième explosion.

Puis une troisième.

Et beaucoup plus de cris affolés.

Des gerbes de flammes ponctuaient la rue et l'organisation approximative du cortège céda immédiatement devant une panique généralisée. Je vis une ligne de policiers à cheval foncer au centre de l'artère – j'ignore d'où ils pouvaient venir – mais un des chevaux s'effraya devant un homme environné de flammes et s'emballa, projetant son cavalier dans la vitrine d'une boutique de Fish and Chips.

Plusieurs personnes désignaient du doigt un toit voisin et j'y aperçus un groupe de silhouettes vêtues de noir qui se penchaient à son bord. L'une d'elles tenait à la main une bouteille. Je la vis l'allumer et la lancer dans la foule. Une autre explosion retentit sur notre gauche et les gens se mirent à courir.

La plus grosse partie de la foule essayait de rebrousser chemin, mais ceux qui suivaient et qui étaient inconscients de ce qui se passait à l'avant du cortège continuaient d'avancer. Nous nous retrouvâmes bousculés et poussés dans tous les sens, pendant que les cocktails Molotov continuaient d'être jetés du toit sur la foule, ce qui ajoutait à la panique. J'agrippai June par la manche mais je dus la lâcher quand un autre policier à cheval chargea droit sur nous.

— Enfoiré ! criai-je à la croupe de la monture.

Je n'aurais pas dû faire ça. Non parce qu'il m'entendit, aucune chance dans ce chaos, mais parce que le temps d'injurier le policier, June avait disparu.

Cela semblait impossible. Elle se tenait à cinquante centimètres de moi une seconde auparavant. Je hurlai son prénom, mais la rue s'était transformée en un torrent humain terrifié, aussi sauvage et dangereux que les rapides en montagne. Les gens tourbillonnaient comme des danseurs de claquettes, se percutaient, heurtaient les réverbères, les chevaux de la police. L'impression d'un monde devenu liquide fut encore accentuée lorsque je vis une personne tomber et sembler disparaître sous la surface des corps, comme si un monstre invisible l'avait attirée sous le sol. Une petite fille trébucha juste à côté de moi. Je la relevai avant qu'elle ne soit piétinée. Peine perdue. Elle aussi fut arrachée à ma prise et emportée dans le courant paniqué des corps.

Les explosions paraissaient avoir cessé, et un rapide coup d'œil vers le toit me révéla qu'il était maintenant désert, mais cela ne calmait en rien l'hystérie au sol. Certaines personnes avaient eu la présence d'esprit de se réfugier dans les commerces qui bordaient la rue, mais je vis aussi un groupe de Crasseux devant la porte d'une boutique qui lançaient des cannettes et des bouteilles sur la police montée. J'aperçus une autre bande de jeunes, protestataires ou habitants du quartier, qui brisaient la devanture d'un commerce et prenaient tout ce qu'ils pouvaient dans la vitrine, ce qui ne représentait pas grand-chose. Un peu plus haut dans la rue, une unité de la police anti-émeute s'était déployée et s'efforçait de protéger les magasins encore intacts dans une artère adjacente des débordements de la foule, en repoussant le flot des manifestants. Je comprenais le bien-fondé de leur attitude, mais avec le reste du cortège qui progressait toujours, les policiers risquaient de créer un resserrement potentiellement mortel. Tout d'abord les premiers manifestants refluèrent, mais pour être aussitôt emportés par les arrivants et se heurter au barrage des policiers. Il s'ensuivit une série d'accrochages, et je vis même un flic tomber et son cheval basculer sur le côté et tomber, écrasant quelques personnes sous eux.

Je voulais absolument retrouver June, mais je n'avais pas la moindre chance d'y parvenir. J'essayai de grimper sur une poubelle en métal pour mieux voir, mais j'y étais à peine que mon perchoir se déroba sous moi. Je chutai et me reçus mal, à demi accroupi, et je pris un coup de pied à la tempe dans le mouvement. Je me sentis vaciller quand une main m'agrippa par le col et me redressa. Je réussis à me remettre debout et je ne vis pas qui m'avait aidé, mais ce secours inconnu m'avait sans doute sauvé la vie. Si je m'étais écroulé à terre, j'aurais très certainement été piétiné.

Il fallait que je me sorte de là.

À l'extrémité de la rue, la police s'opposait toujours aux manifestants. Une seconde j'envisageai de me frayer un chemin jusque-là pour tenter de parlementer, mais la vue des longues matraques qui s'abattaient sur des têtes de Crasseux m'en dissuada. À l'autre bout de la rue, la foule surexcitée grondait et ondulait comme les ressacs sur une côte rocheuse. Le hululement des sirènes et l'odeur des gaz d'échappement emplissaient l'air. Pour la première et seule fois de ma vie, je souhaitai être un Tengu et pouvoir me faire pousser des ailes pour m'envoler, mais ce genre de souhait n'allait pas m'aider.

Je n'avais nulle part où aller sinon dans un des magasins. Nombre de boutiquiers avaient essayé de baisser leur rideau de fer en hâte ou tenté de fermer les volets pour se protéger des pillards, mais pour la plupart il était déjà trop tard. Les policiers s'efforçaient d'établir un cordon devant les commerces, et les casseurs qui se risquaient à le forcer étaient bastonnés avec beaucoup d'enthousiasme. Ayant grandi et vécu dans Los Angeles, capitale ouest-américaine des émeutes, je n'ai pas beaucoup de sympathie pour les pillards, mais à ce que je constatais les flics de L.A. pouvaient prendre des leçons auprès de leurs collègues londoniens sur la façon de calmer les casseurs déchaînés. Je n'avais évidemment aucune envie d'être pris pour l'un d'entre eux, cependant j'avais failli être piétiné quelques secondes plus tôt et je ne voyais pas d'autre alternative.

Je levai les coudes en avant, en me protégeant le visage des avant-bras, et je me forçai un passage vers la boutique la plus proche. La porte en était barricadée, mais quelqu'un venait de fracasser la vitrine avec un parpaing. Les marchandises exposées avaient déjà été volées, et un jeune Asiatique s'acharnait à arracher un sari déchiré d'un manne-quin. Je ne comprenais vraiment pas l'intérêt de son geste, mais il est vrai qu'une émeute n'est pas le royaume de la rationalité. Il se retourna vers moi quand je bondis dans la vitrine, et je me tendis, prêt à l'affrontement. Mais il saisit le mannequin et sauta dans la rue, pour se sauver avec sa prise. Il y réussit jusqu'au premier policier à cheval.

J'avançai dans le magasin sans attirer l'attention des policiers, par chance. J'étais légèrement en hauteur, ce qui me permit de survoler la rue du regard à la recherche de June, mais sans succès. Je ne vis que des gens paniqués et des mouvements désordonnés.

Tournant le dos à l'extérieur, je pus constater que les pillards n'étaient pas allés plus loin que la vitrine. Peut-être parce que cette boutique ne vendait que des saris. Les éclats de verre crissèrent sous mes chaussures quand j'entrai dans le magasin proprement dit, et j'étais trop occupé à éviter de me couper pour la remarquer avant que nous nous retrouvions presque nez à nez.

Elle avait une quarantaine d'années, était vêtue d'un sari (naturellement), et c'était une de ces femmes asiatiques avec un point rouge entre ses deux yeux emplis de colère. Je notai également qu'elle tenait dans ses mains un épais morceau de bois, qu'elle leva au-dessus de sa tête.

— Eh! m'écriai-je. Temps mort!

Elle aboya quelque chose de peu flatteur sans doute, mais pas en anglais. J'écartai les deux mains pour bien montrer que j'étais inoffensif.

— Je ne suis pas un pillard, dis-je très vite. Je ne veux vous causer aucun ennui. Mais là dehors, c'est le carnage. Je voulais juste m'abriter.

Elle n'abaissa pas le morceau de bois – et ce qui est encore mieux, elle ne l'écrasa pas sur mon crâne – mais elle plissa les yeux en me dévisageant. Elle inclina la tête d'un côté, puis de l'autre.

Et elle prononça *la* réplique :

— C'est assez chaud pour vous? déclama-t-elle.

— Oh, bordel… marmonnai-je.

Une autre fanatique de la série *Salt and Pepper*. Quiconque ne pense pas que nous vivons dans un grand village planétaire ne sait pas différencier Charlie Sheen de Shinola.

Finalement, la femme baissa son arme improvisée. Je la remerciai d'un hochement de tête convaincu et elle me décocha ce sourire qui veut dire «Contente de rencontrer une célébrité telle que vous», le genre de mimique à laquelle vous finissez par vous habituer après quelque temps (quoique ce soit plus rare en pleine émeute). Je crus presque qu'elle allait me proposer une tasse de thé quand un autre bruit de vitre brisée retentit dans la rue. Elle jeta un regard apeuré en direction de la vitrine, puis me fit signe de la suivre.

Elle me précéda derrière le comptoir puis dans la réserve. Nous louvoyâmes entre des piles de cartons jusqu'à la porte arrière. Elle ouvrit une série de verrous et tira très doucement la porte. Celle-ci donnait sur une ruelle jonchée de détritus qui, aussi incroyable que cela paraisse, était totalement déserte.

De la main, elle m'invita à sortir, et de la tête je la remerciai.

— Ça ira pour vous, toute seule dans cette boutique ? m'enquis-je.

Elle avait refermé la porte avant que j'aie terminé ma question. J'entendis le cliquetis des verrous.

La ruelle n'aurait pas pu accueillir une voiture, mais celle dans laquelle elle débouchait oui. Si mon sens de l'orientation ne me trompait pas, en la remontant je m'éloignerais de la fureur de l'émeute. C'est donc ce que je fis. Je me retrouvai bientôt dans un petit parking en terre battue derrière une série d'immeubles bas. J'étais encore assez proche de l'émeute pour entendre les sirènes, les sifflets et les cris, mais dans cette rue non plus il n'y avait personne. En levant les yeux j'aperçus quelques personnes aux fenêtres qui observaient le spectacle, dont aucune ne m'accorda la moindre attention. Je repérai une cabine téléphonique et pensai à appeler quelqu'un à l'aide, mais qui ? Pas un taxi ne se risquerait dans le quartier, quant à la police, elle était justement très occupée, pas très loin derrière moi. Je pouvais certes contacter Mahr aux bureaux de Star-TV, mais cette seule idée offensa ma fierté. La meilleure chose à faire était de marcher jusqu'à la plus proche station de métro et m'échapper par le sous-sol.

Dans des circonstances ordinaires, bien que je ne sache pas ce que j'aurais fait dans des circonstances ordinaires, ce plan aurait pu être bon.

Par un jour d'émeute dans l'East End de Londres, ce n'était pas si malin que ça.

Alors que j'avançais au hasard dans les rues tortueuses qui menaient entre les blocs d'appartements d'une cité qu'une pancarte me révéla être le Criswell Estate, je sentis le malaise grandir en moi. Tout d'abord, les rues étaient d'un calme irréel qui suggérait que la nouvelle de l'émeute s'était très vite propagée et que les gens restaient chez eux.

Plus inquiétant, les rares visages que je croisai n'étaient pas particulièrement accueillants. Apparemment, j'étais sorti du quartier asiatique pour passer dans un coin pauvre habité par des Blancs. Je vis quelques svastikas bombés sur les murs, et deux ou trois LA THULÉ AU POUVOIR. Tout d'abord je fus surpris que les communautés blanche et asiatique vivent dans une telle proximité physique. À L.A., les différentes enclaves ethniques étaient séparées par ces zones démilitarisées officieuses qu'on appelle des voies rapides. Je compris alors que c'était justement cette proximité qui expliquait le haut degré de tension entre les diverses communautés. Quoi qu'il en soit, je n'étais pas du tout rassuré de me retrouver parmi « les miens ».

Je pressai un peu le pas, mais comme je ne savais pas où j'allais, cela ne me rassura pas tellement. La cité semblait s'étendre à l'infini, et bien qu'il y eût des plans indiquant les noms des différents blocs, il n'y en avait aucun qui expliquait comment sortir de ce quartier. Tôt ou tard j'arriverais bien à une artère principale, me dis-je. Mais quand deux jeunes à l'allure revêche se mirent à me suivre à une distance de cinquante mètres, je décidai que très tôt vaudrait beaucoup mieux que trop tard.

Je m'efforçai de ne pas céder à la panique mais j'avais du mal à ne pas regarder derrière moi. D'autant que lorsque je le fis, ce fut pour constater qu'un troisième type s'était joint aux deux premiers et que le trio s'était notablement rapproché. Je ne sais pas s'il s'agissait de skinheads, mais à coup sûr ils ne vendaient pas de la limonade. Ils étaient cinq lorsque j'entendis le grondement délicieux de la circulation automobile devant moi. Je décidai que, si le pire arrivait, je n'aurais qu'à courir au milieu des voitures pour m'en tirer. J'abandonnai mon pas nonchalant et me mis à trotter. La rue décrivait une longue courbe en contournant un immeuble plus grand que les autres. Et comme prévu j'arrivai à la limite de la cité et en vue de la route embouteillée qui la longeait.

La mauvaise nouvelle, c'était la clôture haute de trois mètres surmontée de barbelés qui s'élevait entre moi et le Londres libre. Du coup je crus comprendre ce qu'avaient ressenti les habitants de Berlin Est au temps du Mur.

La bande derrière moi s'était déployée en demi-cercle pour m'acculer contre le grillage. La possibilité d'escalader la clôture tenait du vœu pieux, et lorsque je vis ce qui était indéniablement du sang séché sur les barbelés, j'abandonnai ce rêve. On était en terrain découvert, visibles de la route, même si les véhicules y défilaient à vive allure, mais le gang ne semblait pas se soucier d'être vu.

Avec les jeunes – même les loubards – on peut souvent s'en sortir en parlant. Je ne suis pas spécialement combatif, mais on se retrouve parfois dans des situations dangereuses. Lorsque je travaillais à récupérer des créances à L.A., il m'est arrivé d'échouer dans des quartiers déplaisants, face à des gens que je n'avais pas envie de connaître. Si vous parvenez à les embarquer dans une discussion, vous avez une bonne chance d'éviter un sale quart d'heure, ou même un séjour à l'hôpital.

— Salut, les gars, fis-je. Est-ce que l'un d'entre vous reçoit la télé par satellite ?

Je ne sus jamais lequel me décocha le coup de pied.

Mais je le sentis, pas de doute. Il me toucha sur le côté de mon genou droit et je m'affaissai comme une prostituée de Hollywood sur Hugh Grant. La bouchée de terre et de poussière que je recrachai me suggéra que la situation n'évoluerait pas vers de grandes palabres. Un coup de talon à la tempe me confirma cette intuition de façon éclatante.

Une grêle de coups s'abattit sur moi. Je voulus me relever, peine perdue, ils étaient tous sur moi. J'ignore s'ils étaient énervés à cause de l'émeute, irrités de la présence d'un intrus sur leur territoire ou simplement heureux de défouler leurs penchants sadiques. Je me roulai en boule sur le sol et priai pour que le passage à tabac se termine bientôt.

Quand il y eut l'éclair, je crus qu'il était à l'intérieur de mon crâne.

Je pensai aussitôt : fauteuil roulant.

Et : lésions cérébrales permanentes.

Et aussi : Une minute, est-ce que je penserais à ça si je souffrais de lésions cérébrales permanentes ?

Alors je relevai la tête.

Mes assaillants étaient au sol, tout autour de moi. Ils se tordaient de douleur et geignaient en gardant les mains plaquées sur les yeux. Leur peau paraissait brûlée, et des cloques la parsemaient. Deux avaient du sang qui coulait du coin de leurs yeux. Un troisième gisait, inerte, face contre terre.

— Bon sang, soufflai-je.

Il me fallut quelques secondes avant de remarquer le type chauve qui se tenait debout à quelques pas de là.

Mon copain Tête d'œuf.

Il avait les bras tendus devant lui à l'horizontale, mains jointes, dans la pose classique du tireur. Il ne tenait pas un flingue entre ses doigts, mais une sorte d'amulette en argent avec une émeraude en son centre. C'était le genre de breloques très toc qu'on s'attend à voir proposées à la vente sur une chaîne de téléachat à trois heures du matin. À ce moment précis, j'étais prêt à en acheter une demi-douzaine au prix fort, sans attendre l'offre de réduction.

— Vous zallez peut-être accepter de m'écouter, à prézent, zézaya-t-il.

Mon ami, appelle-moi donc M. Oreilles.

7

Mon nouveau copain au crâne rasé m'emmena d'un pas rapide dans le dédale des rues toutes identiques de la cité. Je me sentais courbaturé de la raclée que je venais de subir, et un œuf de pigeon naissait à ma tempe, mais je ne pensais pas avoir de fracture et je m'estimais donc chanceux. Quelques minutes de plus et je ne m'en serais certainement pas tiré aussi bien.

Il y avait peu de gens dans les parages, et si nous déclenchâmes quelques regards durs sur notre passage de la part des Blancs, personne ne nous approcha ou n'eut d'attitude menaçante. Nous tournâmes un énième coin de rue et soudain nous entrâmes dans une artère bourdonnante d'activité. Une fois de plus les visages asiatiques se mêlaient à ceux d'Européens et j'eus l'impression d'être enfin revenu dans le monde réel.

Crâne d'œuf ralentit un peu l'allure quand nous approchâmes du terrain familier de Whitechapel High Street. Au loin, je perçus le hululement des sirènes, et une unité de pompiers passa à vive allure. Nous n'étions plus très loin du lieu de l'émeute. Ma nervosité remonta d'un cran lorsqu'un groupe de Crasseux ensanglantés jaillit d'une rue transversale, mais avant que je puisse m'inquiéter plus, mon compagnon prit une direction complètement autre.

Nous empruntâmes des rues de plus en plus calmes, où les Asiatiques dominaient. Je pense que nous allions vers le sud. Crâne d'œuf avait tendance à allonger le pas jusqu'à ce qu'un écart nous sépare, avant d'attendre aux carrefours que je le rattrape. Complètement perdu une fois de plus, et commençant sérieusement à sentir la fatigue, je finis par lui saisir le bras avant qu'il ne s'élance dans une autre rue.

— Eh, mon pote, le marathon est fini.

Il s'arrêta, mais il semblait nerveux, comme un chien qui tire sur sa laisse. J'allai m'asseoir sur une volée de marches menant à un immeuble aux fenêtres condamnées. J'ôtai ma chaussure et en fis tomber un petit caillou. À contrecœur il me rejoignit, mais sans s'asseoir. Il sautillait sur place comme s'il était torturé par le besoin d'uriner.

— Temps de repos, dis-je.

— Ze n'est pas très loin, répondit-il en désignant le bout de la rue d'un geste vague.

— Ouais, et si on parlait un peu, hein ?

Il me considéra fixement, sans répondre.

— D'abord, merci, déclarai-je tandis qu'il continuait de m'observer sans réagir. Pour tout à l'heure, avec ces enfoirés qui me tabassaient. Tu m'as évité une sacrée danse.

— Ze suis très content pour la danze, mais pas bezoin de me remercier. J'ai seulement suivi mes zinztructions.

— Des instructions ? Venues de qui ? Et pour quoi ?

Ces questions parurent l'embarrasser, mais j'eus aussi l'impression qu'il ne voulait pas m'insulter en gardant le silence. Un peu comme lorsque j'avais affaire aux gars du service de relations publiques.

— Ze ne suis qu'un serviteur, ze fais ce qu'on me dit de faire, expliqua-t-il enfin. Ce n'est pas zà moi de répondre à ces queztions.

— Alors à qui ? Vois-tu, en général j'aime bien savoir qui organise la soirée avant d'accepter l'invitation.

Il regarda encore au bout de la rue, et sautilla sur place. Sa vessie n'allait pas tarder à exploser, apparemment.

— Ze n'est plus très loin…

— D'accord, soupirai-je, résigné. Au point où on en est…

Je me relevai lentement, en grimaçant et en massant mon épaule endolorie.

— Tu peux attendre encore une minute ? fis-je. Au fait, tu t'appelles comment ?

Il cessa de tressauter sur place et me considéra avec gravité. Je crois qu'il se demandait si c'était une information qu'il était en droit de divulguer.

— Dazra, dit-il en hochant la tête. Vous pouvez m'appeler Dazra.

— Dasra, répétai-je. OK, ça me va.

Il partit aussitôt et prit très vite douze pas d'avance sur moi. Je le hélai et il s'arrêta, se retourna vers moi.

— Il y a une autre question que je dois te poser, Dasra, dis-je, et la consternation envahit son visage. Ce petit truc en métal planté au milieu de ta langue. Ça ne te fait pas mal ?

Il sourit et tira brièvement la langue pour me montrer le clou en argent.

— Très mal.

Et il repartit.

Bonne réponse, pensai-je en lui emboîtant le pas.

Dasra m'avait encore distancé d'un demi-pâté de maisons, mais cette fois je le rattrapai à la moitié de la rue, devant un restaurant indien si miteux qu'il semblait implorer un contrôle sanitaire. Je ne vis aucun nom. Un menu avait été scotché à la devanture, mais il était tellement délavé par le soleil que je ne pus lire un mot. Les boutiques environnantes étaient toutes fermées et il y avait très peu de piétons dans la rue. Dasra désigna la porte du restaurant et hocha la tête.

— Euh, je n'ai pas vraiment faim, dis-je.

Les yeux de Crâne d'œuf s'agrandirent et ses épaules s'affaissèrent comme pour dire pourquoi-vous-ne-me-lâchez-pas-un-peu. Il refit le même geste, et cette fois ouvrit la porte du restaurant pour moi.

— Bon, d'accord. Le danger pimente l'existence, pas vrai ? fis-je, et j'entrai.

L'intérieur n'était pas aussi délabré que la façade, mais ce n'était pas non plus un trois-étoiles. Le restaurant se résumait à une salle unique, avec une douzaine de tables serrées dans le peu d'espace disponible. Au fond, une porte ouvrait sur une minuscule cuisine encombrée où deux Asiatiques se disputaient en hurlant et en hindi, quand ils ne s'en prenaient pas à un serveur à l'air las. Curieusement, toutes les tables étaient occupées, et les clients semblaient beaucoup apprécier leur repas. Pour être tout à fait honnête, l'odeur qui planait dans la pièce était très appétissante.

La seule autre personne blanche de peau présente était une femme massive d'environ trente-cinq ans installée seule à la table se trouvant juste à gauche de la porte. Elle avait les cheveux roux coupés en brosse et un visage qui je ne sais trop pourquoi m'évoqua une souche d'arbre. Je la vis m'accorder un bref regard sans cesser d'enfourner dans sa bouche des fourchetées de ce qui ressemblait à de la viande de rat dans une sauce aux excréments. Quoi que ce soit, le plat devait être diantrement relevé car ses joues étaient rubicondes et des larmes coulaient de ses yeux. Toutes les deux ou trois bouchées elle s'arrêtait pour avaler une gorgée de Kingfisher au goulot, ou pour manger un morceau de *naan*, mais elle ne cessait jamais de manger.

Toutes les autres tables sauf une étaient occupées par plusieurs Asiatiques minces qui bavardaient entre eux comme des perroquets. À mon entrée quelques-uns se tournèrent vers moi, mais ils se reconcentrèrent sur leur assiette dès qu'ils virent Dasra derrière moi. Dans l'angle droit, au fond de la salle, était attablée seule une jeune Asiatique aux longs cheveux noirs défaits. Devant elle il n'y avait qu'une théière blanche et deux tasses décorées d'un motif floral. Elle en prit une dans ses deux mains, la leva, la tendit vers moi et baissa la tête. Je jetai un coup d'œil interrogateur à Dasra derrière moi, qui acquiesça en réponse. Je me glissai entre les tables et m'assis face à la femme.

— Bonjour, M. Burns, dit-elle. Je suis heureuse de constater que vous semblez aller bien.

Elle parlait exactement comme une journaliste de la BBC, avec à peine une trace d'accent.

— Il ne faut pas se fier aux apparences, répondis-je. Et vous, qui êtes-vous ?

— Mon nom est Uma Dharmamitra, dit-elle en me tendant la main.

Sa peau était douce et tiède, et je sentis un frisson électrique irradier mon bras à son contact. De l'électricité agréable. Je n'avais pas vraiment envie de la lâcher.

— Désirez-vous manger quelque chose, M. Burns? La cuisine ici est excellente, même si le décor est quelque peu… inélégant. Le *rogan gosh* est une merveille.

— Je n'ai pas faim.

— Du thé? offrit-elle en prenant la théière.

— Je sais bien qu'à Rome il faut vivre comme les Romains, mais le thé n'est pas, hem, pas exactement ma tasse de thé. Je ne dirais pas non à une bière, en revanche.

Uma agita un doigt et avant qu'elle ait baissé la main, le serveur déposait devant moi un verre et une bouteille de Kingfisher. Je repoussai le verre et bus une longue gorgée au goulot. La bière était fraîche à point.

— Assez fraîche pour vous? dit Uma.

À son expression impénétrable, impossible de dire si elle se moquait de moi ou non, mais je lui lançai mon regard estampillé je-suis-le-privé-à-qui-on-ne-la-fait-pas, au cas où.

Aucun effet. C'est à chaque fois la même chose.

— Impeccable, dis-je en reprenant une gorgée. C'est rassurant de savoir qu'il y a au moins un réfrigérateur qui fonctionne dans ce pays.

— En fait je préfère la bière, moi aussi, dit-elle en buvant pourtant un peu de thé. Une question de goût, je suppose.

— Comme le beurre dans le sandwich à la dinde, soupirai-je.

— Pardon?

— Non, rien. Bon, alors qu'est-ce que tout ça signifie? Votre copain Dasra…

— Qui?

Mon sauveur s'était joint à quelques amis à une table près de la porte. Il me jeta un bref regard quand je me retournai à demi et le désignai du pouce.

— Dasra. Il m'a tiré des pattes d'une bande de lascars dans la cité.

— Dasra? répéta Uma.

— Allô? fis-je. Vous savez, Dasra. Crâne d'œuf. Langue Cloutée, là-bas.

— Dasra, dit-elle une troisième fois.

Leurs regards s'étaient rencontrés et je le vis qui souriait quand elle prononça son nom. J'eus l'impression qu'ils partageaient une plaisanterie dont je faisais les frais, mais je n'y comprenais rien.

— Oui, Dasra a pu vous venir en aide. J'en suis heureuse.

— Pourquoi?

— Pourquoi j'en suis heureuse? Peut-être parce que j'aime beaucoup les séries télévisées de qualité.

— Bizarre, je ne le crois pas. Vous m'avez plutôt l'air de quelqu'un qui apprécie plus les films de James Ivory. Ou de Jane Campion. Enfin bref. Pourquoi Dasra, ou quel que soit son nom véritable, m'a-t-il secouru là-bas? Pour quelle raison me suivait-il? Et qui êtes-vous, au juste?

— Permettez-moi de vous poser une question, M. Burns: comment voyez-vous le monde?

Je ne pus dissimuler ma stupéfaction.

— Hein? Qu'est-ce que vous voulez dire par là?

— La question me paraît pourtant simple : comment voyez-vous le monde? À quoi ressemble-t-il pour vous?

— Cinquante-sept chaînes sans rien de visionnable, raillai-je.

Où diable voulait-elle m'amener?

— Je n'ai pas demandé comment M. Bruce Springsteen voyait le monde, même si j'apprécie beaucoup sa vision des choses. J'ai demandé comment il vous apparaissait, à vous.

Elle me regardait d'un air mi-figue mi-raisin, comme si elle savait que ma braguette était ouverte alors que moi je l'ignorais encore. J'avais la très nette impression qu'elle en savait beaucoup plus sur mon compte qu'elle n'aurait pu ou dû.

— J'ai vu des choses, admis-je, en me surprenant moi-même. Des choses étranges.

— Je vous crois.

— J'ai vu qu'il y a plus dans ce monde que ce que n'importe quelle inspection minutieuse peut révéler. Le truc, c'est de savoir où regarder. Ou d'avoir le guide adéquat pour vous montrer le chemin.

— Et accepter ce que vous voyez ? Ce qu'on vous montre ?

— C'est la partie la plus difficile, approuvai-je.

Uma emplit sa tasse de thé. Traître à la cause que j'étais, j'en avais oublié ma bière. Je me fis pardonner en l'honorant d'une bonne gorgée.

— Dites-moi, qu'avez-vous vu depuis que vous êtes arrivé à Londres ?

— Je ne sais pas ; tout un tas de vieilles bâtisses, de gros types qui jouent aux fléchettes, des émeutes dans les rues… Ça ressemble beaucoup à L.A., à part qu'ici les aides serveurs ne sont pas mexicains.

— Est-ce là tout ce que vous avez vu ? insista Uma avec le plus grand sérieux.

— Non, répondis-je doucement. J'ai vu de la haine. Et la mort. Et beaucoup plus de souffrance que je ne peux en supporter. Sacré coin pour venir en vacances. La prochaine fois, j'irai directement en Cisjordanie.

— Il se passe beaucoup de choses dans cette ville et dans ce pays, en ce moment même. Certaines forces s'accumulent. Des forces obscures. Il y a beaucoup à observer si vous savez où regarder.

— Ou si quelqu'un vous montre ?

— Exactement.

— Et bien sûr, il faut pouvoir et bien vouloir accepter ce que l'on voit, c'est bien ça ?

— Je pense que vous me comprenez parfaitement, M. Burns. Et je pense que vous êtes destiné à participer à ce qui se prépare.

— Ah. Et de quoi pourrait-il s'agir, hein ?

— De la Fin de Toutes Choses.

— On dirait une formule secrète, dis-je. Mais j'attends toujours de voir le lapin sortir du chapeau.

— Pardon ?

— C'est sans importance. La fin de toutes choses, dites-vous. Mince, ce n'est pas rien.

— C'est ce que pensent certains, en effet. Ce que vous avez vu aujourd'hui, par exemple, ce que vous avez… expérimenté n'est que l'avant-goût très fade de ce que d'autres aimeraient nous infliger.

— Pour moi c'était tout de même une sacrée putain d'émeute, si vous voulez bien me passer l'expression.

— Je n'ai pas suggéré un instant que c'était un spectacle réjouissant.

— Et ça a un rapport avec ce qui s'est passé à l'épicerie l'autre jour ? Le skinhead que j'ai arrangé avec une bouteille de Snapple ?

— Ce n'est que la partie visible de l'iceberg. Il existe beaucoup d'autres personnes comme lui. Et d'autres encore, bien pires parce que beaucoup plus intelligentes, et donc moins faciles à repérer.

Une partie de moi avait envie de lui demander de quoi nous parlions exactement, mais une autre partie, très certainement beaucoup plus finaude, me conseilla plutôt de me mordre la langue.

— C'est un drôle de spectacle, approuvai-je. Mais… et si je ne veux plus regarder ? Si je me contente de simplement passer dans le décor ? Un étranger en pays étranger ?

Uma eut soudain l'air très peinée. Elle se renversa contre le dossier de sa chaise et poussa sa tasse de côté.

— Alors profitez du spectacle. Enfin, des numéros dont vous êtes capable de supporter la vue.

Je réfléchis à tout ça une pleine minute, très fort. Puis je secouai la tête.

— C'est peut-être bien ce que je vais faire. Pas parce que je n'éprouve pas de sympathie pour vos idées, mais ça n'est tout simplement pas mon terrain. Pas mon pays. Et… – je regardai longuement autour de moi, avant de penser à l'amulette que Dasra avait utilisée pour neutraliser mes assaillants – soit dit sans vouloir vous offenser, j'ai déjà vu plus que mon lot de trucs bizarres dans ma vie. Je ne pense pas être capable d'en supporter beaucoup plus. En tout cas, pas maintenant. Je veux dire, j'apprécie ce qu'a fait Dasra pour moi, mais j'ai l'intuition que le truc dans lequel vous autres vous êtes engagés est foutrement bizarre.

Uma acquiesça, en évitant de me regarder.

— Dasra vous raccompagnera.

Et il était là, derrière moi, l'air effectivement très renfrogné. Je n'avais pas remarqué qu'il s'approchait.

— Sans rancune, d'accord ? me risquai-je à dire.

Enfin la jeune femme posa les yeux sur moi. Insondables.

— Prenez soin de vous, M. Burns, dit-elle.

Je ne me sentais pas très fier de moi quand je retournai à l'hôtel. Dasra n'avait pas ouvert la bouche pendant qu'il me raccompagnait jusqu'à une artère principale. La présence policière était toujours importante, et beaucoup de gens traînaient un peu partout, mais un semblant d'ordre était revenu. La panique qu'on pouvait quasiment sentir dans l'air auparavant s'était dissipée. Je réussis à héler un taxi, et le temps qu'il s'arrête devant moi, Dasra avait disparu. Je scrutai la rue pour repérer son crâne luisant, mais en pure perte.

Mentalement, je rejouai la conversation avec Uma Dharmamitra pendant que le taxi roulait au pas dans les encombrements de l'heure de pointe. Elle n'avait rien dit de très précis, mais j'étais certain qu'elle avait voulu me faire comprendre qu'elle savait quelque chose concernant certains événements auxquels j'avais participé. Qu'elle était au courant de mes expériences avec…

À dire vrai, je ne sais toujours pas comment appeler ça.

Je déteste le terme «surnaturel». Il y a dans ce mot quelque chose qui évoque trop Edgar Cayce, et Stephen King.

Si je l'emploie, j'ai l'impression d'être stupide.

Le problème, c'est que je ne sais pas comment nommer… ça. Parce qu'en vérité, il n'y a pas de mot. J'ai vu des créatures qui ne sont pas humaines, des mondes qui existent dans ce monde, ou au-delà, ou parallèlement, je ne sais pas. J'ai vu les esprits des défunts et des signes de vie qui n'ont rien à voir avec ce que nous connaissons.

Et je ne veux pas en voir plus.

Principalement pour une raison évidente : ça me fout une pétoche de tous les diables. Et je trouve que le quotidien est déjà plus qu'effrayant, de nos jours. Il m'est déjà assez difficile d'apprendre mon texte, de travailler avec la télé et d'éviter de sombrer sans avoir en plus à me soucier de ces créatures malfaisantes qui cherchent à me culbuter – dans les différentes acceptions du terme – au cœur de la nuit. Peut-être ne suis-je qu'un trouillard, mais peut-être aussi que la plupart d'entre nous choisissent de ne pas voir certaines choses, comme l'avait suggéré Uma, pour ne pas les admettre dans leur existence. Si nous désirons de l'étrange, nous avons Mulder et Scully. Et si nous voiler les yeux nous coûte un peu d'émerveillement, notre petit confort et notre sécurité restent gagnants dans l'affaire.

En particulier si l'alternative est de se transpercer la langue avec un clou en argent.

Si une partie de moi se demandait dans quoi Uma et Dasra pataugeaient, eh bien, je devrais continuer à vivre sans satisfaire ma curiosité. J'étais navré de tout ce qui s'était produit – l'incendie, les morts, l'émeute – mais l'ensemble échappait quand même complètement à mon contrôle. Je n'avais plus que quelques jours prévus à Londres, de toute façon, et j'avais autant de chances de résoudre les problèmes interraciaux de la ville que de découvrir l'identité de Jack l'Éventreur.

Certains mystères ne sont jamais résolus.

Je m'injuriai très copieusement en pensée parce que j'avais complètement oublié June Hanover qui m'attendait dans l'entrée du Savoy.

Elle était un peu ébouriffée, et ses vêtements salis attiraient des regards nettement désapprobateurs de la part du personnel de l'hôtel, mais elle leur tenait tête, les yeux étincelants. À l'évidence elle s'était lavé le visage et les mains, et je vis qu'elle avait oublié de nettoyer une trace de crasse sur le côté de son cou. Dès qu'elle m'aperçut, elle se précipita vers moi, et elle allait me serrer dans ses bras quand sa réserve anglaise naturelle reprit le dessus. Elle me saisit quand même par les coudes, avec un élan certain.

— Marty ! Vous n'avez rien ? Je me faisais un sang d'encre.

— Tout va bien. Dans l'ensemble, je m'en suis bien sorti. Et vous ? Que s'est-il passé ?

— Je ne sais pas. Vous étiez à côté de moi et la seconde d'après… C'était horrible. Marty, il y avait des gens avec les vêtements enflammés, d'autres qui ont été piétinés et… Seigneur, c'est la chose la plus terrifiante que j'aie jamais vécue.

— Je sais. Je vous ai cherchée dans la foule, mais c'était impossible. J'ai été emporté par la cohue et finalement j'ai réussi à m'en tirer. Je…

À cet instant je me rendis compte que nous parlions tous les deux un peu trop fort, ce qui avait attiré l'attention de toutes les personnes présentes. Je pris June par le bras.

— Montons dans ma chambre, suggérai-je.

Une vieille dame aux cheveux bleus arborant des perles énormes et un très petit chapeau blanc monta dans l'ascenseur avec nous. Elle avait dans les bras un petit loulou de Poméranie pomponné et revêtu d'une sorte de tricot.

— Salut le chien, fis-je aimablement.

La bestiole montra les dents et gronda.

— Ramsey n'a pas eu sa pilule, expliqua sa maîtresse.

— Ah oui, dis-je comme si je comprenais. Isle of Dogs ?

— Plaît-il ?

— Ramsey. Vous l'avez eu sur l'Isle of Dogs ?

— Bien sûr que non !

— Je croyais que tous les chiens d'Angleterre venaient de là, m'excusai-je alors que les portes de la cabine coulissaient à mon étage.

June réprimait difficilement son hilarité. Ramsey nous salua d'un jappement vindicatif.

Dans la chambre, l'écran du téléviseur clignotait pour me prévenir que j'avais reçu un message. Je l'éteignis.

— Mahr, probablement, dit June, d'un ton quelque peu coupable.

— Qu'il aille se faire foutre, lui et ses putains de bretelles. Un verre ?

Le minibar avait été regarni – un des miracles quotidiens de la vie en hôtel – et je choisis une bière pour moi. June préféra un jus d'orange. Je lui proposai de l'allonger du contenu d'une ou deux de ces mignonnes mignonnettes d'Absolute, mais elle refusa. J'ôtai mes chaussures et m'écroulai sur le canapé. June se pelotonna dans un grand fauteuil.

— Alors, que vous est-il arrivé ? dis-je. Comment avez-vous échappé entière à l'émeute ?

— C'est encore un peu confus dans mon esprit. Après vous avoir perdu de vue, j'ai été bousculée et ballottée de-ci de-là, mais j'ai réussi à rester debout. Je me suis retrouvée à l'autre bout de la rue au moment où la police bloquait une des rues adjacentes. Ils ont laissé passer quelques-uns d'entre nous. J'ai essayé de leur expliquer que vous étiez toujours dans la mêlée, mais personne ne m'a écoutée. C'était de la folie furieuse.

— Ça ne me surprend pas. Vous avez eu de la chance de vous en tirer aussi bien. Les flics ont sacrément merdé. Ils n'auraient pas dû faire intervenir les unités montées aussi vite. J'ai vu quelqu'un se faire piétiner par un des chevaux.

— Il y avait une télé allumée dans la réception. Ils ont annoncé que deux personnes avaient été tuées dans la bousculade.

— Je le crois sans peine. C'est même un miracle qu'il n'y ait pas eu plus de victimes. Est-ce qu'ils ont arrêté ces fumiers qui balançaient des cocktails Molotov des toits ?

— Je l'ignore. Ils n'en ont pas parlé.

— Mais vous les avez vus aussi, non ?

— J'ai vu les explosions dans la rue, mais pas d'où elles venaient. Je crois que j'étais trop terrorisée pour regarder.

— Ça venait d'un des toits, répétai-je. Je ne comprends pas que les flics les aient ratés. Enfoirés de nazillons.

— Je vous avais dit que vous ne compreniez pas la situation ici, les tensions politiques qui règnent à Londres, et dans l'East End.

— Eh, je ne vous reproche rien, June. C'est moi qui ai insisté pour participer à la manif, vous vous souvenez ? Bon, je n'aurais pas dû accepter que vous veniez. Mais je ne vois pas comment vous mettre l'émeute sur le dos.

— Pourtant je me sens responsable…

— C'est la professionnelle des relations publiques en vous qui parle. Le petit diablotin à bretelles mauves qui est perché sur votre épaule et qui murmure des bêtises pleines d'amertume à votre oreille.

— Et vous, vous n'avez pas aussi un diablotin ? demanda June.

— Oh oui, mais le mien porte des RayBan et me répète que j'ai besoin d'être bien entouré.

— Alors pourquoi ne lui obéissez-vous pas ?

— Tout le monde ne pourrait pas monter à l'arrière de ma Porsche, fis-je en souriant.

Je me levai et allai chercher une autre bière. June accepta un autre jus d'orange, avec cette fois une mignonnette de vodka.

— Aux diablotins que nous connaissons, dis-je en manière de toast.

June leva son verre pour trinquer.

Nous restâmes assis là un moment, chacun perdu dans ses pensées, le regard fixé sur sa boisson. Après avoir bien médité, je décrétai qu'il me fallait absolument des bretzels pour accompagner dignement ma bière. Je fouillai le mini-bar et dénichai un sachet d'amuse-gueules qui ressemblaient plus ou moins à des bretzels. Je l'ouvris et en gobai deux. L'odeur me frappa en même temps que je mâchais.

— Qu'est-che que ch'est ? postillonnai-je en présentant le sachet à June.

— Des Twiglets, répondit-elle.

Je lus le nom sur l'emballage. Twiglets. Eh oui, mon vieux.

— Je vois bien, fis-je en avalant, tandis qu'un parfum… déroutant envahissait mon palais. Mais qu'est-ce que c'est ? Pas des bretzels ?

June me considéra avec un air de doute. Elle prit une poignée de ces amuse-gueules et les avala sans même faire la grimace.

— Non. Ce sont des Twiglets. C'est… comme ça.

— Mais ce goût, c'est quoi ? demandai-je en le noyant de mon mieux avec le restant de la bière.

— Marmite, dit-elle.

Elle affichait une expression qui devait être très proche de celle de Sir Isaac Newton après avoir reçu une certaine pomme sur le crâne.

— Ah. Et Marmite, c'est ?

— Une spécialité avec laquelle il faut avoir grandi, je le crains. Comme la pâte d'anchois. Je ne pense pas que vous soyez prêt pour les Twiglets, Marty. Vous ne deviez pas prendre connaissance de vos messages ?

Transition en douceur, me dis-je, mais je saisis l'allusion et n'insistai pas. Je ne désirai même pas imaginer ce à quoi pouvait ressembler de la pâte d'anchois. J'offris le reste du sachet de Twiglets à June et décrochai le téléphone. Même une conversation avec le réceptionniste ne pouvait me laisser un goût plus désagréable dans la bouche.

Par chance le message était des plus simples : un fax était arrivé pour moi. Cinq minutes plus tard, un groom frappait à la porte et me tendait une grande enveloppe en papier kraft.

Elle contenait deux feuilles. La première était un mémo très sec de Mahr, qui disait :

Le document ci-joint fera la une de cinq quotidiens majeurs demain. Le service des relations de presse suspend tous ses efforts jusqu'à nouvel ordre.

Je jetai un coup d'œil au fax. La reproduction de la photographie n'était pas très bonne, mais elle demeurait assez claire.

— Oh, Marty… gémit June qui avait regardé par-dessus mon épaule.

Le cliché montrait une scène de l'émeute, et à l'évidence il avait été pris au téléobjectif, probablement au moment où j'étais grimpé sur une poubelle pour essayer d'apercevoir June. J'avais une main levée en l'air, et à la façon dont la prise de vue raccourcissait les distances, on avait l'impression que je venais de frapper l'officier de police montée qui

116

chutait de sa selle. En réalité, il devait se trouver alors à trois bons mètres de moi.

Mais l'objectif ne ment jamais, pas vrai ?

— Et merde, grommelai-je.

Certaines choses sont encore plus dures à avaler que des Twiglets.

8

Il se trouve que ces minibars de chambre d'hôtel ne sont pas aussi « mini » que ça. Ils contiennent beaucoup de boissons diverses – dont de l'eau minérale, des jus de fruits et autres liquides non alcoolisés superflus –, mais si vous ne craignez pas de mélanger le contenu de ces bouteilles naines (c'est mon cas), et même si vous y êtes plutôt déterminé, vous pouvez vous concocter un breuvage assez honnête avec ces mignonnettes.

Ce que je fis.

June abandonna à un certain moment, je crois à peu près quand je m'attaquai à la crème de Cassis. Je n'avais aucune idée de la nature de ce liquide, mais il avait un goût de médicament, et je ne parle pas des meilleurs sirops. Je soupçonne aussi un degré d'alcool nul, mais après avoir épuisé les miniatures de gin, de rhum, de vodka, de scotch et de tequila, j'estimai que c'était sans grande importance. Heureusement qu'ils ne mettent pas un échantillon d'extrait de vanille dans ces minibars. Je crois me souvenir d'avoir envisagé d'appeler le service d'étage pour renouveler le stock, j'ai ce genre de réaction quand je commence à être sérieusement chargé. Par chance je m'endormis avant de le faire. Enfin, je crois m'être endormi : j'étais peut-être simplement en état de stupeur avancée devant la partie de bowling sur pelouse diffusée par la BBC.

En revanche je me souviens d'avoir reçu un coup de fil avant de sombrer dans l'oubli. Ces téléphones anglais ont une double sonnerie des plus irritantes qui vous secoue comme si on vous appliquait des électrochocs pour combattre un arrêt cardiaque. Du moins c'est ce que j'imagine, car je n'ai jamais eu droit à ce genre de traitement, même si j'ai une fois disputé un marathon de poker avec Richard Chamberlain et Chad Everett.

— Beuuhhh, bavai-je dans le microphone.

— Marty Burns, c'est toi ?

Mon agent, Kendall Arno.

— Salut, Kendall ! beuglai-je en oubliant que cette merveille de technique qu'est le téléphone efface la distance acoustique de neuf mille cinq cents kilomètres entre Londres et L.A.

— Sacré nom ! Es-tu en état de penser correctement ?

— Sais pas. Tu veux dire en règle générale ou à cet instant précis ?

— Je… Tu as bu, n'est-ce pas ? Bon sang !

Une des choses que j'aime le plus chez Kendall – après la jolie somme qu'elle a négociée pour moi avec *Burning Bright*, évidemment – est sa façon de jurer. Ou plutôt, sa façon de ne pas jurer. C'est toujours « sacré nom », « bon sang » et « zut », ou « flûte ». Difficile de croire que quelqu'un utilise encore ces mots, « zut » et « flûte », mais Kendall les emploie souvent. Comment elle parvient à conserver sa saine nature de fille du Midwest un peu naïve dans la décadence et les égouts de Hollywood, je l'ignore. Mais ça marche pour elle, et elle se débrouille même très bien.

— Boire, moi ? Rien du tout, m'sieur l'agent. Tu dois me confondre avec un autre mec. Type. Gars. Enfin quelqu'un d'autre.

— Flûte, Marty ! Qu'est-ce que tu te fais encore comme mal ? Tu m'avais promis de ne pas toucher à la bouteille.

— Je fête un grand événement.

— Et de quelle nature, exactement ?

— La fin d'une carrière médiocre. Rectification : la fin d'une *autre* carrière médiocre.

— Ah, Marty, ce n'est pas aussi mauvais que ça.

— Ah non ? Alors pourquoi appelles-tu ?

— Je viens d'avoir une conversation téléphonique avec le vice-président de Star. Ils ne sont pas très contents, Marty. À dire vrai, ils sont F-O-U-S de rage.

Il me fallut une petite minute pour rassembler les lettres en un mot, mais même à jeun ce genre d'exercice n'est pas mon fort.

— Je m'en doute un peu, soupirai-je.

— Que diable es-tu allé faire dans une émeute ? As-tu réellement frappé un policier ?

— Je… Qu'est-ce que tu en penses, toi, Kendall ?

— Merde, Marty ! Dis-moi seulement ce qui se passe.

Merde ? Venant de Kendall ? La situation était peut-être plus sérieuse que je ne l'avais pensé. Je me cramponnai à la part vaguement sobre de mon être.

— C'est… c'est une longue histoire, dis-je. Je n'ai pas frappé de flic, crois-moi, je me suis seulement retrouvé photographié dans une position bizarre. Au propre comme au figuré. Dans les journaux, ça a l'air beaucoup plus grave que dans la réalité, mais tu sais comment ils font. On dirait que tous les quotidiens ici sont des tabloïds de supermarché. Imagine que le *L.A. Times* sorte la même bouillie que le *National Enquirer*…

À l'autre bout du fil, il y eut un court silence. Si Kendall ne me croyait pas après ce genre de comparaison, je savais que j'étais dans le pétrin.

— Comment réagissent les gens de la télé, chez toi ? demandai-je.

— Ils sont inquiets, mais pas hystériques. On attend de voir si quelqu'un va faire du battage autour de cette photo. Ils attendent ça pour devenir hystériques. Vraiment, ce n'est pas très bon, Marty. Tu aurais dû te montrer plus prudent.

— Kendall, t'es-tu jamais trouvée dans une situation où tu sentais que tu devais faire ce qui convenait ? Je veux dire, tu savais que tu devais faire ce truc-là en particulier, parce que c'était bien ? Sans te soucier des conséquences.

— Oui, dit-elle après une courte hésitation.

— Eh bien, je sais que ça peut paraître un peu bizarre, mais c'est exactement dans ce genre de situation que j'ai atterri. Je… je n'ai pas l'énergie ni la sobriété nécessaires pour te raconter le tout par le détail, mais les emmerdements me sont tombés dessus sans prévenir. Je n'avais nullement l'intention de me mêler de ça – bordel, je ne suis même pas encore sûr de ce qui se passe ici, pour tout t'avouer – mais tout ce que j'ai fait, ça a été d'essayer de me conduire en homme normal. Et bien sûr, aucune bonne action ne reste impunie. J'ai croisé des salopards et j'ai essayé de jouer le type bien. Du moins c'est comme ça que j'ai vu les choses sur le moment. Peut-être que je prends un peu trop à cœur cette histoire de héros de série télé.

— Tu ne te foutrais pas de ma gueule, Marty ? s'enquit Kendall.

J'exprimai ma stupéfaction par un hoquet étranglé.

— Est-ce que tu viens de dire… – je dus m'éclaircir la gorge avant de pouvoir continuer : « se foutre de ma gueule », Kendall ?

— Je pense que tu as parfaitement bien entendu, Marty Burns.

— Non, dis-je doucement, et je l'espérais sincèrement. Non, Kendall, je ne me fous pas de ta gueule.

Un autre silence suivit, heureusement plus bref, puis :

— Très bien, Marty. Je te fais confiance. Je m'arrangerai avec les télés ici et je vais calmer tes copains de Londres. De toute façon, leur accent stupide ne m'impressionne pas du tout.

— Tu en es bien sûre ?

— Absolument sûre. Je te crois sur parole, Marty. Mais si je découvre que tu m'as trompée, tu pourras te chercher un autre agent.

— Merci, Kendall, coassai-je, lamentable à souhait.

— Maintenant laisse tomber ce que tu bois, quoi que ce soit, et prends un peu de repos. Nous en reparlerons plus tard.

Et elle raccrocha.

Il restait encore un peu de crème de Cassis au fond de la mignonnette. J'approchai le goulot de mes lèvres, mais ce que Kendall venait de me dire interrompit mon geste. Je trouvai la petite capsule sous l'oreiller, rebouchai la bouteille et la jetai dans la corbeille à papier.

Et je m'endormis.

Je me réveillai brusquement en pleine nuit. J'étais terrifié et je ne savais plus où je me trouvais. Comme cela arrive parfois quand vous reprenez conscience dans un endroit qui ne vous est pas familier.

J'avais la sensation vague de sortir d'un autre cauchemar, mais sans parvenir à revoir une image ou une scène précise. Par bonheur j'étais encore assez ivre pour retomber très vite dans les bras de Morphée.

Au matin, je ne me souvenais de rien de plus.

La journée suivante s'écoula sans événement notable. Le téléphone sonna beaucoup ; je laissai les messages s'accumuler à la réception. La télévision clignotait furieusement, mais je me calai sur la chaîne retransmettant les compétitions de bowling. On frappa également à la porte à plusieurs reprises, mais je n'ouvris qu'à la femme de chambre… Et à la bienfaitrice qui vint remplir le minibar. Je lui demandai cependant de ne pas remplacer la crème de Cassis. « Tout avec modération », telle sera mon épitaphe.

Je n'avais pas prévu de sortir, d'autant que ce que le service d'étage peut vous apporter est extraordinaire, si vous ne regardez pas à la dépense. Mais June Hanover appela et m'invita à déjeuner. Je n'avais pas très envie d'y aller, mais encore moins de la décevoir. J'aurais dû. Le repas se déroula dans une ambiance compassée et peu agréable, et d'un accord tacite nous l'écourtâmes.

Je passai ensuite deux heures à me promener en ville. À chaque coin de rue, je m'attendais à moitié à être assailli par des photographes ou des journalistes de tabloïds, mais je dois reconnaître que j'avais surestimé ma notoriété. Les seules sollicitations que je repoussai furent celles d'ivrognes et de clochards qui en voulaient à ma petite monnaie. Il y en a autant à Londres qu'à L.A., même s'ils sont notablement moins bronzés. Ici beaucoup sont accompagnés d'un chien, ce qui constituerait probablement un intéressant sujet d'études sociologiques.

Je me rendis à Trafalgar Square et contemplai la colonne Nelson comme n'importe quel touriste. À cause de mon ignorance abyssale de l'histoire et d'une vie passée devant la télé, je suppose, j'avais toujours imaginé l'Amiral perché au sommet de ce gros phallus de pierre. De sorte que je fus quelque peu déçu devant la statue qui attire tous les pigeons du coin. Et des pigeons, il y en a. Le sol de la place est couvert de leurs excréments et de leur présence. Pour des raisons connues seulement des pères de la cité, les vendeurs de rue ont le droit de vendre aux touristes des sachets de graine pour nourrir ces rats ailés. On pourrait penser qu'un pays qui a déjà subi la Peste Noire adopterait une position plus stricte dans le domaine du contrôle de la vermine, mais c'est comme ça.

De là, je déambulai vers le sud et la Tamise. J'empruntai la passerelle qui traverse le fleuve au niveau de l'Embankment et m'extasiai devant le panorama qu'offrait la ligne des habitations à l'est. Londres n'a pas d'immeubles aussi hauts que Los Angeles, plutôt un alignement de bâtisses que rehausse la présence de la grande coupole de St. Paul. Ce n'est est pas moins diantrement joli, avec un charme plus pittoresque qu'impressionnant.

Je me dirigeai vers l'est en longeant le fleuve, et m'arrêtai pour savourer une bière au café du National Film Theatre, où on me demanda un autographe. La requête émanait d'un touriste américain, d'accord, mais quelle importance ? Il semblait vraiment ravi, et j'en déduisis qu'il n'avait pas lu la presse anglaise. Dans le hall du multisalles, j'eus la surprise de voir l'affiche d'un film dans lequel j'avais joué et qui serait bientôt projeté ici. Apparemment ils avaient organisé un festival sur le thème des « Oubliés des années 1970 », et ils avaient exhumé une copie d'une bizarrerie musicale nommée *Wad*. Un des nombreux rôles que j'avais acceptés sans réfléchir après le succès de *Salt and Pepper*. Dans celui-là, je ne me dénudais pas, et heureusement la plupart des scènes où j'apparaissais avaient été coupées au montage. On m'aperçoit cependant dans le groupe d'adolescents excités qui se font éclabousser de lait par un sein géant chantant.

Par quelque effet impitoyable de la loi des stéréotypes, le sein en question appartenait à Carol Wayne. Une dame très gentille.

Par chance je serais loin de Londres bien avant la première projection de ce chef-d'œuvre.

En ressortant, j'aperçus le Savoy sur l'autre rive. Je pris le Waterloo Bridge et remontai par le nord. Un moment je pensai héler un taxi, mais la circulation était déjà dense et l'hôtel ne semblait pas tellement éloigné. Je décidai donc d'y retourner à pied au lieu de respirer les gaz d'échappement sur une banquette arrière. Je réussis cependant l'exploit de me retrouver désorienté dès que je sortis du pont et je marchai le long de trois pâtés de maisons avant de me rendre compte de mon erreur. Quand enfin je pénétrai dans l'entrée du Savoy, je me sentais agréablement fatigué, et prêt à avaler un bon rafraîchissement. Un coursier vint porter des paquets de journaux au petit kiosque de presse, et je pris le premier exemplaire sur la pile.

Tous les petits poils sur ma nuque se hérissèrent en voyant la une.

EAST END : NOUVELLE FLAMBÉE DE VIOLENCE, hurlait le gros titre.

En dessous se trouvait une photographie de mon pote au crâne rasé, Dasra. Il avait été assassiné.

Pendant quelque temps je fis sillonner les petites rues au taxi, mais sans parvenir à retrouver le restaurant. Le chauffeur me demanda ce que je cherchais, mais j'ignorais le nom de l'établissement et les restaurants indiens ne manquaient pas dans l'East End, avec des devantures très semblables. Finalement et malgré l'heure tardive, je lui dis de me laisser dans Whitechapel High Street.

— Pas un endroit où se balader après la tombée de la nuit, Monseigneur, m'avertit le chauffeur.

Je souris. J'ai toujours eu envie qu'on m'appelle « Monseigneur », depuis que j'ai vu des films de cape et d'épée quand j'étais gosse.

— Je cherche quelqu'un, répondis-je. Ça ira.

— Si c'est de la compagnie que vous recherchez… Je veux dire, tous les goûts sont dans la nature, hein. On a le droit de préférer les peaux un peu sombres…

Je prétendis ne pas avoir remarqué son rictus.

— Je ne cherche rien de plus exotique qu'un curry d'agneau, rétorquai-je en réglant la course.

J'essayai de me repérer pour suivre l'itinéraire parcouru par Dasra. Cette fois j'avais eu la bonne idée de me munir d'un plan, mais en dix minutes j'étais complètement perdu. Une ou deux fois je crus reconnaître une maison ou un carrefour, et j'eus la certitude d'être revenu sur le bon chemin, mais au bout d'un pâté de maisons j'étais aussi désorienté qu'auparavant. Le crépuscule glissait lentement vers la nuit, je n'avais toujours pas trouvé le restaurant et depuis déjà un bout de temps je n'avais pas croisé un visage blanc. Un début de paranoïa était en train de germer en moi.

Je résolus de revenir dans High Street, pour prendre un taxi ou un bus. J'étudiai le plan un bon moment, sans réussir à localiser la ruelle où je me trouvais dans le labyrinthe de l'East End. Plus je marchais, plus je m'égarais.

Et plus je trouvais le décor sinistre.

Je passai devant un groupe d'adolescents asiatiques assis sur des voitures à l'arrêt, qui buvaient des cannettes et me regardèrent tous approcher. Je sentis un nœud se former dans mon estomac – ou mon estomac entier se nouer – mais quand je les dépassai et malgré leurs réflexions moqueuses, je sus qu'ils étaient plus intéressés par leur bière que par moi. Je m'éloignai sans tarder, quand même.

Alors que je tournai le coin d'une rue, l'éclairage déjà chiche des réverbères s'éteignit d'un coup. Pas une seule lumière dans la rue.

— Putain de merde! fis-je à voix haute en m'apprêtant à rebrousser chemin.

C'est alors que j'aperçus la lueur à l'autre bout de la rue. Elle était si brillante que je pensais qu'elle provenait d'une artère principale. Je me dirigeai donc vers elle, et j'étais à peu près à mi-chemin lorsqu'elle disparut subitement. Comme ça.

Les ténèbres m'entouraient. Cela semblait impossible ; je savais bien que j'étais dans une rue perdue de Londres, mais j'aurais aussi bien pu me trouver au fond d'une caverne par une nuit sans lune. Une obscurité aussi complète n'était pas possible. Sauf que j'étais bien là, en plein milieu de ce noir absolu.

— Merde, soufflai-je.

Quand la lumière revint progressivement, j'eus l'impression de me tenir sur une scène ; s'il y avait un public quelque part dans le coin, j'ignorais qui le composait, mais moi j'étais bien en plein dans l'action :

Il y a des gens partout ; ils emplissent les rues, ils s'agglutinent aux fenêtres, ils sont perchés sur les toits. Des gens pauvres, je le vois à leur expression et leurs vêtements : lainages grossiers, chemises de travail tachées, à la coupe surannée qui date d'au moins soixante ans. Je suis déconcerté un moment, puis je comprends : c'est moi qui suis en décalage de soixante ans. Leurs visages sont hagards. Tous, même les plus jeunes, me paraissent vieux.

Et en colère.

Les lèvres remuent, bien qu'aucun son n'en sorte. D'une certaine façon ce silence irréel rend la scène encore plus effrayante. Les visages grimacent, les poings se tendent, les yeux luisent de rage.

C'est une émeute. Je suis bien payé pour le savoir, j'en ai vécu une il y a peu.

À l'autre extrémité de la rue – une plaque m'indique que je suis dans Cable Street – se tient une petite troupe d'hommes proprement vêtus de noir. Ils portent un brassard noir également, mais je ne distingue pas le sigle dont il est frappé. Ils ont tous les cheveux coupés ras, et des visages carrés, durs, illuminés par des prunelles brillantes de haine. Quelques-uns d'entre eux crient en réponse à la foule (ils doivent être inconscients), mais la majorité semble apeurée. Il y a aussi des policiers, des bobbies dans leur uniforme vieillot, qui ont pris position entre la foule furieuse et les types en noir.

Je vois une pierre voler d'un toit et toucher une des chemises noires au crâne. L'homme s'écroule et comme si c'était un signal la foule se rue en avant.

À travers moi. En fantômes qu'ils sont.

La scène disparaît et les ténèbres m'engloutissent de nouveau. Cette fois pourtant il demeure un étroit tunnel de lumière. Et soudain, à peut-être quatre mètres de moi, se tient la fillette asiatique de l'épicerie. Son tee-shirt trop ample fume et sa longue chevelure noire est en feu. Je fais un pas vers elle et elle tend les mains vers moi, elle m'implore de la sauver. Ses bras aussi sont la proie des flammes.

Puis elle disparaît.

La lumière baisse d'intensité, mais je discerne des silhouettes vêtues de noir qui émergent de l'obscurité environnante. Elles n'ont pas de visage, pas de caractéristiques distinctives : ce sont des ombres vivantes. Quelque chose me revient de mes cauchemars. Je sais que j'ai déjà vu ces créatures, je me dis qu'elles hantent mon subconscient. Mais alors qu'elles avancent vers moi, je sens en elles une solidité qui diffère de tout ce qui m'entoure. Je veux reculer, mais je m'aperçois que je suis incapable du moindre mouvement.

Les ombres se rapprochent, et je sens un froid glacial me submerger, comme un vent d'hiver là où aucun vent ne souffle. Les battements de mon cœur s'emballent, mon estomac est un bloc de pierre. Les cinq silhouettes noires tendent les bras vers moi, mais leurs gestes menaçants ne pourraient être plus différents de l'attitude implorante qu'avait la fillette un moment plus tôt. Eux n'expriment que la menace, à l'état pur.

La mort.

— M. Burns ? dit une voix.

Les ténèbres s'évanouirent, avec les cinq silhouettes. Je me retrouvai de nouveau planté au beau milieu d'une rue quelconque de l'East End, baigné par la lumière des réverbères.

Uma Dharmamitra se tenait devant moi.

Il s'avéra que le restaurant n'était distant que de deux pâtés de maisons. J'aurais pourtant juré être passé dans cette rue lors de mon errance, et j'ignorais comment j'avais pu le rater. À l'intérieur, c'était exactement comme lorsque j'y étais venu la première fois, l'autre après-midi. Exactement. Il me semblait que les mêmes personnes occupaient les mêmes tables et mangeaient les mêmes plats. Et la grosse femme rousse était là elle aussi, occupée à engloutir un autre *vindaloo* à l'aspect redoutable. Aussi ne fus-je pas surpris que Uma nous installe à la table au fond, comme l'autre jour, et que le serveur m'apporte une Kingfisher bien fraîche.

La seule différence, bien sûr, c'était l'absence de Dasra.

Je vidai la moitié de la bière avec avidité pendant que le serveur servait son thé à Uma. Elle en but deux petites gorgées, puis posa ses mains l'une sur l'autre sur le formica de la table.

Et elle me regarda fixement.

— Euh, je suppose que je devrais vous remercier, dis-je.

— De quoi ?

Je l'étudiai quelques secondes, et j'essayai de deviner si elle savait ou non : avait-elle vu ce que j'avais vu dans la rue ?

Quoi que cela pût être.

— Je me suis égaré, je crois, éludai-je.

— Il faut savoir quel chemin on prend, dit-elle en inclinant légèrement la tête de côté.

Elle prit une autre gorgée de thé et, jouant l'Asiatique énigmatique jusqu'au bout, ne dit rien de plus. Il n'y avait presque pas de conversation dans la salle, seulement le bruit des fourchettes dans les assiettes et celui de la mastication des clients.

— Bon, fis-je, alors, les oreilles du Prince Charles, elles vous font marrer ou pas ?

Silence.

— Écoutez, dis-je en me penchant en avant. Je vous suis vraiment très reconnaissant pour ce que vous avez fait là-bas. Je veux dire… – Justement, je ne savais pas trop quoi dire, ni ce que je pouvais révéler de ma vision. Comprendrait-elle, ou penserait-elle que je perdais l'esprit ? Sans rire, on devient les meilleurs amis du monde, croix de bois croix de fer, sinon je vous procure une photo dédicacée de Kelsey Grammer, ce que vous voulez. Mais je… Est-ce que… vous avez vu quelque chose dans la rue, tout à l'heure ?

— Ma vision est excellente. Je vois beaucoup de choses.

— Par exemple des, hem, types habillés en noir ? risquai-je. Et je ne parle pas des membres d'AC/DC.

Ignorant ma question, elle but encore un peu de thé, puis posa sa tasse de côté. Elle remit ses mains sur la table – elle les avait petites, comme celles d'une enfant – et se courba en avant jusqu'à ce que nos nez ne soient pas à plus de vingt centimètres de distance.

— Je crois que vous êtes ici pour une raison précise, M. Burns, déclara-t-elle.

— Et laquelle ?

— Je n'en suis pas totalement certaine, répondit-elle en se renversant contre le dossier de sa chaise, mais sans me quitter des yeux. Pas encore.

— Et Dasra, était-il au courant, lui ?

La tristesse envahit son visage à la mention de ce nom.

— Non. Votre Dasra était un serviteur. Il me manquera beaucoup. Est-ce lui qui vous a poussé à venir ici cette nuit ?

— Ouais. J'ai lu le récit de sa mort dans le journal. J'ai pensé…

Comment m'expliquer ?

— Dites-moi ce que vous avez pensé, M. Burns.

— Je ne sais pas trop. Je me suis senti mal. Coupable, même. J'ignore pourquoi, je veux dire, ce n'est pas ma faute s'il est mort, n'est-ce pas ?

— Le bâillement d'un bébé, fit-elle.

— Quoi ?

— Un vieux proverbe hindi. La plus violente des tempêtes peut naître du bâillement d'un bébé. Cela signifie que les événements les plus anodins en apparence peuvent entraîner des conséquences extrêmes.

— Ouais, le battement d'ailes d'un papillon à Tokyo…

marmonnai-je.

— Pardon ?

— Vous êtes sûre que c'est un ancien proverbe hindi ?

Uma évacua la question d'un haussement d'épaules.

— Alors, qu'est-il arrivé à Dasra ? demandai-je.

— Êtes-vous certain de désirer l'apprendre ?

— Évidemment. C'est pour cette raison que je suis venu vous voir.

— Mais vous m'avez également déclaré, en termes précis, que vous ne faisiez que passer par ici. Un « étranger », avez-vous dit.

— Je dis beaucoup de choses stupides, soupirai-je. Les risques du métier.

— Vous avez aussi dit que vous en aviez assez de tous ces – quels sont vos termes exacts ? – « trucs bizarres » dans votre vie ?

— Les risques du métier, je viens de vous l'expliquer. Et les emmerdements ont l'air de me trouver, que je le veuille ou non. Mais maintenant je vous pose une question, et j'ai besoin d'une réponse. Qu'est-il arrivé à Dasra ? Et qu'est-ce qui se passe ici ?

Uma parut réfléchir une poignée de secondes avant de hocher la tête dans ma direction. Ou peut-être à l'adresse du serveur, car celui-ci déposa une autre bière devant moi avant de repartir.

— Dasra a été tué par des assassins de la Thulé.

— L'Ultima Thulé ? fis-je, et elle acquiesça. D'accord, j'achète. Qu'est-ce que l'Ultima Thulé ?

— La Fin de Toutes Choses.

Comme si je ne l'avais pas déjà deviné… Elle sembla lire mes pensées, car elle ajouta :

— Du moins, c'est ce qu'ils aiment à croire.

— C'est une sorte d'organisation paramilitaire ? Des skinheads ? Des néonazis ?

— C'est sans doute ainsi que la presse les décrirait, si la presse s'intéressait à ce genre de choses. Mais la Thulé est bien plus que cela. Ils sont très contents qu'on ne voie en eux que des skinheads et des hooligans, et il est vrai qu'ils emploient nombre de ces brutes dans leurs activités. Mais la violence aveugle n'est qu'un des moyens qu'ils emploient pour atteindre leur but. La Thulé est un ordre bien plus sombre et dangereux que les casseurs des rues derrière qui ils s'abritent. Son histoire est très longue.

— Quelle sorte d'histoire ?

— Tout dépend de votre réponse à cette question : en qui ou en quoi croyez-vous, M. Burns ?

Eh-oh, pensai-je, *on m'a déjà fait le coup…*

— Ce n'est pas une de mes questions préférées, répondis-je.

— En elle-même, votre réponse est pleine d'enseignements, dit Uma avec un sourire las.

— Par le plus grand des hasards, les questions de croyances sont un domaine que j'ai déjà eu à… affronter dans le passé. Ce qui en a résulté n'était pas joli du tout. C'est en rapport direct avec les trucs bizarres auxquels j'ai fait allusion.

— Puis-je vous expliquer ce que moi je crois ? dit Uma qui sans attendre ma réponse enchaîna : Je crois qu'il n'existe pas de « plus grand des hasards ». Je crois que tout ce qui se produit a une raison et s'inscrit dans un ensemble cohérent. Mais ces ensembles sont très complexes, et en général nous n'avons pas le privilège d'en voir le plan, ou simplement d'en comprendre la finalité.

— Qu'est-ce que vous racontez ? Vous croyez à une sorte de prédestination, c'est ça ? Que tout est décidé d'avance, et que nous ne jouissons d'aucun libre arbitre ?

— Je ne l'appellerais pas « prédestination ». Tous, pour le meilleur ou le pire, nous choisissons notre chemin. Mais le karma – le destin, si vous préférez – fixe les limites de ce chemin et la façon dont nous l'empruntons. Il n'existe pas plus de libre arbitre qu'il n'existe de repas réellement gratuits.

— Bordel, si vous n'êtes pas marié, je connais un Japonais avec qui vous allez vous entendre au poil. Vous voulez son numéro de téléphone ?

— L'humour peut être utile, M. Burns. La Thulé, par exemple, en est totalement dépourvue.

— Les nazis, dis-je en faisant de mon mieux pour imiter

Harrison Ford. Je déteste ces gars-là.

— Mais l'humour peut aussi être une béquille, un déguisement. De quoi précisément avez-vous peur ?

— Voyons… Des trop grandes hauteurs. Des trop grandes profondeurs. D'être seul. D'être avec les gens. De voler. De marcher. Des araignées. Oh oui, et d'une bière tiède.

Uma m'incendia du regard.

— D'accord. J'arrête de plaisanter. Quoique, pour la bière, j'étais sérieux.

Le regard devint glacial.

— Bon, murmurai-je, d'accord. De quoi ai-je peur ?

Nous restâmes les yeux dans les yeux pendant que je réfléchissais à la question. Je connaissais déjà la réponse, mais je ne savais pas trop comment la formuler. Pas évident. Je n'en avais jamais sérieusement discuté sinon avec Rosa, qui avait tout vécu avec moi et qui me comprenait mieux que quiconque. Quand même, de repenser à ce que je venais de voir dans cette rue sombre de Londres, ça me secouait.

— J'ai peur de ce qui existe et que nous ignorons. Ou que nous prétendons ignorer. La dernière fois, vous m'avez questionné sur ces « choses » que j'avais vues. Eh bien, j'ai vu qu'il existe des mondes, des univers peut-être, au-delà de celui que nous connaissons quotidiennement. J'ai vu des trucs incroyables : des visions de beauté et de splendeur, des couleurs et des merveilles qui vous donnent envie de pleurer comme un enfant. Mais le prix pour contempler de telles beautés est qu'il faut accepter l'existence de ténèbres aussi extrêmes… – Je repensai aux silhouettes sombres dans Cable Street – Un mal physique, palpable, très réel, bien plus mauvais et horrible que tout ce qu'on peut imaginer. Je pense qu'il y a une raison pour laquelle nous ne sommes pas censés voir ces choses. Je pense que c'est simplement pour nous protéger, pour notre propre bien. Et le fait est que, aussi beaux que soient certains aspects de cette autre réalité, la noirceur qu'elle recèle également me fait craindre de devoir revoir ça. Même si je sais qu'il est déjà trop tard pour me voiler la face.

Uma me sourit.

— Il est évident que vous êtes prêt à affronter la Thulé, dit-elle. Comme je m'en doutais.

— Hum, par l'expression « affronter la Thulé », que voulez-vous dire exactement ? Vous ne m'avez toujours pas dit qui sont ces gens, ou quoi ?

— La Thulé a maints aspects, et d'innombrables visages…

— Je sais, « mon nom est légion », citai-je.

— Tout à fait. Êtes-vous familier de la mythologie qui entoure la Thulé ?

J'eus un geste de dénégation.

— Jamais entendu parler jusqu'à ce que je voie les graffitis sur les murs de cette ville.

— L'Ultima Thulé est un endroit, dit Uma. Au moins dans la mythologie. Selon la légende, ce serait une île située quelque part dans la mer du Nord. « À six jours de navigation de la Grande-Bretagne », dit la tradition. Ce serait le berceau des races germaniques.

— Je préfère ne pas m'appesantir sur les connotations possibles de ces deux derniers mots.

— Et vous avez raison. L'Ultima Thulé signifie littéralement « la fin du monde ».

— Une minute. Je croyais que cela signifiait « la fin de toutes choses » ?

— C'est ainsi que ceux qui se réclament de la Thulé en sont venus à l'interpréter. Mais la signification originelle était moins menaçante. Par « la fin du monde », on entendait les limites géographiques connues. Le point où l'on ne pouvait que rebrousser chemin.

— Parce que après, bonjour les dragons.

— Exactement. Dans divers mythes germaniques et nordiques, la Thulé est un lieu géographique. Et même dans certaines légendes celtiques. Les Anglais et les Allemands ont beaucoup plus en commun que les autres peuples ne s'en rendent compte, vous savez.

— Quoi que vous fassiez, pas d'allusion à la guerre, parodiai-je.

— Merci, M. Chamberlain.

Nous échangeâmes un sourire.

— La Thulé actuelle a tiré son nom et une bonne partie de ses croyances du mythe germanique, mais son influence la plus directe est d'une origine plus récente, et beaucoup plus effrayante. Avez-vous quelque connaissance de l'ordre dit Templi Orientis ?

— *Gesundheit*, fis-je.

— Je dois comprendre que cela signifie non ?

J'acquiesçai.

— Au XIXe siècle, c'était une des nombreuses branches dévoyées des Chevaliers du Temple…

— Oh non, merde, grognai-je.

— Pardon ?

— Pourquoi faut-il toujours que ça ait un rapport avec ces foutus Templiers ? Toutes les conspirations, tous les cultes, tous les dossiers mystérieux, n'importe quel truc bizarroïde ou tordu depuis cinq cents ans finit toujours par avoir un rapport avec l'Ordre des Chevaliers du Temple. Pourquoi ?

— Parce qu'ils constituaient une force très mauvaise, répondit Uma.

Bon, admettons.

— En fait, expliqua-t-elle, les Templiers eux-mêmes étaient plutôt inoffensifs. C'est ce qu'ils ont inspiré dans les siècles qui ont suivi leur disparition qui est beaucoup plus problématique. Les Templi Orientis étaient un groupe assez pâle de théosophes et d'apprentis kabbalistes. Nombre de variations inoffensives de l'Ordre subsistent encore, qui utilisent ce nom. Des adeptes du grand charlatan Alesteir Crowley, pour la plupart, qui sont plus pathétiques qu'autre chose. Comme nombre de ces cultes nés au début du XXe siècle, l'ancien Ordre n'était surtout qu'un prétexte pour ses membres, qui se livraient à des pratiques sexuelles interdites. Beaucoup d'orgies, de sadomasochisme, et j'en passe.

— Comme vous présentez la chose, ça ressemble au Club Med version XIXe siècle.

— Hum. Mais à leur tour, ils ont donné naissance à des sous-ordres d'une espèce beaucoup plus pernicieuse. En particulier l'Ordre des Nouveaux Templiers et l'Ordre Noir, qui se sont formés en Allemagne après la Première Guerre mondiale. Et où se trouvent les racines de l'Ultima Thulé.

— Bon. Et qui étaient ces tarés ?

— L'Ordre Noir est né à Munich vers le début des années 1920, l'Ordre des Nouveaux Templiers un peu plus tôt. Tous deux se vouaient également à des expérimentations dans les perversions sexuelles et dans l'occultisme. Heinrich Himmler a été membre fondateur de l'Ordre Noir, et on soupçonne depuis longtemps Hitler d'y avoir été affilié lui aussi. Bien entendu, la Thulé actuelle l'affirme.

— Bordel, soufflai-je, ça devait être l'endroit où se trouver le samedi soir dans cette bonne vieille Bavière. Adolf, Heinrich et leurs potes. N'oubliez pas d'amener vos bretzels.

— On peut voir les choses ainsi. Cependant leurs activités ne se bornaient pas à s'essayer à l'occultisme. Un des devoirs de Himmler dans l'ordre était de recruter et introniser des membres pour la Société de la Thulé. Celle-ci était formée de voyous qui bastonnaient, volaient et violaient presque sur commande. Ils ont largement contribué au chaos qui a marqué la fin de la République de Weimar. Sans parler des fonds qu'ils ont collectés ainsi pour les coffres de l'Ordre Noir.

— Et c'est de là que viendrait notre Ultima Thulé ?

— Précisément. Dans les années 1930, avec l'accession au pouvoir de Hitler, la Société de la Thulé s'est trouvée subordonnée aux SS, et l'Ordre Noir est devenu le noyau de l'élite dirigeante du Troisième Reich. On a beaucoup écrit sur l'obsession supposée de Hitler pour le surnaturel, même si à mon avis c'est exagéré, en majeure partie. Mais Himmler, lui, était au centre des intérêts nazis pour l'occulte. C'est lui qui a établi le *Mittelpunkt der Welt* au château de Wewelsburg.

— Quoi ? Blaupunkt et le Pee-wee Burger ?

— Le *Mittelpunkt der Welt*, répéta patiemment Uma. « Le centre du monde. » Je pense que cette appellation a constitué un choix délibéré, qui manquait certes de subtilité, en référence à l'Ultima Thulé.

— La *fin* du monde.

— Oui. Une sorte d'étape sur le chemin, si vous voulez.

Uma me décocha un sourire conciliant et haussa les épaules.

— En tout cas, le mouvement est devenu clandestin avec l'écroulement du Troisième Reich. Mais bien que le fascisme ait été rayé de la carte, du moins dans presque tous les pays d'Europe, il n'a jamais totalement disparu. L'Ordre Noir a ressuscité, dans un sens très réel, sous la forme de l'Ultima Thulé. Ils sont riches, puissants et très intelligents. Ils restent hors de vue, et ils ne se découvrent que pour créer le chaos. Aujourd'hui c'est une émeute dans l'East End. Demain il pourra s'agir de l'incendie criminel d'un hôtel hébergeant des Turcs en Allemagne... Ou bien de l'attentat par camionnette piégée d'un immeuble gouvernemental à Oklahoma City.

D'accord, elle avait maintenant toute mon attention.

— Est-ce que vous sous-entendez que...

— Je n'ai aucune preuve formelle, M. Burns. Je cherche seulement à vous faire comprendre que la capacité de nuisance de la Thulé est très étendue géographiquement, et qu'elle s'accroît chaque jour. Ils ne défilent plus au pas de l'oie dans la rue, ils communiquent entre eux par Internet, où ils ont d'ailleurs des sites. Mais ils demeurent les mêmes qu'à l'époque de l'Ordre Noir : ils débordent de haine, ils convoitent le pouvoir et ils sont très actifs. Et ils se sont engagés à un niveau très élevé dans l'occulte.

— Engagés ?

Uma eut une moue singulière.

— Peut-être que je devrais dire «ils se sont immergés dans l'occulte» pour mieux décrire la situation.

— Est-ce pour cette raison que vous désirez ma participation ? À cause de... de ce que j'ai déjà vécu ? – Je réfléchis à cette question quelques secondes, puis j'ajoutai : À cause de Shoki ?

— Qui est Shoki ? demanda-t-elle, mais j'aurais été bien incapable de dire si elle l'ignorait réellement.

— Bah, laissez tomber.

— Je vous ferais remarquer que c'est vous qui êtes venu me voir ce soir. Le choix a toujours été et demeure votre choix.

— Je croyais qu'il n'y avait pas de libre arbitre.

Uma haussa les épaules.

— Je vois, soupirai-je.

— Dites-moi donc ce que vous voyez, M. Burns.

Et un tour gratuit, mon vieux…

— Je vois qu'une fois de plus je vais m'aventurer dans ce foutu vieux bordel, comme un abruti qui n'arrive pas à apprendre de ses erreurs passées. Enfin, cette fois ce sera en toute connaissance de cause. Les yeux ouverts. Ou plissés, plus probablement. Bon sang, si un jour Spielberg veut tourner une version de Bip-Bip avec des acteurs en chair et en os, j'ai mes chances pour tenir le rôle de Vil Coyote, pas de doute.

— Donc vous vous rendez compte que s'opposer à l'Ultima Thulé est une tâche dangereuse et difficile ? La mort de Dasra en est la preuve, si nous en avions encore besoin. Il ne nous reste que très peu de temps pour agir. S'impliquer dans ce combat signifie que vous allez risquer beaucoup plus que votre carrière…

— D'accord, je n'en parlerai pas à mon agent.

— Vous ne devez en parler à personne.

Il me sembla qu'un calme étrange s'était appesanti sur la salle de restaurant, bien que les clients soient toujours aussi affairés à vider leur assiette. Ils devaient vraiment avoir faim.

— J'en suis, fis-je. Je crois que je n'ai pas très envie d'assister à « la fin de toutes choses ». Demain matin je vais certainement me détester, ça ne changera pas beaucoup, mais peut-être qu'il y a des moments où il faut choisir de croire en quelque chose. C'est peut-être là ce qui fait toute la différence.

Uma acquiesça gravement. Je crus que c'était à mon propos, jusqu'à ce que la grosse femme rousse se lève et traverse la salle en coup de vent. Dans une main elle tenait un pistolet.

— Il est temps de joindre les actes à la parole, gronda-t-elle avec un accent irlandais à couper au sécateur.

— Je vous présente Siobhan, me dit Uma. Elle veillera sur nous, dorénavant.

9

— Et qu'est-ce que c'est que *ça*?

— *Ça* s'appelle une automobile. Tu n'en avais encore jamais vu à Los Angeles? dit Siobhan.

Sa lèvre supérieure était perpétuellement retroussée sur un rictus digne d'Elvis. Si tout le reste ratait, elle pourrait toujours trouver un boulot à Las Vegas.

— Je n'avais jamais vu une voiture aussi petite, marmonnai-je en faisant le tour du véhicule. Vous l'avez trouvée dans un cirque, ou quoi? Les clowns sont morts?

— Ce modèle s'appelle une Mini, dit Uma. Ce n'est pas très confortable, je te l'accorde, mais c'est très discret et extrêmement économique.

— Je paie l'essence, si tu veux louer quelque chose de plus… spacieux. Je veux dire, on roule dedans ou sur le toit?

— On peut te traîner derrière par les roustons, c'est du pareil au même pour moi, lâcha Siobhan.

Je commençais vraiment à lui plaire, pensai-je. Le destin nous avait réunis, pas de doute.

Uma me l'avait présentée comme étant Siobhan Smythe. Elle remplissait le rôle de garde du corps d'Uma, et je devais admettre que je ne l'aurais pas provoquée sans avoir autour de moi le blindage d'un char lourd.

— Smythe est ton véritable nom, ou celui que tu inscris sur le registre des motels? plaisantai-je.

— On me charrie, là? gronda-t-elle.

— Pardon? fit Uma qui n'y comprenait rien.

— Parce que le dernier petit salopard qui m'a charriée a fini avec les burnes sur les sourcils. Je n'en ai pas grand usage quand ils pendouillent entre les jambes des hommes, le Seigneur m'en est témoin, mais crois-moi, ces petites boules ridicules le seront encore plus quand je les place entre tes yeux.

Je ne sais pourquoi, je commençais à subodorer un thème récurrent dans son discours.

— Pigé, dis-je.

À l'avenir, éviter les blagues sur son nom. Et j'étais plus que déterminé à ne pas la « charrier », dans aucun sens du terme.

Le portier du Savoy ne parut pas non plus impressionné outre mesure par la Mini. J'eus d'ailleurs le sentiment que les clients de son respectable établissement y venaient rarement par ce moyen. Il nous considéra avec un désarroi visible pendant que nous bavardions autour de la voiture, quoique son attitude ait peut-être eu plus rapport avec la présence de Siobhan, qu'on pouvait juger inquiétante. Dieu seul savait ce qu'elle risquait de dire à propos de *ses* testicules.

J'essayai de joindre June Hanover avant de partir, mais elle n'était pas dans son bureau et chez elle je tombai sur le répondeur. Une voix masculine – Terry ? – récita la formule rituelle. Je laissai un message disant que j'avais décidé de partir quelques jours à la campagne pour profiter du panorama. Ce qui était vrai, sauf pour la dernière partie. J'ajoutai que je la recontacterais avant de quitter l'Angleterre définitivement. Et je la remerciai pour sa gentillesse. J'aurais dû prévenir également mon agent, mais je me dégonflai. Impossible de mentir à Kendall, elle savait tout de suite quand je lui racontais des bobards. Les mensonges et les agents vont habituellement ensemble comme l'amour et le mariage, en particulier dans l'ambiance matrimoniale de Hollywood, mais c'est justement sa différence qui rendait Kendall unique. Je me promis de l'appeler d'ici deux ou trois jours, après que la situation se serait un peu décantée.

Même si je n'avais pas la moindre idée de la façon dont cela se ferait.

Au restaurant le soir précédent, Uma était restée très vague quant au plan et la part qu'elle attendait ou espérait m'y voir jouer. Elle m'avait expliqué que la Thulé essayait de recréer l'Ordre Noir d'Himmler en Angleterre et que leurs efforts tendaient autant à constituer une base pour leur puissance surnaturelle qu'une base pour un pouvoir physique et économique. L'intention d'Uma était de contrer les efforts occultes de la Thulé par une frappe préventive. Un genre d'affrontement magie blanche contre magie noire, si j'avais bien compris. Le premier pas consistait à recruter une assistance dans le domaine surnaturel.

— Euh, quand vous dites « surnaturel », qu'est-ce que vous sous-entendez, précisément ? avais-je demandé.

— C'est un mot pourtant clair. Qu'est-ce qui vous échappe ?

— Juste que… Comme je vous l'ai déjà dit, j'ai vu des choses, des choses foutrement étranges. Ça m'a laissé avec l'esprit assez ouvert en ce qui concerne la manière dont fonctionne le monde. Je veux dire, avant je passais sous les échelles, j'ouvrais les parapluies dans la maison et ce genre de trucs sans me poser de questions. Mais maintenant que je sais qu'il y a plus de mystères ici-bas que Madame Irma ou Paco Rabanne ne peuvent en révéler, je suis beaucoup plus circonspect. Je me prends une suée chaque fois que je renverse la salière. Et je fais très attention aux miroirs.

— C'est une sage manière de vivre. Les miroirs peuvent être très dangereux si on les brise.

— Vraiment ? avais-je murmuré. Comment ça ?

— On risque de se couper, avait répondu Uma.

Et elle avait éclaté d'un rire caquetant assez rare chez elle. Siobhan avait également semblé trouver la réflexion très spirituelle.

— Évidemment, avais-je dit, et j'avais attendu que le rouge quitte mes joues.

Siobhan conduisait, et par défaut j'occupais la place du mort. J'avais refusé net de me coincer à l'arrière, en dépit des aimables encouragements de Siobhan (« C'est bien assez grand pour un avorton comme toi ! »). Avec mon mètre soixante-quatorze et demi (chaque centimètre compte, même à moitié), je ne jouerai jamais dans *Michael Jordan* :

Son Histoire, mais il n'était pas question que je m'assoie à l'arrière, avec les genoux collés contre les oreilles.

— Boucle ta putain de ceinture, ordonna Siobhan en démarrant en trombe de devant l'hôtel.

J'obéis sans barguigner.

— J'ignorais que ma sécurité t'importait tant.

— Ouais, mais si ta petite tête va s'écraser contre le pare-brise, ce sera à moi de nettoyer, voilà pourquoi.

Nous prîmes vers l'est et remontâmes le Strand, en silence. Je m'esbaudis en apercevant la coupole de St. Paul quand nous passâmes devant et aussi quand nous arrivâmes au Tower Bridge. Je sais qu'il n'est pas aussi vieux qu'il en a l'air, mais il me fait toujours forte impression. Chaque fois que je le vois, je ne peux m'empêcher de penser à ces abrutis qui en Arizona ont acheté le Pont de Londres sans se rendre compte qu'ils n'en avaient qu'une pâle copie.

— On va l'emprunter ? m'enquis-je.

— Tu te crois où, dans un de ces foutus bus pour touristes ? grommela Siobhan. Est-ce que cette voiture a deux étages et est peinte en rouge ? Bon sang, et dans cinq minutes il va réclamer un Happy Meal…

— Humph, maugréai-je, mortifié.

— Nous pouvons traverser le fleuve par là, non ? dit Uma.

— C'est plus rapide par le tunnel.

— Je pense que nous pouvons perdre quelques minutes, lui répondit Uma.

— On va assister à la relève de la Garde, si ça continue. Visitez Londres en Mini, gémit Siobhan.

Mais elle s'engagea sur le pont, et je dissimulai de mon mieux mon contentement.

Nous roulâmes en silence un long moment dans les rues tristes et encombrées du sud de Londres. La rive sud de la Tamise est clairement le mauvais côté de la capitale. Siobhan alluma la radio mais l'éteignit après avoir parcouru sans succès les différentes stations sans trouver quelque chose qui lui plaisait.

— Tu cherches U2 ? demandai-je, car c'était le seul groupe irlandais qui me venait à l'esprit sur le moment.

— U2? En quelle année tu es né, toi?

Je m'abstins de répondre et résolus de ne plus tenter de bavarder avec elle. Siobhan se mit à fredonner un air, et bien que je sois étonné de la qualité et de la douceur de sa voix, je pris soin de ne faire aucun commentaire.

Alors que nous prenions la bretelle d'accès à l'autoroute, je me dis qu'il était temps de savoir quelle était notre destination.

— Laissez-moi vous demander quelque chose avant de vous répondre, dit Uma en se penchant en avant. Pourquoi avez-vous posé si peu de questions jusqu'à maintenant? Vous vous êtes montré remarquablement passif, pour ne pas dire consentant.

— Ça vous étonne?

— Je suis moins étonnée qu'intriguée. Ce n'est pas le comportement que j'attendais d'une personnalité de Hollywood.

— Ah, c'est parce que je ne corresponds pas exactement à la vedette standard de Malibu. Enfin, plus maintenant, en tout cas.

— Alors tu n'es même pas une affaire pour passer une journée à la plage, grommela Siobhan, mais elle ne put retenir un petit sourire en me coulant un regard en biais.

Je contemplai sa peau trop blanche, aussi pâle que le ventre d'un poisson mort.

— De ton côté, tu aurais du mal à concourir pour le titre de Miss Redondo Beach, répliquai-je.

— Ah, tu dis ça parce que tu ne m'as jamais vue en bikini.

Je la détaillai de la tête aux pieds, et m'efforçai de ne pas grimacer. J'envisageai diverses réponses, mais je redoutais trop sa réaction pour en formuler une seule.

— Je m'avoue battu, risquai-je.

— Naturellement.

— M. Burns?

— Oui?

— Vous n'avez pas répondu à ma question.

— Il serait peut-être temps que vous m'appeliez « Marty ».

— Merci, Marty. J'attends toujours votre réponse.

— Je sais.

Jusqu'à un certain point, j'étais surpris de la facilité avec laquelle j'avais accepté de participer à ce petit voyage mystérieux. Depuis l'instant où j'avais lancé la bouteille à la tête du skinhead dans l'épicerie indienne, j'avais l'impression que les événements m'échappaient, que j'étais emporté par un courant invisible. J'aurais pu combattre ce courant, bien sûr, mais pour des raisons qui demeuraient nébuleuses je n'en avais pas envie. Ces rêves sombres et étranges y étaient pour quelque chose, aussi, mais à quel niveau, je l'ignorais. Je savais seulement que la menace qu'ils représentaient était pour moi très réelle, très substantielle. Les ignorer, je le craignais, aurait été plus dangereux que de les affronter. Même par la bande. C'est ce que j'essayai d'expliquer à Uma.

— C'est simplement un sentiment, conclus-je. Il ne vous arrive pas, à vous aussi, d'obéir à votre instinct ?

— Tout le temps, me dit-elle avec un sourire. J'appelle cela le mécanisme de survie.

J'acquiesçai.

— Bon, alors où va-t-on ?

— Canterbury.

— Comme dans les contes ?

— Hum, oui, si on veut. On peut même considérer que nous effectuons une sorte de pèlerinage, puisque la cathédrale est notre destination. Mais nous devons nous y rendre en passant par Ashford. Cela ne nous obligera pas à un grand détour et nous devons prendre quelqu'un.

— Un autre passager ? Dans *cette* voiture ?

— Les pèlerins n'étaient pas réputés pour leur désir de confort. Et ce n'est pas quelqu'un de très grand, d'après ce que je sais.

— D'après ce que vous savez ?

— Oui, je ne l'ai encore jamais rencontré. Mais on m'a assurée de ses talents et de ses capacités. Et de son dévouement à notre cause.

Instinct ou pas, tout commençait à me sembler légèrement foireux. Je m'efforçai de n'en rien laisser transparaître lorsque je dis :

— Euh, je suis conscient de tout ce que j'ai dit tout à

l'heure, mais peut-être que le moment serait bien choisi de m'expliquer la situation un peu plus en détail. Enfin, si ça ne vous dérange pas.

Uma me gratifia d'un autre de ses sourires de sphinx, sans paraître s'offusquer de ma requête. Toutefois je vis Siobhan rouler des yeux.

— Comme je vous l'ai dit hier soir, la Thulé a divisé ses ressources selon deux axes. Dans la rue, dans des quartiers comme Tower Hamlets, ils recrutent des hommes de main parmi les jeunes déboussolés et les détraqués, comme au National Front et au British National Party, et dans bien d'autres groupuscules extrémistes avant ceux-là. Dans des villes telles que Londres, il ne manque pas de pauvreté et de tension raciale pour alimenter la haine des plus influençables. Cependant, et à la différence de maintes autres organisations radicales, la Thulé porte beaucoup de soin à son recrutement. Le nombre ne les intéresse pas. Du moins pas encore.

— Et pourquoi donc ?

— Pour la simple raison qu'ils concentrent leurs efforts sur le second axe. Celui de la magie. Tout Blanc éprouvant une haine assez forte des Noirs, des Juifs ou des homosexuels pouvait entrer sans problème au National Front, mais la Thulé, comme l'Ordre Noir de Himmler auparavant, considère qu'elle ne rassemble que l'élite. Ils ont en commun un dévouement non seulement à une doctrine politique fascisante mais aussi à une philosophie occulte et religieuse qui, de par sa nature profonde, décrète une sélectivité extrême. Les hooligans enrôlés font le coup de main mais n'accèdent pas à cette hiérarchie, pas plus qu'ils ne sont au courant des visées surnaturelles de la Thulé. Même s'ils subissent un certain endoctrinement visant à leur inculquer les fondements de la structure qui régit les croyances odinistes de la Thulé.

— Des croyances odinistes ? fis-je en réfléchissant une seconde. De Odin ? Vous voulez dire croire à Thor, Loki, Ragnarok, tous ces gars-là ?

— Ah, je vois que la mythologie nordique vous est familière.

— Le dieu du Tonnerre, Thor le R-redoutable-euh, chantonnai-je.

Une fois de plus, je me sentis rougir.

— Tu as en toi la sensibilité musicale d'un fan de U2, commenta Siobhan. Oh, comme j'aimerais faire rôtir à la broche ce Bono. Et The Edge, peuh !

— Je vous demande pardon ? dit Uma, complètement perdue.

— Thor le Redoutable, vous savez, Stan Lee, Jack Kirby, les Marvel Comics. Non ?

Uma secoua la tête négativement. Elle me regarda de la même façon que June Hanover quand je la rendais nerveuse.

— Je ne connais rien des mythes nordiques, avouai-je. Sauf qu'il avait un marteau magique. Thor, je veux dire.

— *Mjolnir.*

— Ouais, c'est ça ! Personne ne pouvait le soulever, et quand il le lançait, son marteau lui revenait comme un boomerang. Super. Il fallait qu'il en frappe le sol pour redevenir ce pauvre vieux Dr Donald Blake. Et il se battait tout le temps contre Hulk. Aucun des deux ne gagnait jamais, évidemment, puisque c'étaient tous les deux des gentils. Bon sang, j'adorais ces BD…

— Je crains que cet aspect sympathique ne figure pas dans la structure religieuse de la Thulé, dit Uma.

— Quelle est leur orientation, alors ?

— Ce sont des odinistes, mais d'une variété particulièrement corrompue. À l'instar des nazis pendant le Troisième Reich, ils ont pris des morceaux de croyances germaniques et nordiques qu'ils ont adaptés pour les faire correspondre à leurs propres besoins. L'odinisme est devenu à la mode parmi certains adeptes du New Age – une autre catégorie inoffensive – mais les croyances de la Thulé sont ancrées dans une variante tout spécialement rétrograde. Leur objectif, je pense, a plus à voir avec une haine de la religion conventionnelle qu'avec un quelconque zèle odiniste. La Thulé est aussi viscéralement antichrétienne qu'elle est antisémite. Par essence, ils détestent quiconque n'est pas d'accord avec eux, quiconque ne croit pas ce qu'ils croient. Ils ont développé un sens très fort du clanisme, une variante du tribalisme qui est revenue en force ces dernières années, avec très peu de tolérance pour ce qui s'écarte de leur définition propre du clan.

— Le truc que je ne pige pas – enfin, un des trucs que je ne pige pas, je suis en train de faire une liste –, c'est pourquoi tout se passe ici. Si ces types sont aussi entichés de mythologie nordique et germanique, qu'est-ce qu'ils foutent en Angleterre? Pourquoi ne sont-ils pas en Allemagne ou en Suède?

— Ils y sont présents aussi, soupira Uma. Comme je vous l'ai dit, on les trouve un peu partout en Europe. Mais l'Angleterre s'est révélée leur offrir un environnement particulièrement hospitalier.

— C'est bien ce que je ne comprends pas : ce pays semble pourtant bien être le dernier pour accueillir de telles organisations. Après tout, vous avez botté le cul des nazis il y a cinquante ans. Enfin, vous et nous.

— Par nécessité, oui. Et dans la révision de l'histoire rédigée par les vainqueurs, pour le bien général. Mais il faut dire qu'il existe dans le tempérament anglais une certaine propension à une rigidité conservatrice, un goût affirmé de l'ordre qui flirtent parfois avec des positions fascisantes. Pour un peuple aussi excentrique, les Anglais ont en eux un ressentiment très affirmé pour tout ce qui est différent.

— Je ne dirais pas que cette attitude se limite à ce pays. Les Français ne sont pas exactement les gens les plus tolérants du monde. Bon sang, et en Italie il existe toujours un gentil parti fasciste, mais personne ne semble s'inquiéter des Italiens. À cause des pizzas, sûrement. Et vous savez bien que nous aussi nous avons nos charmants ersatz nazis aux États-Unis, avec le Klan, les milices et tous ces trous du cul qui prônent la suprématie de la race blanche, dans le Montana et l'Idaho.

— Bien évidemment, une certaine tendance à l'autoritarisme n'est pas l'apanage des Anglais, mais on oublie souvent qu'une bonne partie de l'aristocratie de ce pays s'est montrée très réticente à s'opposer à Hitler avant le déclenchement de la guerre. Oswald Mosley et ses Chemises Noires n'étaient pas les seuls…

— Ouah, m'exclamai-je. Qui ça ?

— Mosley. Un fasciste britannique très influent qui a…

— Non, non, l'interrompis-je. Vous avez bien parlé de Chemises Noires ?

— Comme les partisans de Mussolini, ceux de Mosley avaient adopté une sorte d'uniforme, qui comprenait immanquablement une chemise noire, d'où leur surnom. Vous avez sans doute déjà vu des photos prises à l'époque ?

— Ouais, bien sûr, murmurai-je.

D'un coup ma vision de l'autre soir prenait une signification beaucoup plus claire. Pas plus *plaisante*, mais plus claire.

— Comme je vous le disais, poursuivait Uma, Mosley a trouvé des soutiens très importants ici, surtout parmi les riches et les puissants. Jusqu'au roi Édouard, après son abdication, qui était nazi de cœur. Cette… tendance, ce *penchant* demeure une des composantes du caractère anglais. J'en vois la trace dans l'attachement des gens ici pour l'État-providence, bien qu'il soit de la dernière ironie qu'une protofasciste comme Margaret Thatcher ait autant fait pour s'en écarter.

— Il n'y a pas que les Anglais comme ça, vous savez, intervint Siobhan. L'Irlande a fourni des bases pour le ravitaillement des sous-marins allemands pendant la guerre, et sans se faire beaucoup prier. Même si j'ai honte de le dire.

— Je ne suis pas sûr de suivre…

— Siobhan était membre de l'IRA, expliqua Uma.

— Il n'y a pas de « était », grommela Siobhan, quoi qu'en dise Gerry Adams devant les caméras.

— Ah bon, coassai-je avant de m'éclaircir la voix. Enfin, vous ne parlez toujours que d'une infime minorité de gens dans ce pays, non ?

— Absolument, répondit Uma. Et je ne vivrais pas ici, je ne travaillerais pas aussi dur et je ne risquerais pas autant pour défendre mon pays si je ne l'aimais pas, lui et le peuple qui y habite, de tout mon cœur. Il n'en demeure pas moins une vérité incontournable : les Anglais et les Allemands ont été et restent par bien des aspects deux peuples cousins, marqués par de profondes racines nordiques. Ce n'est pas un hasard si la Thulé mythique est d'après la légende située dans les îles Britanniques. Il existe de nombreux points communs entre les mythes et légendes germaniques et celtiques.

— Tout ça m'a l'air un peu mince, me permis-je de remarquer.

— Peut-être, mais l'Angleterre regorge de lieux de pouvoir, dont beaucoup sont encore vierges, et utilisables. Peu de ces endroits ont survécu sur le continent après les deux guerres mondiales.

— Des lieux de pouvoir. Je suppose que vous ne parlez pas d'implantations nucléaires.

— Ce dont je veux parler, martela Uma en me lançant un regard glacial, c'est d'endroits recelant un pouvoir magique. Des sites anciens qui résonnent encore du pouvoir de la terre et de son peuple. Des lieux où existe une énergie, *une âme* qui peut être exploitée, pour la lumière ou les ténèbres. Ces lieux, nous devons tout faire pour les protéger avant que la Thulé ne puisse les souiller et les corrompre. Je pense que justement ils sont maintenant prêts à le tenter. En fait, ils ont peut-être déjà commencé, et le temps nous est compté. Canterbury abrite un tel site. Il y en a d'autres.

— Et c'est là que nous allons ?

— C'est mon plan, en effet. Il y a maints autres nœuds de pouvoir secondaires, mais il en existe quatre principaux, disséminés dans le pays. Canterbury est le plus proche. Il y en a un deuxième dans les Cornouailles, et un autre dans le Nord, dans les îles Orkney. Si nous pouvons atteindre ces sites avant nos ennemis, et y créer des boucliers de protection, la Thulé sera sévèrement gênée dans ses efforts.

— Et la Thulé connaît l'emplacement de ces sites ?

— Oh oui.

— Alors comment avons-nous la certitude qu'ils n'y seront

pas déjà, à nous attendre ?

— Nous n'en avons nullement la certitude.

— Et merde, fis-je. Mais… Attendez une minute… Vous avez parlé de Canterbury, des Cornouailles et des îles Orkney, et vous avez dit qu'il y avait *quatre* centres de pouvoir.

— C'est exact.

J'attendis un éclaircissement, mais rien ne vint.

— Ah, je vois, maugréai-je.

— Je sais que non, dit Uma. Mais cela viendra en son temps.

Si l'on oubliait la suspension (ou les déficiences de la suspension) de la Mini, le trajet sur l'autoroute à travers le Kent fut plutôt agréable. On pouvait juger le paysage joli, je suppose, vert et doucement vallonné, bien que profondément ennuyeux. Regarder par la vitre était comme contempler les peintures d'un artiste qui maîtrisait les bases primaires de son art mais manquait de l'inspiration et de l'audace qui différencient la pâle copie de l'art véritable. Siobhan n'arrêtait pas d'allumer et d'éteindre la radio, et comme à chaque fois elle ne trouvait pas de programme musical satisfaisant, elle jurait d'importance.

Après une heure environ, Siobhan quitta l'autoroute et engagea la Mini sur une route beaucoup plus étroite avant de s'arrêter à une station essence pour faire le plein. Nous sortîmes tous de la boîte de conserve à roulettes pour nous dégourdir les jambes.

— Je vais payer, déclara Uma en se dirigeant vers la petite boutique attenante aux pompes. Quelqu'un veut quelque chose ?

— À boire, dit Siobhan qui s'occupait de l'essence.

— Faites-moi une surprise, lançai-je à Uma.

Elle leva les yeux au ciel mais hocha la tête et s'éloigna.

— Pas de Twiglets ! lui criai-je, mais elle continua de marcher sans réagir et je m'inquiétai un peu.

J'étudiai les prix affichés sur le panneau. Ils n'avaient pas grand sens pour moi.

— Je croyais que l'essence était beaucoup plus chère ici, dis-je. Mais ces prix sont très intéressants : seulement soixante pence le gallon. Combien ça fait, un peu moins d'un dollar, non ?

Siobhan me regarda d'une drôle de façon.

— Tu es vraiment débile, ou est-ce que ça fait partie intégrante de ta personnalité hollywoodienne ?

— Quoi ?

Je sentais qu'elle m'appréciait de plus en plus.

— C'est soixante pence le litre, et pas le gallon. Tu es en Europe, il serait temps de percuter.

— Soixante pence le litre… répétai-je, estomaqué. Voyons voir : un pouce correspond à deux centimètres cinq, alors combien y a-t-il de litres dans un gallon ? Bon sang, c'est le genre de questionnaire où je me plante toujours.

— Un gallon équivaut à quatre litres et demi.

— Quatre litres et… Bordel ! Tu veux dire que l'essence coûte… – Il me fallut un peu de temps pour calculer, sous le regard apitoyé de Siobhan – plus de quatre dollars le gallon ?

— Le gallon britannique. Le gallon américain est un peu plus petit.

— Tu blagues, là, hein ?

— Pourquoi blaguer sur un sujet aussi stupide ? dit-elle en raccrochant le bec verseur à la pompe et en revissant le bouchon du réservoir.

— Bon sang, comme si le système métrique n'était pas déjà assez compliqué. Je croyais qu'un gallon était un gallon, n'importe où qu'on soit.

— Je parie que tu croyais qu'une rose est une rose, aussi. Et tu aimes probablement Sting, en plus. Dis-moi la vérité.

— Hein ? Non ! affirmai-je avec force car je sais quand on m'insulte, mais je m'émerveillai toujours du prix de l'essence ici. – Comment les gens peuvent-ils se payer le luxe de rouler ?

— Là est toute l'idée, dit Uma qui revenait.

— Que voulez-vous dire ?

— Si le prix de l'essence est élevé, moins de gens pourront conduire. Donc moins de véhicules, moins d'accidents, moins de pollution.

— Et ça marche de cette façon ?

— Il y a toujours une grande différence entre la théorie et la pratique. L'idée n'en reste pas moins bonne, à la base.

— Moi je trouve ça obscène, fis-je.

— C'est un sujet dont vous pourrez débattre avec notre futur compagnon de voyage.

— Ah, et pourquoi ?

— Nous devons le rencontrer à une manifestation contre la pollution automobile. De ce que je sais, il a des opinions très arrêtées sur le sujet.

Une fois dans la voiture, Uma ouvrit le petit sac qu'elle avait ramené de la boutique. Elle tendit une bouteille d'Évian à Siobhan, laquelle en but la moitié d'une traite avant de la coincer entre ses jambes et de démarrer pour rejoindre la route. Uma ouvrit une cannette de jus d'orange et en avala une gorgée.

— Et moi, vous ne m'avez rien rapporté ? me plaignis-je.

— Ce ne serait pas une surprise, justement, si je ne vous avais rien rapporté ? Ce n'est pas ce que vous avez demandé, à être surpris ?

Je croisai les bras et affichai une moue d'enfant boudeur. Siobhan soupira.

— Je vous ai pris quelque chose, Marty, dit Uma.

Avec un sourire, je me retournai. Elle me donna une petite chose en forme d'œuf enveloppé dans du papier aluminium. Un Kinder Surprise.

— Bon sang, vous ne devriez pas le gâter autant !

Ignorant la jalousie de Siobhan, j'ôtai l'emballage de la friandise, révélant un œuf en chocolat. Quelque chose bougeait à l'intérieur. La surprise, sans doute possible.

— Super ! fis-je. Comme dans les Crackerjacks.

Siobhan accéléra.

Le chocolat n'était pas terrible, mais mon cadeau se révéla être un petit animal en plastique, un… à dire vrai, je ne sais pas ce que c'était. Une créature bizarre, mi-troll mi-hippopotame. Ou quelque chose d'approchant. Ce truc avait été fait en Allemagne, et Dieu seul sait à quoi ils avaient pensé en le créant.

Il me plaisait beaucoup.

Je me mis à le faire marcher sur le tableau de bord en chantant « Roxane » à Siobhan. Après ma troisième incursion dans le monde des sopranos, l'Irlandaise me dit :

— Si tu ne ranges pas immédiatement cette foutue bestiole, je m'arrête sur le bas-côté de la route, je te sors de la bagnole et je t'enfonce un clou rouillé dans le genou avec une batte de base-ball.

J'éclatai de rire et agitai l'hippo-troll comme si lui aussi trouvait la chose hilarante, en le faisant sautiller ici et là.

— Peut-être vaudrait-il mieux le ranger, dit Uma.

Je lui jetai un coup d'œil. Elle ne souriait pas.

Je jetai mon cadeau par la portière.

Nous roulâmes encore pendant vingt minutes avant de passer un panneau annonçant les limites de la ville d'Ashford, laquelle était jumelée avec une ville allemande au nom imprononçable.

— Mauvais augure, hein ? fis-je.

— Pas spécialement, répondit Uma.

Cette virée était de moins en moins à mon goût.

Uma déplia une carte et dirigea Siobhan à travers la ville. Il semblait y avoir des chantiers où que nous regardions. La circulation se déroulait en accordéon, car le passage était réduit tous les cent mètres à cause des tranchées ouvertes dans les rues.

— Quel foutoir, fis-je.

— Ils construisent une nouvelle gare ici, pour les trains qui passent par l'Eurotunnel. Une grande partie de cette zone est en reconstruction, et les routes sont redessinées pour s'adapter à cette modification.

— Est-ce que c'est une zone très touristique ?

— Non, répondit Uma.

— Alors qu'y a-t-il ici qui justifie tous ces bouleversements ?

— Absolument rien. Sinon un membre du Parlement très influent.

— Ah.

Je tirai un certain réconfort à constater l'universalité de certaines choses. Comme les travaux publics entrepris à des fins électorales.

Uma dit à Siobhan de quitter l'axe principal au moment où nous dépassions les premiers panneaux indiquant la nouvelle gare. Nous nous engageâmes sur une route plus étroite, couverte de terre. Des tracteurs, des grues et d'autres gros engins de chantier étaient garés en enfilade sur la droite. La route s'élargit – se dilua serait probablement un terme plus exact – dans le grand cirque boueux d'un chantier de construction flanqué sur trois côtés par des arbres de haute taille. De nombreuses autres voitures étaient arrêtées au hasard sur le pourtour du site, ainsi que deux caravanes et l'habituelle rangée de toilettes mobiles.

Sans compter une douzaine de véhicules de police.

On avait délimité un périmètre de sécurité tout autour du site. Deux agents qui avaient l'air de s'ennuyer ferme se tenaient au bout de la route et arrêtaient quiconque voulait passer. Derrière eux, deux douzaines d'ouvriers coiffés de casques de protection tournaient sur place en buvant du café et en bavardant avec l'équipe de la BBC envoyée sur place.

Derrière eux, dans les arbres, étaient perchés les manifestants anti-route. Ils avaient bricolé une série de petites cabanes dans les branches supérieures, reliées par des câbles qui se balançaient doucement. Je vis avec stupéfaction l'un d'eux passer d'un arbre à un autre le long d'un câble grâce à un système de poulies accrochées au dos de son harnais. La manœuvre semblait fichtrement risquée, et je me rendis compte que je retenais mon souffle jusqu'à ce qu'il atteigne la sécurité de l'autre arbre.

— Qu'est-ce que c'est que ce bazar ? dis-je.

Siobhan avait stoppé la Mini sur le côté avant qu'un des policiers ne fasse signe. Nous sortîmes de la voiture et entrâmes sur le site de construction. Deux ou trois flics nous décochèrent des regards sévères, mais personne ne prit la peine de nous interpeller ou de nous demander ce que nous faisions là. J'eus le sentiment qu'ils avaient l'habitude que des curieux pointent leur nez.

— Je vais voir si je peux trouver notre compagnon, annonça Uma. Peut-être vaudrait-il mieux que vous m'attendiez ici.

J'approuvai cette proposition et m'assis sur une vieille souche. Je m'attendais à ce que Siobhan reste en retrait elle aussi, mais elle emboîta le pas à Uma, et toutes deux s'éloignèrent en direction des protestataires.

J'avais tout mon temps et j'en profitai pour examiner les lieux. Jusqu'à très récemment, toute cette partie avait été boisée, mais on avait abattu une ligne d'arbres pour prolonger la route. Une partie de la surface dégagée avait déjà été pavée, mais le reste n'était que terre tassée et boue solidifiée sous les pneus énormes des engins de construction. D'ici un million d'années, quand elles seraient pétrifiées, ces ornières trôneraient peut-être dans un musée, et on se demanderait quelles créatures avaient laissé de telles traces.

Je perçus derrière moi un bruit très reconnaissable et vis un type portant un blouson marqué BBC en train de pisser contre un des Algécos. Il remarqua que je le regardais et tout en égouttant son engin me décocha un clin d'œil complice. Je me détournai, mais il s'approcha de moi, après avoir refermé sa braguette, quand même.

— Tu as du feu, mon pote ? demanda-t-il, une cigarette coincée entre les lèvres.

— Non. Attends, si !

Je me rappelai soudain avoir pris une pochette d'allumettes du Savoy avant de partir de l'hôtel. Une habitude. Je la lui donnai et lui dis de la garder.

— Sympa, merci, fit-il en allumant sa cigarette. Tu es de quel côté, toi ?

— Hein ?

— De quel côté ? Celui des connards qui jouent aux singes dans les arbres, ou celui des connards qui veulent couper les arbres ?

— Euh, ni l'un ni l'autre, en fait.

J'étais un peu dérouté par le ton qu'il employait.

Je vis qu'il me dévisageait avec une certaine insistance, et soudain je craignis qu'il ne me reconnaisse et n'avertisse le cameraman. La dernière chose dont j'avais besoin en ce moment, et mes compagnons avec moi, c'était d'un peu plus de publicité.

— Tu bosses avec ITN ? s'enquit-il. Ta tête me dit quelque chose.

— Non, je… je ne fais que passer. Je suis ici avec quelqu'un qui cherche quelqu'un d'autre.

— Pas de lézard, mec. Je demandais comme ça, juste.

— Qu'est-ce qui se passe ici, au fait ?

Il tira une longue bouffée.

— Ah, un bon vieux bordel. Ça dure déjà depuis des semaines. Tu vois ces connards de pouilleux dans les branches ? Eh bien, ils ne veulent pas que ces connards-là – de la cigarette, il désigna les ouvriers – coupent les arbres.

— Ah bon.

— Mais je vais te dire un truc, ces connards en bas sont vraiment des branleurs. Je les déteste tous autant qu'ils sont. Ils passent leurs journées le cul par terre, à boire du thé, et ils sont payés pour ça.

— Ah. Donc tu es du côté des protestataires.

— Je suis du côté de la BBC, mec. Ta chaîne préférée.

— Non, je veux dire personnellement, tu es plutôt du côté des, hum, gens dans les arbres, non ?

— Rien du tout, mec. Moi je suis juste un connard de preneur de son, point barre. Qu'est-ce que j'en sais, de leurs conneries ? Mais je peux te dire un truc, mon pote – il prit un air de conspirateur et se pencha vers moi… En bas comme en haut, ce n'est qu'un tas de foutus connards.

Sur cette déclaration définitive il laissa tomber sa cigarette et s'éloigna.

Drôle de pays, me dis-je.

Sur ma gauche, il y eut soudain de l'agitation. Un groupe d'agents de police se mit à courir, suivi sans entrain par l'équipe de la BBC. J'essayai de repérer Uma et Siobhan, sans

156

succès. N'ayant rien de mieux à faire, je me dirigeai vers l'endroit où l'action se déroulait.

Une des protestataires, une adolescente de seize ans tout au plus, se battait avec deux types coiffés de casques et portant des vestes à bandes fluo. Elle hurlait et se débattait comme un diable de Tasmanie. Un des types l'avait saisie sous les aisselles, par-derrière, tandis que l'autre essayait de lui bloquer les jambes. La fille avait les cheveux pourpre et orange et un anneau pendait à son nez. Son tee-shirt sali était remonté dans la mêlée, dévoilant une poitrine de garçon et le tatouage d'un soleil jaune qu'elle arborait sur son ventre.

Perchés dans les branches à la verticale du combat, nombre des camarades de lutte de la fille criaient eux aussi. La scène évoquait irrésistiblement une famille de chimpanzés excités, comme on en voit dans les documentaires du National Geographic. Puis ceux qui étaient dans les arbres se mirent à bombarder les ouvriers avec des ballons emplis d'eau. Ce n'est que lorsqu'ils éclatèrent au sol ou sur les types que je constatai que ce n'était pas de l'eau, mais des excréments humains. Un projectile explosa sur le casque d'un des deux ouvriers qui tenaient la fille, et le trio se retrouva recouvert de matières fécales. Dégoûté, le type qui tenait les jambes de la fille lâcha prise et se détourna en s'essuyant les yeux. La jeune furie continuait de gigoter et de hurler. Elle faillit presque réussir à se libérer de celui qui l'avait saisie par-derrière. Elle dégagea un bras, mais l'autre voulut raffermir sa prise et, intentionnellement ou non je préfère ne pas le savoir, ses doigts se refermèrent sur l'anneau passé dans le nez de son adversaire. La fille tourna violemment la tête vers la droite, ou bien le type tira vers la gauche, toujours est-il que l'anneau fut arraché du nez, avec un petit morceau de chair.

La fille hurla de plus belle tandis qu'une petite fontaine de sang jaillissait et inondait sa bouche et son menton. Le type la lâcha et contempla d'un air ahuri sa main tenant toujours l'anneau et le morceau de chair qui en pendouillait. Il voulut le jeter au loin, mais l'anneau s'était fiché dans son auriculaire. Il secoua frénétiquement la main jusqu'à ce qu'il parvienne à s'en débarrasser. Je vis le bijou disparaître dans l'herbe haute, tandis que le type essuyait sa main souillée du sang de la fille sur sa veste, avec un dégoût évident.

Les policiers qui s'étaient précipités pour intervenir s'étaient arrêtés, interloqués devant cette scène, et un peu refroidis par la pluie de projectiles venue des arbres, ce que je comprenais fort bien. Cependant deux agents s'élancèrent derrière la fille. Mais elle était trop rapide, et eux trop lourds, car elle réussit à saisir une corde déroulée par un de ses amis d'une branche. Elle criait toujours quand elle se laissa hisser dans l'arbre. Enfin en sécurité dans une des petites cabanes perchées, elle leva une main en signe de triomphe, pendant que l'autre restait plaquée sur le bas de son visage ensanglanté. Les autres protestataires lancèrent des vivats à son attention, et des insultes accompagnées de ballons aux flics et aux ouvriers. L'adolescente pointa son derrière dans l'air au-dessus d'une branche et baissa son pantalon de sa main libre. Je pensai qu'elle allait se contenter de ce geste ô combien compréhensible, mais la seconde suivante un jet d'urine vint arroser les deux policiers au pied de l'arbre. Ils battirent vivement en retraite.

Les manifestants dans les arbres sautillèrent sur leurs branches en hululant leur victoire. Ce comportement renforça en moi l'image d'un groupe de chimpanzés, mais je ne pus m'empêcher de sourire au chaos que cette adolescente avait déclenché parmi ces costauds d'ouvriers et les policiers visiblement surentraînés. J'ignorais qui avait raison et qui avait tort sur le fond, mais d'instinct ma sympathie n'allait guère vers un type capable d'arracher le nez d'une gamine. Quelles que soient les mauvaises habitudes de celle-ci pour se soulager.

Pour l'instant, le spectacle semblait terminé, aussi retournai-je vers ma souche pour m'y asseoir. Mon pote de la BBC passa devant moi avec l'équipe une minute plus tard. Il accrocha mon regard et me lança un grand sourire. Désignant du pouce le remue-ménage, il articula une expression que je devinai sans mal.

— Marty !

Uma et Siobhan venaient d'émerger des arbres, accompagnées du croisement entre Dennis Hopper (période *Easy Rider*, mais avec dans le regard l'éclat du psychopathe de *Speed*) et le Maire de Munchkinville. C'était un individu d'à peine plus d'un mètre cinquante, portant une atrocité de tee-shirt arc-en-ciel et un pantalon de treillis décoloré par la saleté. À cause de sa petite taille, je crus tout d'abord qu'il s'agissait d'un gamin, mais je me détrompai très vite. Tout d'abord il était trapu, avec des bras épais et musculeux qui avaient sans doute soulevé autre chose que des pancartes pour la paix. Sa chevelure crasseuse était coiffée en dreadlocks et surmontée du bonnet rasta tricoté de rigueur. Sa barbe clairsemée laissait voir les cratères laissés par une acné virulente, mais elle était assez fournie pour retenir tout une variété de miettes et d'autres débris indéfinis. Au-dessus de sa lèvre supérieure s'étalait un compromis entre une vraie moustache et la marque d'une boisson chocolatée. Il arborait diverses variétés de boucles d'oreilles, un clou brillait à une de ses narines et un anneau transperçait la peau de son arcade sourcilière, tout comme Dasra.

Je grimaçai.

Il me sourit.

Ses dents jaunes et noires me firent penser à des bananes à moitié pourries. L'odeur qu'il dégageait n'était pas aussi agréable, même si le parfum de la marijuana atténuait ce qui autrement eût été intolérable. Je me tournai vers Siobhan, qui se tenait avec soin dans le sens du vent, pour ne rien sentir. À en juger par son expression, je devinai qu'au moins je n'étais plus son compagnon de route le moins aimé.

— Voici Pahoo, dit Uma.

Pahoo tendit la main. Je retins ma respiration et la serrai. Sa paume était moite et poisseuse, et sa poigne avait autant d'énergie qu'un poisson mort.

— Il voyagera avec vous à l'arrière, dit Siobhan vicieusement.

— Génial, soupirai-je.

Je réussis à maîtriser une subite nausée lorsque le petit homme s'approcha et m'étreignit dans ses bras.

10

Mon plan était simplissime : refuser net de voyager à l'arrière de la Mini, planter mes talons dans le sol et, si nécessaire, retenir ma respiration jusqu'à ce que je vire au bleu cobalt.

Siobhan sortit sa batte de base-ball.

Elle en avait vraiment une dans la voiture. Une Louisville Slugger, la série ornée de l'autographe de George Foster. Vieux modèle, mais très solide. Elle n'avait pas le clou rouillé pour aller avec, mais elle trouva une pointe de belle taille dans les débris du site de construction, et bien qu'elle brillât de l'éclat du neuf, l'idée de l'avoir enfoncée dans le genou ne me disait rien du tout.

La cohabitation sur la banquette ne fut pas si terrible, en fait, même si le modèle réduit de Pahoo avait sans doute beaucoup aidé. Je finis même par oublier son odeur, après un temps ; bien entendu, nous voyagions maintenant toutes vitres baissées. Le plus gros problème, ce fut son didgeridoo.

— Ton quoi ? me sentis-je forcé de demander lorsque nous embarquâmes cette chose.

Cela ressemblait à une épaisse branche de bois creuse, d'un mètre trente-cinq de long environ (presque aussi haute que lui, donc) et légèrement fuselée à une extrémité. En gros, cela me fit penser à cette Arme du Jugement Dernier qui dévore les planètes et manque engloutir le Dr Spock et le capitaine Kirk dans un vieil épisode de *Star Trek*. Pahoo l'avait reçu d'un de ses amis des cabanes dans les arbres.

— Mon didgeridoo, dit-il, comme si je venais de lui demander comment s'appelaient les deux trous au milieu de son visage par lesquels il respirait.

Le mot me disait vaguement quelque chose, sans que je sache trop quoi. Comme «stéatopygie». Par quelque alchimie mystérieuse, mon cerveau ressortit les images de Rod Laver, Paul Hogan et Olivia Newton John. C'est alors que j'établis le rapport.

— *Tie me kangaroo Down Sport !*

— Quoi ? s'étonna Siobhan.

— Bingo ! fit Pahoo avec un large sourire.

— *Mind me didgeridoo, Lou*, chantonnai-je. *Mind me didgeridoo…*

— Ah non, pas ça, gémit l'Irlandaise.

— Rolf Harris, approuva Uma en hochant la tête. J'adorais cette chanson.

— Hein ? Jamais entendu parler de Rolf Harris, dis-je. Mais je me souviens de cette chanson, quand j'étais gosse. J'avais toujours cru qu'un didgeridoo était une sorte d'animal australien. Un oiseau à long cou ou un de ces chiens sauvages à poche ventrale comme celui qui a dévoré le bébé de Meryl Streep, ou un truc de ce genre. Comme l'ornithorynque.

— Eh non, mon ami. C'est un instrument de musique aborigène. Et c'est très beau.

Pour nous le prouver, il nous offrit derechef un court récital.

Beau n'est pas précisément l'adjectif que j'aurais choisi. Le son produit par le didgeridoo ressemble un peu à celui qu'on tire d'une bouteille vide en soufflant dedans, à ceci près qu'il faut une bouche démesurément grande pour sortir un son aussi bas. En examinant ce satané truc de plus près, je décidai que ce n'était pas beaucoup plus attrayant qu'une bouteille de bière vide (si l'on excepte le plaisir de l'avoir vidée). Je ne nommerai pas non plus musique ce que Pahoo tira de l'instrument, mais après quelques mesures je reconnus quelque chose qui pouvait ressembler à «Tie My Kangaroo Down Sport», surtout au niveau du rythme. Qui que soit ce Rolf Harris, il dut se retourner dans sa tombe. S'il était mort.

Il est assez malaisé de faire entrer un instrument long de cent trente-cinq centimètres dans une voiture qui en fait vingt de plus. Uma s'évertua à persuader Pahoo de laisser son didgeridoo à la garde de ses amis, mais il ne voulut pas s'en séparer. Ils discutèrent quelque temps, et à un certain moment je vis que Siobhan s'apprêtait à prendre sa Louisville Slugger, mais d'un geste Uma la retint.

— J'en ai besoin, argua Pahoo. *Nous* en avons besoin !

Uma ne paraissait pas totalement convaincue – je pense qu'elle estimait que Pahoo faisait un caprice – mais la chose en resta là.

Et nous voilà filant sur la route, direction Canterbury, à quatre dans une Mini, avec le vent en poupe et un didgeridoo attaché sur le toit. Selon la vitesse, le vent soufflait dans ce maudit instrument et produisait un son bas. À la vérité, c'était beaucoup moins désagréable que ce que Pahoo avait joué. Nous nous attirâmes quelques regards étonnés d'autres automobilistes, mais au moins nous pouvions voyager avec la certitude qu'aucun cargo ne nous couperait la route dans la brume.

Nous traversâmes d'autres paysages mornes, beaucoup de champs où broutaient des moutons, d'autres hérissés de hauts poteaux fins.

— Qu'est-ce que c'est ? demandai-je.

— Des perches à houblon, répondit Pahoo.

— Ils ne s'en servent pas pour faire de la musique ou un autre truc horrible, j'espère ?

— Ils l'utilisent dans un but naturel. Pour faire pousser les plants de houblon, qui grimpent le long de ces perches.

— Du houblon ? Comme pour la bière.

— Amen, mon frère, dit Pahoo.

— Ouah, m'émerveillai-je. C'est presque aussi joli qu'une pub de bière.

— Il y a encore peu c'était encore une grande région productrice pour les brasseries. Aujourd'hui, la plupart des brasseries ont fermé. La main du corporatisme multinational.

— Ah, le nom de la Bête est Budweiser, sûr, fis-je.

— Tu te crois marrant ?

Je ne pensais pas grand-chose, à dire vrai. Ce n'était qu'une petite blague, une repartie lancée sans arrière-pensée du fond d'une Mini en balade. Mais Pahoo semblait offensé. Autant qu'un petit gars sentant mauvais pouvait le paraître, en tout cas.

— Pas aussi marrant que les Marx Brothers ou Robin Williams. Mais, bon, peut-être autant qu'Abbott et Costello. Ou Chris Farley. Non, plus marrant que Chris Farley. Euh, ce n'est pas une tautologie, ça, d'ailleurs ?

Je conclus d'un sourire, pour bien lui montrer que je plaisantais. En réponse, Pahoo découvrit ses dents jaunâtres sur un rictus mauvais.

— Cette putain d'attitude typiquement américaine est exactement le problème contre lequel lutte le monde sous-développé. C'est ce foutu baratin qui tourne tout en ridicule qui permet qu'on coupe des arbres.

— Je te demande pardon ?

— Je crois que tu sais très bien ce que je veux dire.

— Jésus, Marie, Joseph, geignit Siobhan en jetant un coup d'œil à Uma. Vous voulez vraiment faire tout le trajet jusque là-bas avec ces deux-là ?

Uma ne répondit pas, mais je la vis se tasser un peu sur son siège, et je devinai qu'elle réfléchissait au problème. Je pense qu'elle soupira. Je l'aurais probablement entendu soupirer si à cet instant le vent n'avait arraché un couinement de rat géant au didgeridoo.

Dans le champ devant lequel nous passions, une troupe de moutons s'égailla, paniquée.

D'une certaine façon, je savais ce qu'ils ressentaient.

D'une certaine façon, j'aurais souhaité être avec eux.

Le crépuscule s'installait lorsque nous entrâmes dans Canterbury. La première chose que vous remarquez en arrivant, c'est la cathédrale. Ses flèches gothiques dominent le restant de la ville, et leur vue me fit songer à quel point l'édifice avait dû paraître imposant aux pèlerins qui n'avaient probablement jamais rien vu de plus grand que les cabanes et la petite église de leur village. Ce qui était certainement le but recherché. Aujourd'hui encore c'est très impressionnant, d'autant que la ville est d'une grande tristesse, avec ses bâtiments bas à dessein, pour mettre en valeur la cathédrale. Les rues étaient bordées de magasins regorgeant de cierges et de souvenirs minables, de ce genre de commerces qui n'ont pour seul objectif que d'alléger la bourse des touristes avec le plus d'efficacité possible. Mais pour ce que j'en savais, cet endroit était un piège à touristes depuis l'époque de Chaucer.

Un plan déployé sur ses cuisses, Uma dirigeait Siobhan qui ne cessait de jurer à mi-voix. Les indications de l'Indienne engageaient presque toujours la Mini dans une rue fermée à la circulation ou dans un cul-de-sac. Après le cinquième panneau « interdit à la circulation » devant l'entrée d'une rue à peine plus large que la voiture, Siobhan donna un coup de volant sur la gauche et gara la Mini sur le trottoir.

— Pour l'amour du Ciel ! siffla-t-elle en prenant la carte à Uma.

Celle-ci faillit répliquer, mais elle se ravisa et tourna la tête vers le mur de brique. Un mur de brique très ancien. Une plaque le spécifiait.

Tout en grommelant, Siobhan étudia le plan. Pahoo se pencha par-dessus son épaule pour regarder, mais le grondement de l'Irlandaise le persuada de se rasseoir sagement.

— Il y a beaucoup de colère ici, murmura-t-il d'un ton docte.

— Tu voulais faire thérapeute ? lui glissai-je.

— Je l'ai fait.

Je frémis à cette seule idée.

— C'est là que nous voulons aller ? grogna Siobhan en pointant l'index sur la carte.

Uma regarda et acquiesça.

— D'accord.

Elle fit descendre la Mini du trottoir et fonça dans la rue sans plus se référer au plan. Apparemment, il nous fallait contourner tout le centre-ville pour arriver à notre destination, et j'eus le temps de compter encore quatre magasins de cierges avant que Siobhan n'arrête la voiture dans le parking d'un Bed and Breakfast.

— Sortez, ordonna-t-elle.

Une fois, aux États-Unis, j'étais allé dans un B & B. À un certain moment, vers la fin des années 1980, c'était du dernier chic chez les yuppies. Un Bed and Breakfast était supposé vous offrir les facilités d'un hôtel avec le confort d'un foyer. Ce qui est sa spécificité. Le foyer de quelqu'un d'autre, évidemment, mais arrangé pour satisfaire aux exigences monnayées du voyageur. Quelques bibelots anciens dans chaque chambre, de grands canapés bien profonds dans le salon, et des plats aussi extravagants que réduits en quantité de cette satanée nouvelle cuisine. Personnellement, je préfère les Holiday Inns et les Ramada Inns. Si je tiens à profiter des commodités du foyer, je reste chez moi. Dans un hôtel je veux le room-service, un grand seau à glace et un matelas massant à vingt-cinq *cents* les cinq minutes.

Il semble qu'en Angleterre, ce soit quelque peu différent.

— C'est un Bed and Breakfast ? m'étonnai-je.

— Oui, fit Uma.

L'endroit n'était pas exactement un bouge, mais je sus tout de suite que la direction du Savoy ne lésinait pas sur les horaires de travail pour contenter sa clientèle. L'intérieur ressemblait en effet à celui d'une famille, mais une famille qui n'aurait pas possédé d'aspirateur en état de marche. Les murs étaient envahis par les photos encadrées, les étagères par des bibelots assez quelconques, et finalement l'ensemble évoquait beaucoup plus le bureau d'accueil d'un camp de caravaning qu'un foyer familial.

Siobhan parut détecter mon inconfort. Elle me gratifia d'un rictus satisfait.

— Nous avons réservé, dit-elle.

— Moi j'emploierais plutôt ce verbe avec l'auxiliaire « être », marmonnai-je.

— Pas le décor auquel une star de Hollywood comme toi est habituée, je parie ?

— J'ai séjourné dans des endroits pires encore.

Ce qui était vrai, et encore récent.

Uma était allée trouver le propriétaire et signait le registre de la clientèle. La maîtresse des lieux était une sorte de morse aux cheveux et à la moustache grisonnants. Elle me lança un

sourire de commande, mais posa sur Pahoo un regard soupçonneux, sans aucun doute parce qu'elle avait détecté son
parfum et qu'elle craignait pour ses draps. Cependant elle
accepta l'argent de Uma sans hésiter et lui donna deux jeux
de clefs.

— Si nous rangions nos affaires dans les chambres ? proposa Uma. Nous pourrions profiter d'un peu de repos avant
le dîner. Nous nous mettrons au travail plus tard ce soir.

— Je suis crevée, déclara Siobhan.

— Je suppose que ce sera garçons et filles séparés, fis-je
en retenant un soupir.

Je jetai un coup d'œil à Pahoo et priai pour que notre
chambre soit bien aérée.

— À moins que tu ne veuilles dormir avec moi, chéri, dit
Siobhan avec un sourire engageant. Je te chanterai une ber-
ceuse de l'IRA.

Je déglutis avec difficulté. Réprimant un sourire, Uma me
tendit les clefs.

— Je crois que garçons et filles séparés, ce sera beaucoup mieux, dit-elle.

— Je suis cool, précisa Pahoo.

Les chambres se faisaient face au premier étage. Il y en
avait deux autres au même niveau, et un escalier menait au
deuxième. Il y avait également des toilettes sur le palier, ce
qui me mit le moral en berne.

— Ces chambres ont chacune une salle de bains, n'est-
ce pas ? demandai-je.

Uma était déjà entrée dans la sienne, mais Siobhan me
regarda par-dessus son épaule et éclata de rire.

— Oh, merde, soufflai-je.

En fait notre chambre possédait sa propre salle de bains,
quoique réduite à son expression la plus stricte. La pièce était
assez agréable, plus grande que je ne m'y étais attendu et
propre, avec deux lits jumeaux disposés côte à côte en son
centre. Pahoo voulut occuper celui près de la fenêtre, mais il
n'en était pas question. Je pris son didgeridoo, le lançai sur
l'autre lit que je repoussai contre le mur avant de caler le
mien sous la fenêtre. Celle-ci laissait entrer une petite brise

bienvenue, et donnait sur la rue dans laquelle je remarquai d'autres Bed & Breakfast. Au coin je vis un petit jardin public avec des aménagements pour les enfants, et en me penchant je pouvais apercevoir les flèches de la cathédrale.

La salle de bains avait été installée dans ce qui à l'origine avait probablement été une penderie. Une douche côtoyait un petit lavabo et des toilettes dans un espace qu'un costume trois pièces et une paire de chaussures auraient rempli. C'était quand même mieux que de partager celle sur le palier. J'aime à ce que mes ablutions soient entourées d'une certaine intimité.

J'ôtai mes chaussures et m'allongeai sur le lit. L'oreiller était à peu près aussi moelleux qu'un sac empli de balles de golf, mais rien à redire pour le matelas. Pahoo entreprit de s'adonner à une série d'exercices qui semblaient vaguement dériver du yoga, à même le plancher. Chaque fois qu'il se penchait en avant, la ceinture de son pantalon de camouflage s'abaissait, révélant le haut d'un postérieur très poilu. Je me tournai vers le mur et fermai les yeux.

À cause de la fatigue, je suppose, je m'endormis presque aussitôt.

Dans mon rêve, je me trouvais dans une immense caverne. Des tables dressées étaient alignées aussi loin que portait le regard, et des centaines de serveurs indiens apportaient des poulets *tandoori* à des centaines de convives silencieux. J'étais moi-même attablé, Uma à ma droite et Siobhan à gauche. Elles mangeaient toutes deux sans échanger un mot, avec des gestes mécaniques. Je n'avais personne en face de moi, et je hélai un serveur qui passait. En levant la main, je remarquai le svastika qui en ornait la paume. Je l'examinai et découvris que la croix gammée avait été tatouée. Embarrassé, je baissai la main et la cachai sous la table, mais aussitôt je sentis quelque chose d'humide contre ma peau. Je me penchai et vis Pahoo, nu et à quatre pattes, qui léchait le svastika dans ma paume avec une langue pareille à celle d'un lézard. Ses yeux étaient complètement noirs et son petit pénis raidi. Je retirai ma main et l'essuyai sur ma cuisse, mais je ne parvins pas à effacer le tatouage.

Un serveur arriva et déposa devant moi une assiette. Il ne s'y trouvait qu'un cocon noir animé d'une pulsation régulière, de la taille et de la forme d'un avocat. Je plongeai les ongles dans la peau douce de la chose et il en suinta du sang tiède. Je continuai de la peler et j'enfonçai les doigts dans la chair spongieuse. La chose cria comme un bébé affamé tandis que je la déchiquetais.

En son centre une pierre dure rougeoyait, mais au toucher elle était froide. Je la montrai à Uma qui hocha la tête sans cesser de manger. Je frappai la pierre dans mon assiette, qui se brisa en mille morceaux. Je la cognai alors contre la table, et celle-ci se cassa net. Toutes les assiettes furent précipitées au sol. Furieux, je jetai la pierre par terre, grimpai sur ma chaise et sautai. Je tombai de tout mon poids sur elle.

La pierre craqua comme un œuf.

Je me mis à quatre pattes pour l'étudier et vis qu'elle avait contenu une tête minuscule que je venais d'aplatir sur le sol. Le visage était noir, rond et un peu fripé. Les yeux me fixèrent et une larme en coula avant qu'ils ne se ferment. La chose était morte.

J'entendis une respiration profonde et rauque, et relevai les yeux. Toutes les tables, les dîneurs et les serveurs avaient disparu, mais la grande caverne était toujours là. En face de moi gisait Dasra. Son crâne rasé était ouvert et une matière grisâtre et luisante en sortait. Il avait eu la gorge tranchée et, bien que la blessure ne saignât pas, c'est elle qui produisait ce son par l'air qui y passait. Les deux pans de peau entourant l'entaille mortelle étaient agités comme les ailes brisées d'un oiseau à chaque respiration. Je tendis la main vers lui, mais sa tête se détacha de son corps et roula sur le sol de la caverne. Elle s'arrêta au pied de cinq silhouettes noires sans visage. Elles levèrent le bras pour me saluer et…

Je m'éveillai subitement, mais je percevais toujours la respiration rauque de Dasra. C'était Pahoo. Assis nu sur le plancher, il jouait de son didgeridoo. Mon inconscient avait créé une représentation étrangement exacte au un dixième de son sexe. Ou bien c'est la proximité du didgeridoo qui donnait cette impression.

— Ça ne te dérangerait pas de remettre ton pantalon ? lui demandai-je.

Il abaissa son instrument – je parle du didgeridoo – et se contempla une seconde avant de me regarder.

— Je suis ce que je suis, déclara-t-il.

— C'est une position philosophique défendable, Popeye, mais elle n'implique pas que je veuille contempler le Popaul du philosophe.

— Tu as un problème avec la nature, pas vrai, mon pote ? Tu es quelqu'un qui a perdu le contact avec son essence.

— Moi et mon essence, on s'entend très bien, merci. On déjeune ensemble tous les jeudis. Mais *moi* je n'exhibe pas *mon* essence à tout le monde.

Pahoo eut une moue attristée, mais il prit son pantalon crasseux sur le lit et l'enfila. Alors qu'il me tournait le dos, je constatai qu'il portait sur son dos musculeux un tatouage au motif incroyablement complexe. Sauf que ça ne ressemblait à aucun tatouage qu'il m'ait jamais été donné de voir. Il n'y avait pas de couleur, mais l'ensemble possédait une qualité extraordinaire. On l'aurait presque dit en trois dimensions.

— Qu'est-ce que c'est supposé représenter ? demandai-je.

— Hein ? fit-il en regardant par-dessus son épaule. Ah, ça ? Des runes celtiques. Je me le suis fait marquer.

Il me fallut une seconde pour accepter ce qu'il disait.

— Marquer ? Tu veux dire… au fer rouge ? Avec le tisonnier plongé dans les charbons ardents… comme une tête de bétail ?

— On n'a pas utilisé de tisonniers et de charbons ardents, mon pote. C'est fait avec beaucoup de soin. Et suivant un très beau rituel.

— Bordel de merde ! Tu es en train de me dire que tu es resté tranquillement assis pendant qu'un fondu de première te calcinait le cuir pour tracer ce dessin ?

— Je vais m'en faire faire un autre devant. Dès que j'en aurai l'occasion.

— Bon sang… Et ce n'est pas douloureux ?

170

Pahoo eut un haussement d'épaules, me sembla-t-il. Ou alors il frissonna.

— Un peu, reconnut-il. Mais il existe des niveaux de puissance et de conscience particuliers à la frontière qui sépare le plaisir de la douleur. Après le rituel, tu es détaché, imprégné de spiritualité.

— En proie au délire, je dirais plutôt. Ou bien stupide.

— Je ne m'attendais pas à ce que tu comprennes. Tu es trop éloigné de ton *animus*.

— Avec des compagnons comme toi, qui a besoin d'*animus*?

Je n'étais pas mécontent de cette réplique, mais Pahoo me lança un regard enflammé et secoua la tête. – Bon, et cette rune a une signification? insistai-je.

Vous avez le droit de penser que je suis masochiste.

— Cette combinaison particulière de symboles représente l'unité essentielle de la Terre et de l'esprit. Le grand demi-cercle représente la planète dans sa totalité, et les boucles et les V divers éléments de la nature qui cherchent à se combiner pour former une synthèse. C'est ainsi que je l'interprète, en tout cas. Certains disent que c'est aussi un symbole de fertilité.

— Et c'est pour compenser la petite taille de ton… essence?

— Je suis sûr que tu te crois incroyablement drôle, mais ce genre de réflexion reflète beaucoup plus tes énergies négatives que les miennes. Je ne daignerai même pas y répondre.

J'allais lui faire remarquer que justement il venait de me répondre, mais il avait remis sa chemise en parlant, et il ne faisait aucun mouvement vers le didgeridoo, aussi j'abandonnai la partie. Je ne laisserai personne affirmer que je suis l'esclave de mes énergies négatives.

On frappa à la porte.

— Entrez! lançai-je. À vos risques et périls.

Uma passa la tête dans la pièce et fronça les sourcils.

— Tout va bien?

— Le nirvana, répondis-je. J'avais une petite discussion entre hommes très instructive avec Mad Max, là.

— C'est quelqu'un de très coincé, se plaignit Pahoo.

Uma força un sourire sur ses lèvres.

— Peut-être qu'il a faim, tout simplement. Si nous nous occupions du dîner ?

— Excellente idée, fis-je en me levant. Tant que nous mangeons dans la salle non-didgeridoo.

Je vis bien que Uma fournissait un effort pour continuer à sourire. Pahoo s'était renfrogné, mais il se dirigea vers la porte.

— Énergie négative, l'entendis-je marmonner.

Je fis signe à Uma de me précéder sur le palier. Elle murmura quelque chose que je ne saisis pas.

— Qu'avez-vous dit ? lui demandai-je.

— Oh, rien. Je me parlais à moi-même.

J'acquiesçai, mais j'étais presque sûr qu'elle avait dit : « Que le Ciel me vienne en aide. »

Nous déambulâmes en ville un certain temps, tout en débattant de l'endroit où dîner. Par chance, il y avait au moins autant de restaurants que de magasins de cierges, même si chacun d'entre eux semblait comporter dans son nom Chaucer ou Marlowe. Au début je me crus au parfum en pensant qu'ils étaient tous de grands amateurs de Raymond Chandler, mais Uma réduisit à néant mes illusions. Enfin, si vous aimez les Marlowe-burgers ou les hot-dogs à la Chaucer, Canterbury est faite pour vous.

Pahoo et Uma étaient tous les deux végétariens, avec cette nuance que Uma s'autorisait les fruits de mer. Bien évidemment, le petit homme était beaucoup plus dogmatique. Siobhan était prête à manger tout et n'importe quoi. Cela ne me surprit pas réellement, car si son avion de ligne s'était écrasé dans les Andes, je l'aurais très bien vue parmi les heureux survivants bien nourris. Pour ma part je ne suis pas du genre à faire des histoires lorsque c'est quelqu'un d'autre qui choisit le restaurant, du moins pas tant que je ne suis pas servi et que la nourriture se révèle immangeable.

Nous passâmes par des places déprimantes tant elles semblaient avoir été aménagées uniquement pour les touristes, avec pour la plupart des restaurants promettant de la « cuisine américaine authentique ». Je n'ai jamais réussi à percer ce mystère : à qui s'adresse ce genre de commerces ? Dans une ville touristique, on cherche à attirer les visiteurs, c'est entendu, mais pourquoi ceux-ci prendraient-ils la peine de faire un demi-tour du monde pour manger ce qu'ils mangent tous les jours chez eux ? Et qui d'autre que des Américains pourrait commander un burger au poulet ou des fajitas en Angleterre ? Peut-être que les Européens pensent que ce serait honteux de ne pas trouver ce genre de nourriture à Disneyland Paris. Ou alors les touristes américains sont plus stupides que je ne le pensais. En tout cas, tous ces restaurants me semblaient faire de très bonnes affaires, ils devaient donc savoir quelque chose que j'ignorais. La plupart des gens savent quelque chose que j'ignore.

Pendant une minute que je vécus assez mal, je crus que nous allions nous rabattre sur un indien – les restaurants de ce type sont aussi prolifiques en Angleterre que les burger-joints aux États-Unis – mais nous tombâmes sur un pub à la façade attirante, à l'écart des artères principales, qui de plus proposait un choix de plats variés. Notre entrée attira quelques regards bizarres des habitués – imaginez la scène : une Indienne, un rasta nain, une hommasse irlandaise et une vedette américaine de la télé – mais le personnel se montra très accueillant et la cuisine se révéla très correcte, selon les standards anglais. Même si Pahoo faillit bien jeter un froid quand il se renfrogna parce qu'ils n'avaient pas accompagné sa salade printanière de pâtes bio ; ce qui ne l'empêcha pas de vider son assiette avec entrain. Pendant le dîner, la conversation fut des plus restreintes, guère plus que « le sel s'il vous plaît, merci », mais entre la cuisine que j'appréciais fort et deux, non trois demis de Stella Artois d'une fraîcheur irréprochable, ce ne fut pas un mauvais moment.

Nous avions terminé et reprenions une autre tournée – ni Uma ni Siobhan ne buvaient d'alcool – quand le patron fit tinter la cloche annonçant les vingt-trois heures fatidiques pour bientôt. Je ne comprenais pas pourquoi les pubs devaient fermer aussi tôt, et j'en fis la remarque.

— Ça remonte à la Première Guerre mondiale, expliqua Uma. À l'origine, la restriction des heures d'ouverture pour les débits d'alcool avait été instituée pour que les ouvriers se présentent à leur poste à l'heure, le lendemain matin.

— Attendez, vous me faites une blague, là ! Ça fait plus de quatre-vingts ans.

— Oui, mais la loi était toujours en vigueur quand a éclaté la Seconde Guerre mondiale, et le besoin de contrôler la société est alors devenu encore plus intense.

— D'accord, fis-je. Là, on ne remonte plus qu'à un demi-siècle. Personne ne s'est rendu compte que la guerre était finie ?

— C'est à cause des classes sociales, mon pote, intervint Pahoo. Tout ce qui se produit ou ne se produit pas dans ce pays merdique peut s'expliquer en termes de lutte des classes. Tu n'as pas encore compris que l'Angleterre ne supporte pas l'idée qu'elle n'est plus au XIXe siècle ?

J'aurais dû me douter que le nabot avait une culture marxiste exacerbée. Ils ne se douchent jamais. Je roulai des yeux et me tournai vers Uma, mais elle acquiesça avec une certaine tristesse.

— J'ai bien peur que ce ne soit vrai en grande partie, Marty. Si vous ne comprenez pas la nature du système de classes ici, la profondeur de son implantation dans la vie quotidienne, dans l'esprit de chaque Anglais, vous ne comprendrez jamais comment et pourquoi certaines choses se passent en Angleterre.

Je pourrais probablement survivre sans l'apprendre, me dis-je, et je m'abstins de tout commentaire.

Nous étions revenus dans le centre de la ville, délimité par les ruines plus ou moins entretenues d'un mur de pierre. Les pubs se vidaient et quelques consommateurs ivres, en majorité des jeunes, titubaient et se lançaient des obscénités dans les rues.

— Bon, et maintenant ? demandai-je.

C'était une nuit claire et fraîche, à quelques degrés d'être froide, avec une de ces lunes rebondies dont on n'arrive pas à déterminer si elles sont totalement pleines ou pas.

— Maintenant, au travail, dit Uma.

Nous longeâmes le tracé de l'ancien mur d'enceinte pendant un temps, en direction de notre Bed and Breakfast. Uma, Pahoo et moi attendîmes dehors pendant que Siobhan montait dans sa chambre.

— Quel est le plan ? m'enquis-je.

— Nous devons entamer la première étape du processus d'inoculation. Je vais commencer un rite d'invocation contre la Thulé.

— Quoi, ici ? m'étonnai-je.

Siobhan jaillit par la porte de la maison. Dans ses mains, elle tenait une petite valise noire. Elle la tendit à Uma en souriant.

— Non, me répondit la jeune femme. Nous devons nous introduire dans la cathédrale de Canterbury.

11

— Canterbury a été une colonie romaine, expliqua Uma alors que nous remontions High Street en nous efforçant de ressembler à des touristes en balade vespérale. Ils l'appelaient Durovernum. Cette ville constitue donc un site d'intérêt historique depuis presque deux mille ans.

La plupart des ivrognes avaient maintenant disparu et la rue était quasiment déserte. Les seules lumières visibles provenaient de la devanture d'un restaurant indien. Une voiture de police nous dépassa, mais ses occupants ne nous accordèrent même pas un regard. Je pense qu'ils effectuaient seulement des rondes de surveillance pour les commerces. J'admets ne pas être toujours le plus prompt à réagir, mais alors que nous poursuivions nos déambulations, je me rendis compte que nous tournions le dos à la cathédrale et que nous nous en éloignions. Je le fis remarquer.

— Tu n'as pas entendu dire que le ciel est bleu et que le soleil se lève de temps en temps à l'est ? rétorqua Siobhan.

— Je sais très bien où nous allons, Marty, m'affirma Uma qui reprit sa leçon d'histoire : La cathédrale a été érigée sur un site où à l'origine s'élevait un temple romain. En Grande-Bretagne, beaucoup d'églises chrétiennes et de cathédrales ont été délibérément bâties sur de tels emplacements, dans le but évident de se substituer au pouvoir spirituel établi, et de supplanter ainsi l'influence de ces religions plus anciennes. Mais bien sûr, l'Église n'a jamais reconnu ce fait.

— Comme l'arbre de Noël et les œufs de Pâques, dont on dit qu'ils ont des origines païennes, dis-je.

— Pour les arbres de Noël, oui. En ce qui concerne les œufs de Pâques, je crois que cette tradition a été inventée par un chocolatier.

— La Sainte Gourmandise…

Uma fit mine de n'avoir rien entendu.

— Maints de ces sites, comme la cathédrale de Canterbury, sont également des points importants dans le réseau des leys qui est antérieur à l'arrivée des Romains, et constituent des sources de puissance pure dans toutes les îles Britanniques.

— Eh, je ne fais pas partie du réseau des laids, moi !

Cette fois, Uma ne put m'ignorer. Elle s'arrêta net et me lança un regard furieux.

— Désolé, désolé, fis-je en levant les mains. Vraiment. Je ne recommencerai plus, promis. Bon, allez : qu'est-ce que c'est que ce réseau des leys ?

— Il existe à la fois sur le plan physique et sur le plan métaphysique, me dit-elle en se remettant en marche. Les leys forment une sorte de… quadrillage véhiculant une énergie surnaturelle qui peut être utilisée par ceux qui savent comment procéder. Ces énergies influencent les gens qui vivent à proximité, qu'ils en soient conscients ou non, et même s'ils ne croient pas en l'existence de ces leys.

— Quelle sorte d'influence ?

— De différentes manières. Au plan le plus fondamental, il existe une corrélation entre les énergies transmises par les leys de l'endroit et la santé psychique des gens qui y vivent. Un malaise d'ordre spirituel parmi la population résidente peut provoquer une altération des leys, mais dans l'autre sens une malfaisance transportée par les leys peut déclencher de la nervosité, du désarroi, et même de l'agressivité chez ceux qui vivent à proximité. C'est justement de la malfaisance que la Thulé cherche à introduire en Grande-Bretagne.

— Et c'est ce que nous allons empêcher.

— Avec un peu de chance, oui. Mais en Grande-Bretagne le réseau des leys est extrêmement complexe et étendu. On trouve des leys et des lignes de force partout dans le monde – par exemple, on les appelle « pistes du Dragon » en Chine –, mais pour des raisons que personne ne peut réellement expliciter, elles sont beaucoup plus puissantes ici que n'importe où ailleurs. Beaucoup de gens, et j'en fais partie, pensent que cette concentration de puissance est consécutive à des actions perpétrées il y a des millénaires par ceux qui peuplaient ces îles, à l'époque préhistorique. Les Celtes anciens semblent avoir entretenu une affinité particulière avec les leys et des formes similaires d'énergies psychiques canalisées. Avec le temps, le réseau s'est développé en même temps que la population, comme les rides sur le visage d'une vieille femme, bien que peu de gens s'en rendent compte. Les membres de la Thulé comptent hélas parmi ceux qui sont très au fait de cette situation. Mais comme je l'ai déjà dit, leur attachement aux coutumes et aux rituels celtiques est considérable.

Nous quittâmes High Street pour nous engager dans une rue parallèle sombre et déserte. Nous marchâmes sur environ trois cents mètres pour enfin faire halte devant un terrain envahi par la végétation, et clos d'une grille de fer verrouillée.

— Vous avez dit que les leys existaient également sur le plan physique, rappelai-je.

— En effet, dit Uma.

Elle balaya la rue d'un regard furtif, dans un sens puis dans l'autre, avant de hocher la tête à l'intention de Siobhan. Cette dernière ouvrit sa petite valise et en sortit un trousseau de crocheteur de serrures professionnel. En quelques secondes, elle avait ouvert la grille.

— Pratique, observai-je.

— Tu peux le dire, pignouf, railla Siobhan.

Nous entrâmes et Uma repoussa la grille derrière nous. Les herbes et les plantes sauvages nous arrivaient à la taille, et des bouteilles brisées jonchaient le sol, ainsi que des batteries de voiture usagées. La lueur de la lune et la lumière provenant des rues adjacentes étaient bloquées par les immeubles avoisinants, et l'on n'y voyait pas grand-chose, cependant Uma ouvrait la marche avec autant d'aisance que si nous étions en plein jour. Nous approchâmes du mur au fond du terrain, percé par une porte basse. Un bruit suggérait qu'il y avait de l'eau courante de l'autre côté. Un autre signe à Siobhan, et l'Irlandaise se chargea d'ouvrir la porte.

— Tu te débrouilles aussi bien avec les cabines téléphoniques ? m'enquis-je tandis que nous franchissions l'étroit passage.

Siobhan me répondit d'un sourire malicieux.

Nous nous retrouvâmes sur un étroit chemin empierré qui longeait la berge d'une petite rivière tumultueuse, dont les eaux reflétaient le clair de lune. Le courant, qui avait tout d'un petit torrent, s'étalait sur une largeur d'à peine trois mètres et ne semblait pas très profond. D'un côté il disparaissait sous High Street, de l'autre il se fondait dans les ténèbres.

Juste en face de nous se dressait un bâtiment à demi effondré surmonté d'un minaret d'aspect frêle, qui ne devait pas culminer à plus de six mètres.

— Naguère, ce fut la tour d'un alchimiste, dit Uma.

J'estimai le terme « tour » un peu exagéré, mais peut-être les alchimistes étaient-ils gens de petite taille. Cette idée reçut un début de confirmation quand je vis Pahoo observer le minaret avec un respect mêlé de crainte sur son visage.

Nouveau signe d'Uma, troisième démonstration de Siobhan, et nous pénétrâmes dans les lieux.

Quiconque possédait l'endroit aujourd'hui n'était certainement pas alchimiste. Des rouleaux empilés de papier hygiénique étaient alignés le long des murs de ce qui n'était qu'une seule pièce carrée d'environ cinq mètres de côté. Je repérai l'échelle qui permettait d'atteindre une trappe ouverte dans le plafond, et le minaret. Poussé par la curiosité, je grimpai quelques degrés et ne fus pas surpris outre mesure de découvrir que l'étage supérieur était encombré de rouleaux de papier toilette.

— Si ça ce n'est pas une preuve attristante de l'état de la magie dans le monde moderne, fis-je, je ne sais pas ce que c'est.

J'avais cru plaisanter, mais je vis Pahoo acquiescer gravement et l'expression d'Uma me suggéra qu'elle ne me croyait pas capable d'une telle profondeur. Jusqu'à Siobhan qui parut trouver une certaine saveur à ma réflexion.

Uma se mit sur les genoux et les mains et tâtonna sur le sol. Siobhan tira une lampe-stylo de sa mallette et en fit courir le pinceau lumineux sur le plancher en bois devant elle.

— Ce devrait être… Voilà! s'exclama Uma.

Elle avait repoussé une pyramide de rouleaux et tirait sur un anneau serti dans le sol. Siobhan me confia la lampe-stylo et alla lui prêter main-forte. Un instant plus tard, elles avaient ouvert la trappe.

Nous nous regroupâmes autour pour voir ce qu'il y avait en dessous. Je fis courir le doigt de lumière ici et là, mais il ne révéla qu'une sorte de petite cave, elle aussi pleine de papier hygiénique.

— C'est bien ça, souffla Uma.

— C'est bien quoi? demandai-je.

— Le chemin qui mène à la cathédrale.

— Ah, conclus-je, avec toujours autant d'à-propos.

— Ce tunnel suit précisément le tracé d'un des leys les plus puissants, me dit Uma.

Torche électrique en main, Siobhan ouvrait la marche, suivie de l'Indienne et moi, tandis que Pahoo traînait derrière. Il m'avait pris la lampe-stylo et s'arrêtait fréquemment pour examiner les gravures et les graffitis dans les parois. Un couple stylisé que je vis me fit penser à la rune imprimée au fer sur la peau de Pahoo.

— Comment savez-vous tout ça? demandai-je à Uma.

— Pour une bonne part, je le sens. Pas vous?

Il faisait trop sombre pour que je me rende compte à son expression si elle me chambrait, et sa voix ne trahissait rien. J'essayai d'être le plus réceptif possible, mais je ne ressentis qu'un courant d'air froid sur ma nuque.

— Non, avouai-je.

— Cela ne fait rien. On peut aussi s'orienter d'après les

repères physiques qui ponctuent le parcours des lignes de force.

— La tour de l'alchimiste est donc un de ces repères ? Mais si oui, vous n'avez pas besoin de deux points pour tracer une droite, vous ?

— Observation judicieuse. On trouve beaucoup plus de deux points pour marquer le tracé d'un ley. Dans le cas présent, la tour de l'alchimiste et la cathédrale suffisent, mais il s'agit d'un ley très puissant et nombre d'autres repères le ponctuent. Si nous devions suivre ce tunnel dans l'autre direction, il nous mènerait à un tumulus funéraire romain. Le tunnel ne va pas beaucoup plus loin au-delà, il s'arrête aux ruines d'un ancien autel druidique, dans les collines. Et si l'on continue au-delà de la cathédrale, dans la direction que nous empruntons en ce moment, on finit par arriver au centre d'un cercle de pierres celtiques.

— Et qui a creusé ce tunnel ?

— Il date de l'époque romaine, je pense. Bien qu'il ait beaucoup servi depuis.

Je m'arrêtai net et contemplai la voûte au-dessus de moi avec une certaine appréhension.

— Et parmi ceux qui l'ont emprunté depuis les Romains, est-ce qu'il y a eu des, hum, ingénieurs des travaux publics ?

— Marty, ce tunnel tient bon depuis deux mille ans. Il est protégé par le pouvoir d'un ley majeur. Je pense qu'il tiendra encore cette nuit.

Je me remis à marcher. À un endroit le souterrain s'élargit en deux branches qui contournèrent une épaisse colonne de pierre avant de se rejoindre. Je plaquai les mains contre la pierre et la trouvai très froide.

— Qu'est-ce que c'est ?

— Un puits, répondit Uma. De ce que j'ai compris, il date lui aussi de l'époque romaine, mais certaines légendes prétendent qu'il est beaucoup plus ancien. Dans une langue, il est appelé « Le Puits des Âmes ».

— Flippant, commentai-je.

— Un peu, reconnut Uma.

Je levai de nouveau le regard au-dessus de ma tête.

— Et où ressort-il ?

— Dans les sous-sols de Boots.

— Boots, ce n'est pas une chaîne de grands magasins, ici ?

— En effet.

— Ah, alors dans l'ancien temps, pour trouver un ley, il fallait partir d'une cathédrale ou d'un cercle de pierres, et aujourd'hui il faut chercher dans un centre commercial…

— Il faut accepter la magie là où on la trouve, dit Uma, qui ne semblait pas très heureuse de cette philosophie.

— Mais au fait, comment connaissez-vous tous ces trucs ? dis-je.

Cela parut la laisser interdite, et elle me considéra d'un air curieux.

— Qui jouait Uncle Joe dans *Petticoat Junction* ? me demanda-t-elle.

— Edgar Buchanan, répondis-je automatiquement. Mais…

— Et qui a réalisé *En quatrième vitesse* ?

— Robert Aldrich. Évidemment.

— Comment connaissez-vous tous ces trucs ? me parodia-t-elle.

— C'est mon… mon boulot, dis-je, en comprenant enfin.

Elle me sourit gentiment.

Nous parcourûmes encore quatre cents mètres environ avant que le tunnel ne commence à se rétrécir et à s'incliner vers le bas. Bientôt nous dûmes nous courber pour ne pas nous cogner à la voûte. Sauf Pahoo.

— Je suis heureux de ne pas souffrir de claustrophobie, maugréai-je.

Uma me lança un regard rapide par-dessus son épaule, pour me faire comprendre que ma tentative pour nier une phobie mineure chez moi avait été trahie par le ton de ma voix.

— Nous ne sommes plus très loin, dit-elle pour me rassurer. Nous nous trouvons à présent sous le terrain où est bâtie la cathédrale. La crypte ne devrait pas être à plus de cinq cents mètres.

Le temps que je convertisse les mètres en pieds, le tunnel

s'était évasé et donnait sur une longue chambre ovale. Nous étions arrivés.

— Je peux poser une question stupide ? risquai-je.

— Pourquoi changer d'habitude ? glissa Siobhan.

Derrière nous, Pahoo émergea du tunnel.

— Pourquoi avoir pris tous ces détours pour venir ici ? Je veux dire, Siobhan ici présente semble assez douée pour ouvrir les serrures, et ça ne doit pas être bien difficile de s'introduire dans une cathédrale.

— Détrompe-toi, fit l'Irlandaise.

— Elle est en fait très bien gardée, Marty, approuva Uma. Souvenez-vous que la cathédrale de Canterbury est le siège de l'Église Anglicane. C'est un lieu de première importance, aussi bien historiquement que politiquement. Des patrouilles de police effectuent des rondes régulières et un système de vidéosurveillance perfectionné a été installé. C'est une cible potentielle rêvée pour des terroristes.

— Qui pourrait rêver d'un acte aussi lâche ? ironisa Siobhan avec un rictus très déplacé dans ce sous-sol sacré.

— Le chemin que nous avons pris est beaucoup plus sûr, poursuivit Uma. Et nous bénéficions de l'avantage psychique de suivre le tracé d'un ley. Son énergie nous entoure et nous protège.

— Et personne d'autre n'est au courant de l'existence de ce souterrain ?

— Quelques membres de la hiérarchie ecclésiastique, très certainement, mais ils croient qu'ils sont les seuls. Ils ont leurs propres intérêts dans le passé et l'existence des leys et des tunnels, aussi ne font-ils rien pour les condamner.

Siobhan posa sa torche électrique sur le sol, faisceau braqué sur une grande porte en pierre. Elle n'était munie d'aucune serrure, seulement d'un large anneau d'acier à mi-hauteur. L'Irlandaise le tira de toutes ses forces, mais en vain. Je vins joindre mes efforts aux siens.

— Foutrement galant de ta part, grogna-t-elle.

À deux et en nous échinant de notre mieux, nous éprouvâmes toutes les peines du monde à entrouvrir le panneau assez pour qu'on se glisse de l'autre côté. La raison en était simple : la porte était taillée d'une pièce dans le granite, et épaisse d'au moins vingt-cinq centimètres. Dieu seul savait comment on avait fait pour l'installer ici.

Uma ramassa la torche électrique et nous précéda, Siobhan sur ses talons, moi derrière et, comme à son habitude, Pahoo en arrière-garde.

Nous nous enfonçâmes dans un autre tunnel identique au premier, sinon que ses parois étaient dépourvues de toute inscription, et aussi lisses que les fesses d'un bébé. Il faisait sombre, mais hormis la lumière projetée par la torche d'Uma, il régnait ici une vague lueur d'origine inconnue. Pas suffisante pour lire le *L.A. Times*, mais bon, il n'y en avait pas un seul exemplaire à disposition, de toute façon, et c'était assez pour garder ma claustrophobie enchaînée.

Le deuxième tunnel déboucha dans une très vaste salle d'au moins trente mètres sur quinze, dont le plafond s'élevait à six mètres, peut-être un peu plus. Les parois étaient d'une pierre noire sans défaut, avec une série de faibles lumières placées à intervalles réguliers près du plafond. Un escalier de pierre à l'autre bout menait, du moins je le supposai, au niveau supérieur et dans la cathédrale elle-même. Pas de fenêtre, ni de porte. Le tunnel par lequel nous étions arrivés constituait le seul accès souterrain.

— Où sommes-nous ? interrogeai-je.

— Dans la crypte de la cathédrale de Canterbury, répondit Uma. La véritable crypte.

Le sol était incrusté d'un motif incroyablement compliqué de runes. Du moins, c'est ce qu'elles semblaient être pour moi. Les motifs étaient gravés dans le marbre poli et rehaussés par un colorant ou une laque qui les faisait presque luire, même dans l'éclairage chiche de la salle. Il y en avait des milliers, qui s'enchevêtraient et se superposaient, comme un graffiti dément, mais je sentais aussi un ordre subliminal dans leur disposition.

Un tombeau rectangulaire trônait au centre exact de la crypte. De la taille d'une limousine, il était parfaitement noir et lui aussi luisant. De quelle matière était-il fait ? Onyx ?

Obsidienne ? – je ne suis même pas sûr de connaître l'aspect exact de l'obsidienne. En tout cas sa surface parfaitement unie brillait comme un miroir noir. Sa vue me fit penser au mur du Vietnam War Memorial, à Washington, à ce détail près qu'ici il n'y avait aucune inscription, et qu'il se dégageait de la chose un pouvoir encore plus grand.

Il était difficile de détourner le regard du tombeau et des runes, mais je jetai un coup d'œil aux autres. Pahoo restait bouche bée. Même Siobhan paraissait impressionnée. Quant à Uma, son visage reflétait quelque chose comme un orgasme cosmique. Elle avait écarté les bras et tourné les paumes de ses mains vers le sol, comme s'il émanait du marbre quelque chose qu'elle seule pouvait ressentir.

Mais cette fois, j'avais bien l'impression de détecter quelque chose, moi aussi… Un léger picotement et comme un bourdonnement bas et profond. Mais peut-être n'était-ce là que de l'autosuggestion.

— Qui est là-dedans ? murmurai-je en désignant le tombeau.

Uma ouvrit lentement les yeux, expira et inspira à fond.

— Pendragon, chuchota Pahoo.

Siobhan secoua la tête négativement.

— Cuchulain, dit-elle. Ses ennemis ont amené son corps d'au-delà de la mer. Les Rosbifs l'ont gardé ici depuis des siècles pour interdire à sa dépouille de reposer sur son sol natal.

— Non, intervint à son tour Uma. Ici reposent les ossements de St. Thomas Becket.

— Non, fit Siobhan.

— Impossible, insista Pahoo.

Uma se contenta de hocher la tête avec conviction.

— Bordel, mais de quoi parlez-vous ? m'exclamai-je un peu trop fort.

Aussitôt je plaquai une main sur ma bouche. Il n'y a pas une once de religiosité en moi, que je sache, mais l'endroit ne me semblait pas du tout approprié pour un juron.

Uma respira encore à fond, et répéta :

— Vous êtes en présence de la dernière demeure de

St. Thomas Becket.

— Le type dans le film de Fred Zinneman ? Comment ça s'appelle, déjà… *Un Homme pour l'éternité* ?

Les trois autres me fusillèrent du regard.

— C'est Thomas More dans le film, idiot, cracha Siobhan.

— Mon pote, déclara Pahoo d'un ton peiné, je ne voudrais pas de ton karma même contre tout l'or du Pérou.

Uma ébaucha un sourire.

— Les historiens nous apprennent que Thomas Becket fut archevêque de Canterbury de 1162 à 1170. Il a été assassiné dans la cathédrale par des tueurs au service de Henry II avec qui il avait eu un grave différend d'ordre politique. Une série de miracles fut alors observée et Thomas fut canonisé. La légende est à la base du statut de Canterbury comme lieu de pèlerinage. Dans *Les Contes de Canterbury*, c'est vers le tombeau de Becket que les pèlerins convergent.

— Et qu'est-ce que ses os ont de tellement important ?

— Cette version ne nous dit rien de ce qui s'est réellement produit à l'époque, dit Uma.

— Pas étonnant, marmonna Pahoo.

— Thomas Becket était bien archevêque de Canterbury, et il a bien été assassiné par des agents du Roi.

— Mais… ?

— Mais Becket était, en réalité, un sorcier adepte de la magie noire qui se servait de l'église pour dissimuler ses propres incursions dans le royaume du Mal. Cette cathédrale se trouve au point de croisement de trois leys majeurs. En fait, la tombe marque l'endroit exact où se focalise leur influence. C'est pour cette raison que les Romains ont construit un temple ici, et pourquoi les forces religieuses et magiques ont toujours été si puissantes à Canterbury depuis des siècles. Becket désirait puiser dans ces forces pour parvenir à des fins personnelles. D'une certaine façon, il s'était allié avec la Thulé de l'époque, et son but était de renverser la monarchie pour établir une théocratie dont il aurait été le représentant suprême. Les assassins envoyés par Henry étaient également des créatures dotées de pouvoirs magiques. Ils vainquirent Becket au terme d'un affrontement magique qui perdura après l'extermination physique de Becket. Ce qui explique les prétendus miracles observés ensuite. La hiérarchie de l'Église a pris grand soin d'occulter le passé inavouable de Becket.

— Et les pontes de l'Église, l'archevêque et le Grand Chichimboum ou je ne sais quoi, ils sont au courant de tout ça ? demandai-je.

— Bien entendu. Ils ont conservé la tombe intacte, parce qu'ils redoutent ce qu'elle contient. L'existence de cette crypte n'est connue que de quelques-uns. Il existe une fausse crypte, à la verticale de celle-ci, pour abuser le public, et on prétend que les restes de Becket ont été perdus à jamais. Mais que gagnerait l'Église à révéler la vérité ? Cet endroit, la légende de Becket sont au cœur de l'Église d'Angleterre. L'Église ne veut pas admettre qu'il y a des homosexuels parmi ses prêtres, vous vous attendez à ce qu'elle confesse que son saint patron était un sorcier qui pratiquait la magie noire et qui s'était ligué avec les forces des Ténèbres ?

— Euh, non. Mais je m'inquiète de toutes ces choses parce que…

Uma soupira.

— Parce que plus ça change, et plus ça reste la même chose. Tout comme il y a une dizaine de siècles, Becket a essayé de dévoyer cet endroit et le pouvoir des leys, aujourd'hui c'est la Thulé qui tente la même chose. C'est pour cette raison que vous êtes ici, Marty.

— Et que suis-je supposé faire ?

— Rien pour l'instant. Vous cantonner à un rôle d'observateur. Cette phase, c'est moi qui dois l'assumer. Votre moment viendra.

Je n'étais pas certain de parfaitement comprendre ce qu'elle voulait dire, et je trouvais à ses propos une consonance d'assez mauvais augure, mais je me fis une raison en me rappelant que les lignes de force, les tunnels secrets et les archevêques sorciers n'étaient pas comparables à une soirée au Dodgers Stadium.

Uma prit dans la mallette noire de Siobhan un couteau à lame en argent et poignée noire en accord avec la pierre du tombeau de Becket. Pahoo s'était accroupi et caressait du bout des doigts les symboles gravés dans le marbre du sol, mais il se releva lorsque Uma avança vers le tombeau.

D'un geste, l'Indienne lui intima l'ordre de ne pas la suivre.

Elle marcha vers le centre de la crypte, mais pas en ligne droite. Elle gardait le regard fixé sur les runes au sol, comme s'il s'agissait d'un mode d'emploi. Elle décrivit ainsi un cercle autour de la tombe, qu'elle effectua en se déplaçant avec la grâce aérienne d'une ballerine. Les runes s'arrêtaient au bord d'un cercle cannelé situé au périmètre de la tombe. Uma exécuta une petite pirouette et abandonna la dernière rune pour se placer sur le marbre poli du cercle intérieur.

Tout en la regardant qui valsait ainsi, je notai une intensification de cette impression de picotement déjà éprouvée auparavant. Je m'accroupis et plaçai mes mains à l'horizontale, à quelques cent mètres au-dessus des runes. Je sentis comme une pression contre mes paumes, semblable à un champ magnétique diffus. Je retournai mes mains et aussitôt les petits poils entre les articulations se hérissèrent. Je jetai un coup d'œil à Siobhan. Elle observait Uma avec une grande intensité. Je pense qu'elle n'aimait pas la voir hors de sa protection immédiate. En particulier dans un endroit aussi inquiétant.

Uma s'était agenouillée près du flanc du tombeau. Tenant le couteau dans sa main gauche, elle glissa la droite dans son corsage et en ressortit l'amulette qui pendait à son cou au bout d'une chaîne. Je l'avais déjà remarquée deux ou trois fois dans la journée, mais elle ressemblait à ces cristaux qu'on trouve dans toutes les librairies New Age, qui ne m'avaient jamais beaucoup inspiré. Elle détacha l'amulette de la chaîne.

Je me rendis alors compte que le bijou était similaire à celui que Dasra avait utilisé pour aveugler les salopards qui m'avaient agressé dans l'East End.

Uma se mit à chanter dans une langue inconnue que je supposai être de l'hindi. Un moment elle tourna l'amulette entre ses doigts tout en psalmodiant, puis elle se redressa et décrivit des cercles lents autour du tombeau, trois complets, avant de placer l'amulette sur le haut du monument, en son centre exact.

Ensuite elle fit passer le couteau dans sa main droite et retomba à genoux devant une des extrémités de la tombe. Elle reprit son chant et, de la pointe du couteau, grava quelque chose dans la pierre luisante. Je ne distinguai pas le motif du dessin, mais le crissement suraigu de l'acier sur la pierre me donna la chair de poule, et je suis sûr qu'à la surface il réveilla les chiens à deux kilomètres à la ronde. Elle passa du côté où je ne pouvais la voir et, sans cesser de chanter, grava autre chose, comme les poils de mes bras et de ma nuque me le confirmèrent. Puis elle passa à l'autre extrémité et répéta l'opération, avant de réapparaître à notre vue pour s'occuper de la quatrième surface verticale de la tombe.

Tout d'abord je n'arrivai pas à croire ce qu'Uma gravait dans la pierre, mais le symbole était trop familier pour se méprendre, avant même qu'elle ait terminé.

Elle inscrivait avec soin de petits svastikas.

— Qu'est-ce que… commençai-je.

Mais Siobhan étreignit mon biceps dans l'étau d'une de ses mains et de l'index de l'autre barra ses lèvres pour me suggérer le silence.

Il suffit d'interrompre la circulation sanguine d'un de mes bras pour que je comprenne ce genre de message.

Uma termina la dernière croix gammée, se remit debout et chantonna encore quelques paroles. Puis elle se tourna vers nous, mais j'eus le sentiment qu'elle ne nous voyait pas. Reportant son attention sur le tombeau, elle brandit le couteau au-dessus et l'abattit de toute sa force sur l'amulette.

Dans la fraction de seconde avant que la pointe d'acier ne le fasse exploser en mille morceaux, je crus voir le cristal briller d'un pâle éclat pourpre. Je suis sûr – enfin, pratiquement sûr – que je ressentis un spasme intérieur dans ce champ magnétique où j'étais entré.

Tout cessa immédiatement, et Uma marcha vers nous, en ligne droite, sans se soucier des runes.

Elle s'effondra juste avant de nous atteindre. Siobhan ne la rattrapa que parce qu'elle est la créature sur deux jambes la plus rapide que j'aie jamais vue.

Je veux dire : la créature humaine.

J'avais tout un tas de questions à poser – à commencer par la raison qui poussait Uma à graver des croix gammées sur la tombe de St. Thomas Becket – mais le moment ne se prêtait pas à ce genre de quiz.

Uma revint à elle au bout de deux ou trois minutes, mais elle eut du mal à se tenir debout seule. Cependant elle insista pour que nous partions sans tarder, ce que nous fîmes. Pahoo prit la torche électrique et alla en premier en sens inverse, vers la tour de l'alchimiste. Soutenue par Siobhan, Uma suivait, et je fermai la marche. Très vite j'eus la désagréable impression que nous étions suivis dans le tunnel, pourtant les ténèbres derrière nous demeuraient impénétrables et les seuls sons audibles étaient la respiration heurtée de Uma et le frottement de nos semelles sur la pierre. Quand enfin nous parvînmes dans la cave sous le minaret, je fus le plus heureux des hommes à voir un stock de papier toilette.

À notre retour dans High Street, Uma semblait déjà aller mieux. Elle n'avait plus besoin de l'aide de Siobhan et elle m'adressa un sourire pour me rassurer lorsque je l'interrogeai du regard. Nous regagnâmes notre Bed and Breakfast peu avant deux heures du matin. Le temps que nous gravissions l'escalier et que Pahoo ouvre la porte de notre chambre, la tension accumulée en moi depuis le matin déferla en une vague de fatigue subite. Je pense qu'à cet instant ma suite au Savoy ne m'aurait paru pas plus accueillante que mon lit étroit ici. Je fis un passage éclair dans la salle de bains, puis me déshabillai et m'écroulai sur la couche.

Même le ronflement de Pahoo ne m'aurait pas empêché de m'endormir sur-le-champ.

12

Le petit déjeuner au Bed and Breakfast ne fut pas plus agréable que le lit. J'avais très mal dormi, en bonne partie grâce au ronflement de Pahoo. Il paraît que je ne suis pas la plus sociable des compagnies au réveil quand je suis de bonne humeur – mes deux ex-femmes ont mentionné ce fait lors des procédures de divorce – mais une mauvaise nuit de sommeil pour couronner nos exploits étranges sous la cathédrale ne fit rien pour arranger les choses.

— Bonjour! lança gaiement Uma lorsque j'entrai dans la salle à manger.

Une demi-douzaine de tables étaient occupées, et une seule libre. À la leur, Uma était assise devant un jus d'orange, pendant que Siobhan engloutissait une mixture indéfinie aussi vite qu'il était imaginable. Je crus reconnaître la forme de saucisses nageant dans des œufs brouillés baveux et des morceaux de ce qui était soit le cœur d'un porc malade, soit une tomate.

— Salut, grommelai-je.

— Vous avez bien dormi?

— Non.

Uma me considéra avec attention.

— Quelque chose ne va pas?

— Il ronfle.

Siobhan éclata de rire, et une goutte de lait coula de sa narine gauche.

— Où est le Gardien des Poubelles, au fait? ajoutai-je.

— Pahoo nous a dit qu'il fallait qu'il aille faire un tour.

— Je parie qu'il n'a pas parlé de prendre une douche ?
Ou de passer au lavage de voitures ?

Uma fit non de la tête. À ce moment précis, la serveuse,
qui était la femme rencontrée la veille, vint se camper devant
moi, mains sur les hanches, et me toisa d'un air fermé,
comme si je lui faisais perdre son temps.

— Ouais ? fis-je.

— Petit déjeuner complet ou seulement lait et céréales ?

Je coulai un regard à ce qui restait dans l'assiette de Siobhan. Pas très appétissant.

— C'est le petit déjeuner complet, ça ? m'enquis-je.

— Oui.

— Alors juste du lait et des céréales.

Elle désigna une desserte placée dans un coin de la pièce
et tourna les talons. Je vis une cruche à demi pleine de lait,
une boîte de Rice Krispies, une de corn flakes au rabais et
des bols ébréchés empilés.

— Je pourrais avoir un peu de café ? lançai-je au dos de
la matrone.

Sans même se retourner elle tendit un doigt vers une
autre desserte adossée contre le mur opposé.

— Bon sang, qu'elle n'espère pas un pourboire, grognai-
je.

— Personne n'en attend, dans ce foutu pays, dit Siobhan.
C'est bien là le problème.

Je me sentais un peu mieux après avoir mangé mes Rice
Krispies, et ça s'améliora après quatre tasses de café, mais
j'aurais volontiers cédé à une petite sieste. Pas le temps
cependant, car Uma insista pour plier bagage et repartir.
Nous dûmes attendre une demi-heure de plus le retour de
Pahoo, qui ne prêta aucune attention à notre impatience.
Siobhan me réprimanda pour ne pas avoir rassemblé les
affaires du nain joueur de didgeridoo pendant que nous
poirotions mais je ne tombai pas dans le piège. Elle monta
à l'étage pour le faire elle-même, et redescendit quelques
minutes plus tard.

— Je m'excuse, dit-elle, et de surprise je faillis en avaler ma langue. Peut-être que tu as un peu de bon sens, finalement.

Par bonheur Pahoo voyageait avec peu de bagages, de sorte que dix minutes après son retour la note était payée et nous prenions la route. Je me retrouvai coincé à l'arrière, avec mon ami miniature, mais il me parut sentir un peu moins mauvais. Ou alors je commençais à m'habituer à son parfum. J'aurais pu penser qu'il avait pris un bain, mais ses cheveux pendaient toujours en paquets semblables aux lichens accrochés aux murailles du château de Dracula. Il se recroquevilla dans son coin et se rendormit. Et il se remit à ronfler. Heureusement ses grognements porcins se noyèrent dans le vacarme du moteur et le hululement du didgeridoo.

Siobhan n'empruntait que les petites routes, et nous n'allions pas très vite, mais je me sentais d'humeur assez paresseuse pour ne pas m'en soucier. Avec les vitres baissées, la caresse du soleil et l'odeur de Pahoo en partie annulée par le vent, je me coulai lentement dans le rythme de notre voyage. Jusqu'à ma mauvaise humeur qui se dissipa quelque peu, bien qu'il ne fût que neuf heures et demie. Nous roulions depuis une demi-heure quand je me rendis compte que j'ignorais notre destination.

— Alors, quel est le programme pour aujourd'hui ? lançai-je.

Uma lisait le journal du matin. Je n'ai jamais pu lire dans un véhicule en mouvement sans avoir la nausée. Le seul fait de la voir le faire me réveilla l'estomac.

— Nous nous dirigeons vers l'ouest, répondit-elle par-dessus son épaule. Dans les Cornouailles, un endroit appelé Tintagel. C'est là que se trouve le deuxième nœud de leys qui nécessitent nos dévotions.

— Bon, encore une séance de vaudou. Super. Et ensuite ?

— L'Écosse, si tout se déroule comme prévu. Dwarfie Stane, un endroit situé à l'extrême nord du pays. Mais chaque chose en son temps, Marty. Cette affaire est délicate.

— À combien sommes-nous de Tintagel ?

Uma consulta Siobhan du regard.

— Cinq cents kilomètres? proposa-t-elle.

— Plus ou moins, répondit l'Irlandaise. Il n'y a pas d'itinéraire direct par le réseau autoroutier, et cela nous prendra au moins six heures dans ce bolide. Vous voulez toujours faire une halte?

— Oui. Inutile de nous presser, tant que nous arrivons pour le coucher du soleil. Profitez du panorama, Marty. C'est une vision très différente de l'Angleterre que celle connue de la plupart des touristes. Vous avez la chance de découvrir le pays réel, l'Angleterre véritable.

— Je suis un type drôlement verni, marmonnai-je.

Dans le rétroviseur, je vis Uma qui fronçait les sourcils en me regardant, puis elle se replongea dans la lecture de son journal.

D'accord, j'étais peut-être encore légèrement de mauvais poil.

Je finis par somnoler sur la banquette arrière. À leur façon, le grondement du petit moteur et les vibrations entraînées par le simulacre de suspension de l'auto vous berçaient. Je ne rouvris les yeux que lorsque nous nous arrêtâmes, et je fus ébahi de constater que j'avais dormi pendant presque deux heures. Et heureux de ne pas avoir fait de cauchemar.

— Où ça en est? m'enquis-je après avoir bâillé.

Siobhan et Pahoo étaient déjà sortis du véhicule pour se dégourdir les jambes.

— C'est l'heure de déjeuner, annonça Uma en désignant un pub de l'autre côté de la chaussée.

L'enseigne représentait une vieille femme à l'air triste serrant contre sa poitrine un cadre de photo vide, en un dessin au raffinement étonnant. L'endroit s'appelait The Broken Promise. La Promesse Rompue.

— Chouette, fis-je. Je prendrai une soupe de promesse rompue.

— Ces pubs campagnards proposent souvent une excellente cuisine, Marty. Vous pourriez bien être surpris.

Je sortis à mon tour de la Mini et traversai la route derrière les autres. Uma et Pahoo se dirigèrent immédiatement vers les toilettes, je décidai donc d'accompagner Siobhan au bar. Je devinai que le serveur derrière le comptoir n'était pas impressionné outre mesure par notre quatuor – qui l'aurait été ? – mais le reste de sa clientèle se résumait à un vieux bonhomme édenté qui parlait tout seul dans un coin, et notre hôte parut satisfait de la couleur de notre argent.

Mon demi de Stella Artois et un exemplaire de la carte en main, j'allai m'attabler près de la devanture. Siobhan m'accompagna, mais ne s'assit pas. Elle attendit le retour d'Uma et de Pahoo pour les remplacer. Elle avait commandé du thé pour la jeune femme, un demi pour le nain au didgeridoo et une eau minérale avec du citron pour elle-même. Pahoo brandit son verre et en examina le contenu par transparence.

— Déjà bu ta propre pisse ? demanda-t-il.

J'étais en train de prendre une bonne goulée de Stella quand il posa la question, et je réussis à tourner la tête de côté assez vite pour éviter de recracher le liquide au visage de Uma. Mais j'arrosai la fenêtre d'une véritable douche de bière et de salive. Un coup d'œil au patron me confirma qu'il n'appréciait pas du tout. J'essuyai la vitre avec ma serviette, mais la bière ne vaut décidément pas le Glassex. Par chance, le panorama de la rue n'avait rien d'inoubliable.

— Merci beaucoup, grondai-je à l'adresse de Pahoo.

— Désolé, fit-il en s'esclaffant à moitié.

Uma faisait de son mieux pour garder son sérieux. Seuls le patron et moi ne goûtions pas du tout le sel de la situation.

— Pourquoi cette question stupide ?

— Donc tu n'as jamais essayé ? insista Pahoo.

Je le contemplai fixement, sans répondre. Il se tourna vers Uma qui ferma les yeux et secoua la tête.

— Eh bien, tu devrais, mon pote, conclut le nain.

— Il devrait faire quoi ? s'enquit Siobhan en s'asseyant.

— Boire sa propre urine.

— Je l'ai fait, moi, lâcha l'Irlandaise.

— Tu plaisantes.

— Certaines personnes affirment que c'est une source de grande force naturelle, et de vitalisation du corps. Que l'urine a des vertus fortifiantes. J'ai des amis qui en sont persuadés.

— Tu vois, fit Pahoo.

— Mais ça ne m'a pas fait grand-chose, à moi. J'ai fait l'expérience pendant deux mois, et puis j'en ai eu marre.

— Oh, mais ce n'est pas assez long, dit Pahoo. Il faut en boire régulièrement pendant au moins six mois pour commencer à ressentir les effets.

— Peut-être bien. Mais il n'est pas toujours très facile d'expliquer ça à des gens dont vous partagez l'intimité. Tout le monde n'est pas aussi… – elle me lança un regard rapide – ouvert d'esprit sur les modes de vie différents. Et je dois admettre que ce n'est pas la chose la plus agréable au monde.

— Voilà un scoop, intervins-je. On ameute les médias ?

— Ce n'est pas aussi mauvais que tu pourrais le penser. Mais enfin, ce n'est quand même pas de la Guinness. Même pas de la Murphy.

Je consultai le menu.

— Je sais déjà ce que je ne prendrai pas, déclarai-je. Ce n'est pas un de vos bons petits pubs de l'Angleterre profonde, je me trompe ?

Uma fit une grimace et eut un mouvement négatif de la tête.

— Bon, je me rabattrai donc sur les Fish and Chips.

Les autres firent leur choix et Uma alla passer la commande au bar. J'aurais aimé prouver ma galanterie en me déplaçant moi-même, mais j'étais trop embarrassé pour affronter le patron face à face. Je pris une petite gorgée de bière, en surveillant Pahoo du coin de l'œil.

Le repas fut… acceptable pour ce que j'identifiais rapidement comme étant un échantillon de la cuisine anglaise de base. Il est difficile de vraiment rater des Fish and Chips, même si j'eus quelques inquiétudes avec la salade campagnarde, en réalité quelques feuilles de laitue avec une rondelle d'oignon et une tomate très rouge et très molle. Mais je ne suis pas du genre à me plaindre.

— Quelle sauce proposez-vous pour la salade ? demandai-je au patron-serveur.

Il me dévisagea une bonne minute avant de répondre :

— Qu'est-ce que vous désirez ?

— Une sauce, pour la salade. Vous savez, un truc liquide qu'on met dessus ?

— Vous voulez de la sauce salade ?

En vérité je n'avais aucune idée si j'en désirais ou non. Je consultai les autres du regard, mais tous se détournèrent. J'aurais dû comprendre.

— C'est ça, de la sauce salade, oui.

À Durovernum, il faut vivre comme à Durovernum…

Le serveur disparut dans l'arrière-salle, et revint bientôt avec un ramequin contenant une substance poisseuse et blanchâtre. Ça ressemblait à, eh bien, la comparaison ne m'enchantait pas vraiment.

— On dirait du sperme, dis-je. Ce salopard est allé se branler en cuisine, c'est ça ? Tout ça parce que Pahoo m'a fait cracher sur sa fenêtre.

— Tu aimes bien foutre ta merde, hein ? gronda Siobhan entre deux fourchettes de hachis Parmentier. Je parie que tu étais enfant unique.

— Ce n'est qu'une sauce salade, Marty, vraiment, plaida Uma. Rien que ça.

— Et c'est fait avec quoi ?

— Mieux vaut ne pas poser la question, fit Siobhan.

Je remarquai qu'elle n'en nappait pas sa salade.

Je piquai ma fourchette dans la chose et en tamponnai les dents sur ma langue. Le goût évoquait vaguement la mayonnaise. Mais une mayonnaise passée, de la qualité la moins bonne. J'abandonnai.

— Vous n'aimez pas ?

— Je crois qu'elle n'a pas été convenablement réfrigérée.

— Il n'y a pas besoin de réfrigérer ce genre de sauce salade.

Le genre de réflexion qui ne me rassure pas vraiment.

— Disons que ça ne m'inspire pas assez. Bon, si j'ai envie de passer une journée avec la courante, je préfère la jouer ancienne mode et avoir de bonnes raisons d'être malade.

Je ne touchai plus à la salade.

— Alors, comment se fait-il que vous sachiez qui jouait Oncle Joe dans *Pettycoat Junction* ? demandai-je à Uma.

Nous avions repris la route. Uma avait cédé sa place à l'avant pour s'asseoir à l'arrière, avec moi. Dans un premier temps Siobhan n'avait pas eu l'air de beaucoup apprécier ce changement, mais dès que la voiture démarra, Pahoo se roula en boule et se rendormit. Depuis l'Irlandaise conduisait en fredonnant.

— J'ai été présidente du fan club local d'Edgar Buchanan. J'apprécie tout particulièrement sa performance d'acteur dans *Coups de feu dans la sierra*, de Sam Peckinpah. – J'en restai bouche bée, et elle crut bon de préciser : Je plaisantais, Marty.

— Dites donc, à vous tous vous n'auriez pas un scénario que vous essayez de refourguer, hein ? Je veux dire, tout ça n'est pas une ruse énorme pour dégoter un producteur ?

Uma rit, d'un rire d'enfant qui montait directement du ventre.

— Non. Aucun scénario. Bien que j'aie décroché un diplôme en cinématographie à la Polytechnic of Central London. Mais c'était il y a très longtemps, dans une vie très différente.

— Déjà vu *Les Mutinés* ? m'enquis-je.

— C'est de la merde ! aboya Siobhan avant de reprendre sa mélodie.

— Pas un de vos films les meilleurs, approuva Uma.

— *Pépées et Chevrolet* ?

— Un film d'Alan Smithee, non ?

— Exact. Mademoiselle l'étudiante je-sais-tout : et *Massacre au bazooka sur la plage* ?

— Celui-là m'est inconnu. Mais peut-être ai-je de la chance.

— Pas impossible. L'œuvre où en tant qu'artiste vous investissez votre cœur et votre âme n'est jamais appréciée à sa juste valeur de votre vivant, c'est bien connu. Quoique j'aie cru comprendre qu'il passait souvent sur CGN : Canal-GrosNichons.

— Vous avez mené une vie intéressante.

— C'est à cause d'une ancienne malédiction chinoise. Comme le porc mu-shu.

— Il vous arrive de prendre un sujet au sérieux, Marty ?

J'inspirai longuement, et soufflai de même.

— Seulement quand je ne peux pas faire autrement. C'est beaucoup plus sûr.

— Je me le demande, commenta Uma.

Siobhan continuait de conduire et de chantonner.

— Marty, réveillez-vous.

J'émis un borborygme simiesque et ouvris les yeux.

— Quoi ?

Je m'étais de nouveau assoupi après un autre arrêt pipi-essence – ah ! ce qui prouve bien qu'on apprend toujours – mais à présent Uma me secouait par l'épaule. Elle et Pahoo avaient réinvesti la banquette arrière, et malgré la désapprobation manifeste de Siobhan – un peu de cinéma, à mon avis –, l'Irlandaise avait accepté que je m'asseye à l'avant. Je ne pouvais quand même pas être pire que Pahoo, comme passager… Si ?

— Regarde devant toi, murmura Siobhan.

La voiture avait atteint le sommet d'une petite côte. Juste en face de nous, en contrebas, s'étendait la vallée où se trouvait Stonehenge.

— Ouah, soufflai-je, et je le pensais vraiment.

En dépit de Spinal Tap, Stonehenge est un de ces lieux qui, rien qu'en prononçant leur nom, font apparaître des sentiments sinistres chez chacun d'entre nous. C'est le symbole ultime du mystère, de l'inexpliqué et du tout simplement maboul. C'est un lien en contact direct avec notre passé, avec une partie de nous-mêmes en tant qu'espèce que nous ne comprendrons probablement jamais.

Je me souviens de ce jour, sur le tournage de l'avant-dernier film de ma première carrière d'acteur. C'était un long métrage d'horreur au budget ridicule, une histoire de fantômes supposée se dérouler en Angleterre, mais filmée dans les parages d'Encino. Malgré tout, ce n'était pas un mauvais projet, car le jeune type qui avait écrit le scénar et qui tournait l'histoire, s'il n'avait pas assez d'argent pour en faire un film décent, était un vrai réalisateur bourré de talent. Dommage qu'il soit mort depuis, dans un accident automobile. Il avait convaincu Peter Cushing d'accepter un petit rôle, pratiquement gratis. Cushing était gentleman jusqu'au bout des ongles, et supportait tous les outrages sur le plateau sans ciller ni se plaindre. Enfin, jusqu'à ce que sur un coup de tête le réalisateur modifie le script pour y inclure une référence tordue à Stonehenge.

— Non, avait dit Cushing. Pour vous ce n'est peut-être qu'un entassement de vieilles pierres, mais ce lieu a une signification beaucoup plus importante pour certains d'entre nous.

En découvrant le cercle mégalithique du haut de la colline, je pensai le comprendre.

Une des caractéristiques les plus curieuses de cet ensemble monumental, c'est qu'il semble de plus en plus petit à mesure que vous vous en approchez. Peut-être est-ce dû à l'angle de la route, mais alors que nous descendions lentement la pente, le tout me parut devenir soudain beaucoup moins impressionnant. Le cercle se trouve au bord de la route, et tous les automobilistes qui passent par là ralentissent pour jouer aux badauds, et pas mal de voitures tournent dans la petite route qui mène au site proprement dit.

Siobhan dépassa celle-ci sans ralentir.

— On ne s'arrête pas ? m'étonnai-je.

— Pourquoi ? rétorqua Pahoo.

— Vous désirez que nous nous arrêtions, Marty ?

Je me retournai pour regarder encore le cercle de pierres qui disparaissait derrière nous. Puis je lançai un coup d'œil interdit à Uma.

— On n'aurait pas dû ?

— Il n'y a aucune raison réelle de le faire. Nous allons bientôt faire halte, mais ce sera sur un site près de Woodhenge.

— *Woodhenge* ? répétai-je, avec la sensation très nette qu'Uma pensait que j'endossais une fois de plus mon costume de George Burns. On dirait le prix de consolation, comme lorsqu'on va voir n'importe quelle toile parce que la salle où passe le film qui nous intéressait est complète.

Uma réprima un soupir et me fit face. Le cercle de pierres était pratiquement hors de notre vue, à présent.

— Stonehenge est un lieu remarquable, me dit-elle, et si nous avions disposé de plus de temps, nous nous serions arrêtés afin que vous puissiez profiter de ce site. Mais en ce qui concerne nos objectifs actuels, Stonehenge a autant de valeur qu'un café en bord de route.

— Au moins dans un café on peut avoir une bonne tasse de thé, ajouta Siobhan.

— Je ne comprends pas, avouai-je. Ce n'est pas le saint des saints des lieux païens ? Je croyais que nous étions à la recherche de, comment ça s'appelle, des lieux possédant une énergie surnaturelle. Or Stonehenge n'est-il pas le *Jurassic Park* des trucs occultes ?

— Plus maintenant, siffla Pahoo avec mauvaise humeur.

— J'ai bien peur qu'il n'ait raison, enchaîna Uma. Comme je vous l'ai dit à Canterbury, il existe un lien entre la terre et les gens qui l'habitent. Il y a ceux qui croient que la profondeur et la puissance du réseau de leys en Grande-Bretagne sont un reflet de ce lien entre la terre et les gens. Mais à Stonehenge, ce lien a été altéré. Naguère le cercle était un site d'une puissance fabuleuse, mais comme une rivière dont on puise trop l'eau, le pouvoir de Stonehenge et de la plaine de Salisbury a été siphonné tout au long des années par tous ceux qui ont utilisé abusivement le site, sans le comprendre. Les leys qui courent dans le cercle de pierres ne sont plus que de minces filets, aujourd'hui.

— C'est comme tout le reste, fit Pahoo. Les arbres, les montagnes, l'air, la mer. Tout est pollué, dévasté par l'homme. Nous prenons et nous prenons encore, et nous ne laissons rien derrière nous que notre merde. Tout fout le camp, mon pote. Et ça ne reviendra pas.

Je roulai des yeux mais parvins à ne pas réagir verbalement.

— Et, euh… Woodhenge? questionnai-je.

— Ce n'est pas très loin d'ici, répondit Uma. En fait, ce site fait partie du même système de leys qui irrigue Stonehenge, mais comme il est moins connu et donc moins fréquenté, il a été moins abîmé. Bien qu'il soit maintenant classé, et donc que son pouvoir ait diminué, il devrait encore nous offrir une lecture correcte du grand réseau avant que nous ne nous rendions dans le comté de Cornouailles. J'aimerais étudier la configuration de la région pour détecter toute trace d'influence de la Thulé.

Siobhan quitta la route principale et bientôt un panneau indiqua la direction de Woodhenge, mais j'avais toujours la vague sensation que tout cela n'était qu'une vaste blague. J'en eus la certitude quand Siobhan ne prit pas cette direction.

— Laissez-moi deviner : nous allons en réalité à Nulleparthenge.

Je crus entendre Uma compter à voix basse, puis elle répondit :

— Non. Cependant le cercle principal est devenu une attraction trop touristique. Il existe un long tumulus ignoré de la plupart des gens, à la limite du site officiel.

Siobhan quitta la route déjà étroite pour s'engager sur un chemin de terre battue. La Mini n'apprécia pas du tout. Le moteur émit un bruit affreux tandis que la voiture attaquait une pente légère en cahotant, et à chaque secousse j'avais l'impression de recevoir aux fesses un coup de pied avec une botte à bout ferré. Enfin la « route » disparut complètement, et nous dûmes nous résoudre à terminer le « pèlerinage » à pied. Siobhan arrêta la voiture, et alors qu'Uma en sortait, elle désigna des monticules à la forme singulière, à environ deux cents mètres au bout d'une sente.

— Il faut que j'aille pisser, annonça Pahoo.

— Gardes-en un peu pour nous, lui lançai-je alors qu'il disparaissait entre les arbres.

Uma s'éloignait déjà sur la sente quand je remarquai les regards nerveux que Siobhan jetait alentour. Je scrutai moi aussi notre environnement immédiat, mais tout me parut normal. C'était vraiment très paisible, ici. Aucun bruit de circulation, pas même le gazouillis d'un oiseau ou le bruit léger d'un écureuil dans les branches. Mais bon, de ce que je pouvais constater, nous étions arrivés au milieu de nulle part. Je suivis Uma. Je repérai une cannette de soda rouillée dans un buisson. Je suis certain que Pahoo m'aurait désapprouvé, mais je trouvai quelque chose de très réconfortant à voir une vieille cannette de Coke là. C'est un témoignage rassurant de l'influence planétaire de la civilisation américaine. D'ailleurs il aurait été beaucoup plus approprié que les astronautes laissent une caisse de Coca sur la Lune plutôt qu'un drapeau. Et une paire de jeans, peut-être. Mais des denims bleus, alors, pas noirs. Et surtout pas ces trucs délavés au rabais.

Siobhan me rejoignit. Elle semblait toujours un peu nerveuse.

— Quelque chose ne va pas? lui demandai-je.

— Sais pas, fit-elle en secouant la tête. Un mauvais pressentiment qui me démange.

— Avec Pahoo dans la voiture, c'est étonnant qu'on n'ait pas tous des démangeaisons.

— Pas ce genre de démangeaison, répondit-elle d'un ton très sérieux.

Je regardai encore autour de nous, mais je ne vis que Pahoo qui revenait vers nous après avoir satisfait ses besoins naturels.

— Quoi? fit-il en nous voyant le dévisager.

— Siobhan a un pressentiment, expliquai-je.

Il hocha la tête.

— Moi aussi.

Ils sont tous barges, pensai-je.

La sente prenait fin au pied du tumulus, qui était haut de quelque quatre mètres et long d'une centaine. À l'autre extrémité, au loin, il s'amenuisait et disparaissait progressivement dans un boqueteau d'arbres. L'extrémité la plus proche était marquée par trois énormes pierres semi-circulaires. Chacune était gravée de caractères runiques différents sur le plat et la tranche. Uma passa les doigts sur les lignes en creux. Au milieu de la pierre centrale, je vis une petite croix gammée.

— Qu'est-ce que c'est ? fis-je.

— *Sarsen*, lâcha Uma. Les mêmes pierres que celles du cercle extérieur à Stonehenge. Et au centre il y a le petit cercle de bluestone.

— Non, dis-je en désignant le tumulus. Qu'est-ce que c'est que *ça* ?

— Un tumulus, répondit Pahoo. Pour les prêtres, enfin, certains prêtres. Du moins, c'est ce que je pense, d'après les runes. Je me trompe ?

— Je pense la même chose, lui dit Uma. Je n'avais encore jamais visité cet endroit. Mais de ce que j'ai compris, ce tumulus constituait un lieu de repos pour les hauts dignitaires de la prêtrise et les mages. Il était probablement relié directement à Stonehenge. Les deux sites partagent très certainement le même ley. Mais ces motifs… il faut toujours croire les avertissements gravés dans la pierre.

— Parle pour toi, grinça Pahoo en décrivant une figure étrange avec ses doigts.

— Alors pourquoi y a-t-il un svastika ? La Thulé est déjà passée ici ?

— C'est bien un svastika, mais elle n'est pas l'œuvre de la Thulé, corrigea Uma.

Je me souvins soudain qu'elle avait gravé ce même symbole dans le tombeau de Becket à Canterbury, pendant le rituel de la nuit précédente. J'avais voulu lui en demander la raison, et puis j'avais oublié de le faire.

— Je ne comprends pas, dis-je simplement.

— Le svastika est un symbole très ancien, qui apparaît dans plusieurs cultures totalement différentes. On la trouve en Égypte, en Chine, et même chez les Amérindiens. Le mot lui-même est dérivé d'un terme sanskrit qui signifie bien-être, bonheur. C'est un symbole assez évident du soleil, Marty, vous ne voyez pas ? Un symbole et une représentation de la lumière.

— Mais…

Je considérai de nouveau la croix gammée. Il y avait quelque chose qui clochait, tout comme pour celles qu'Uma avait dessinées. Soudain je sus.

— Elle est tournée dans le mauvais sens. Les barres qui terminent chaque branche pointent dans la mauvaise direction.

Pahoo éclata d'un rire tonitruant, tandis qu'Uma refrénait à grand-peine sa propre hilarité.

— Non, Marty, dit-elle. Ce svastika est tourné dans le bon sens. Quand le symbole a été adopté par les nazis, il a été délibérément inversé, de sorte que les pointes tournent dans le sens des aiguilles d'une montre. L'utilisation d'un svastika inversé date de plusieurs siècles avant Hitler. Inverser le symbole a depuis longtemps été considéré comme un moyen d'invoquer les forces du chaos et celles de la magie noire. La Loge de Lumière, qui a formé la base de la Société de la Thulé Originelle et de l'Ordre Noir, a répandu le symbole ainsi perverti du svastika au sein des premiers nazis, après la Première Guerre mondiale.

J'examinai une fois encore le bon svastika, et l'effleurai du bout des doigts.

— Bon, alors à quand remonte cet endroit ?

— On ne peut en être absolument certain, mais je dirais au moins deux mille ans. Pas aussi vieux que Stonehenge.

— Ces runes sont beaucoup plus récentes, observa Pahoo.

— Oui, elles n'ont pas plus de douze ou treize siècles, à mon avis.

— Ouah, fis-je.

Ces vieilleries m'impressionnent toujours. Je crois que cela vient du fait que je viens de l'Amérique Moderne et Triomphante, où rien n'est aussi ancien, en particulier à Los Angeles, où « vieux » est une injure.

— Celui qui les a gravées doit être mort, dis-je bêtement.

Uma eut un petit rire, puis se rembrunit.

— Qu'y a-t-il ? fis-je.

Du regard elle consulta Pahoo, qui acquiesça. Elle s'agenouilla et pressa les deux paumes contre la base de deux des rochers. Je jetai un coup d'œil autour de moi et notai que Siobhan s'était éclipsée, ce qui ne lui ressemblait pas du tout.

— Il y a quelque chose qui cloche, déclara Uma.

Je vis le geyser écarlate exploser du bras de Pahoo avant que mon esprit n'enregistre la détonation. Un deuxième projectile pulvérisa une des runes.

Le petit homme restait là, incrédule, à regarder son bras ensanglanté. Je perçus un troisième coup de feu, mais je me précipitai déjà vers Uma, et j'aurais été incapable de dire où la balle avait frappé. L'Indienne avait plongé au sol, dans une position évoquant un peu une autruche qui cherche à enfouir sa tête dans le sable, mais elle constituait toujours une cible facile. J'accrochai un de ses bras et la propulsai vers l'angle du tumulus, loin de la source présumée des tirs. Arrivés au coin, je la poussai d'une bourrade à l'abri. Elle s'écroula et je vacillai derrière elle, avant de m'étaler. Je crus entendre une quatrième détonation et je me cognai durement le genou contre un rocher, mais le bruit n'était peut-être que le craquement de ma rotule.

Uma gisait face contre terre et commençait à se relever.

— Restez baissée, lui murmurai-je.

D'où nous étions, je ne voyais personne. La ligne d'arbres la plus proche était à au moins trois cents mètres sur ma droite, et derrière le tumulus il n'y avait qu'une vaste étendue ouverte. Si nous devions fuir, nous allions rencontrer de sérieux problèmes. À quatre pattes, je risquai un œil au coin du tumulus.

Pahoo était allongé sur le dos, une main crispée sur son bras blessé. Je vis une forme humaine sombre sauter à bas des branches d'un arbre, à une vingtaine de mètres du tumulus, et les silhouettes de mon rêve me revinrent à l'esprit. Je frissonnai. Deux détonations claquèrent, provenant de derrière un monticule de terre en face du tumulus, et bien que je ne puisse en discerner plus, je me jetai de nouveau à plat ventre. J'allais me relever un peu quand j'entendis un troisième coup de feu. J'embrassai Maman la Terre à pleine bouche.

Une main se referma sur ma cheville et je laissai échapper un cri de surprise. Je donnai un coup de pied à l'aveuglette avant de me rendre compte que c'était Uma. Je l'avais touchée en pleine poitrine. Elle recula en vacillant, et s'affala à la renverse contre un rocher.

— Et merde ! sifflai-je.

Je plaquai une main sur ma bouche – jamais je ne serai un bon commando – mais le mal était fait. Redressant la tête, je vis un skinhead en pantalon de treillis sale approcher de Pahoo et du tumulus. Il tenait un revolver devant lui. L'arme semblait énorme – un vieux Colt 45, je crois – et tout à fait mortelle. Le skinhead avait eu Pahoo pour objectif premier, mais en entendant mon exclamation il n'hésita pas : trois coups de feu en succession rapide. Les deux premiers projectiles ricochèrent contre la roche, le troisième s'enfouit dans l'herbe juste devant moi. Je reculai en hâte, glissai et m'étalai de nouveau de tout mon long. Le skinhead marchait droit sur moi, à présent, un rictus ravi sur son visage pâle et grêlé.

Cette fois il prit tout son temps pour viser, en tenant l'arme à deux mains. Je le vis fermer l'œil droit et se préparer à presser la détente.

La détonation vint de derrière lui, et la balle lui arracha la moitié du biceps droit. Le second tir le toucha au centre du dos, créant subitement un trou dans sa poitrine au moment où il basculait d'une pièce en avant. Le Colt lui échappa des mains et le coup partit quand l'arme heurta un affleurement rocheux. La balle se perdit je ne sais où.

Siobhan se tenait derrière sa cible, dans la position classique du tireur d'élite. Elle reprit une attitude normale quand le skinhead tomba, et courut vers lui. Il était secoué par des spasmes violents, comme un poisson à l'asphyxie. Siobhan n'hésita pas une seconde : elle continua de lui loger des balles dans le corps jusqu'à ce qu'il ne bouge plus.

— Bordeeeel… soufflai-je.

J'étais toujours à quatre pattes. Siobhan me décocha un

regard sombre, cracha sur le skinhead et s'approcha de moi.

— Tu pourras toujours m'adorer plus tard, grogna-t-elle. Pour l'instant, il faut déguerpir.

Elle me dépassa et alla aider Uma à se relever. L'Indienne considéra le cadavre d'un air impassible. Siobhan l'examina soigneusement, à la recherche de la moindre blessure, mais Uma lui affirma qu'elle n'avait rien. Ce qui ne l'empêcha pas de prendre appui sur l'épaule de son garde du corps pour revenir devant le tumulus. Je remarquai des traces de sang sur les vêtements de l'Irlandaise, mais elle ne semblait pas avoir été blessée.

— Je vais bien aussi, ne te bile pas, lâcha-t-elle.

Pour ma part, j'avais le genou en bouillie et je les suivis en claudiquant.

Pahoo s'était remis debout. Son bras saignait toujours. Il contemplait le corps étalé devant les grandes pierres, tel un sacrifice humain. Siobhan noua une bande d'étoffe autour de son bras.

— Il y en a un autre, annonça-t-elle.

— Hein ? Où ça ? s'exclama Pahoo, paniqué.

— Mort, précisa Siobhan. Il y en a un autre, mort aussi. Par là-bas.

— Tu l'as tué ? demandai-je.

— Mais non, abruti, son heure était simplement venue. Bien sûr que je l'ai buté !

Elle nous mena d'abord auprès de sa première victime, le skinhead pur sucre : la boule à zéro, des oreilles décollées et un nez écrasé. Habillé d'un treillis et de chaussures Herman Munster à bout renforcé qui devaient prendre un mois à lacer. Le second était très différent d'aspect : une tignasse rousse et une barbe fournie qui, malgré le sang l'imbibant, suggérait encore qu'il avait pris un petit déjeuner anglais complet à son B & B. Le skinhead était petit et trapu, Barbe-Rousse était énorme : grand, avec des épaules de lutteur et un ventre de sumotori. Il portait un jean noir et un vieux blouson en cuir. Pour moi, il avait tout du motard.

Et il avait aussi la gorge joliment tranchée. C'est la seule blessure que je pus voir. Devant le gabarit du cadavre, je n'arrivai pas à imaginer comment Siobhan s'y était prise. Mais j'étais plus que jamais résolu à ne pas chercher des noises à l'Irlandaise.

— La Thulé ? fis-je.

Uma se pencha sur le corps et avec une grande délicatesse lui retroussa une manche. Les bras de l'homme étaient couverts de tatouages rouges et noirs. Un grand svastika – le *mauvais* svastika – ornait chaque biceps. Elle essaya de lui ôter sa chemise, mais il était trop corpulent pour elle. Contournant la difficulté, elle découpa le vêtement avec son couteau. Barbe-Rousse avait également un svastika tatoué sur le cœur. Du moins je crus que c'était un tatouage jusqu'à ce que je me penche et que je constate que la croix gammée avait été marquée au fer rouge sur sa chair. Et gravées sur la peau, le long de chaque branche, on pouvait lire les lettes O-N-T.

— *Ordo Novo Templi*, soupira Uma avant que j'aie le temps de lui poser la question.

Elle se redressa et s'essuya les mains sur ses cuisses.

— Alors ce n'est pas la Thulé ? demandai-je.

— Bien sûr que si, siffla Siobhan, exaspérée. Tu crois que c'est une chorale de bonnes sœurs ?

— C'est bien la Thulé, Marty, dit Uma avant de se tourner vers l'Irlandaise. Mais comment nous ont-ils retrouvés ?

— Sais pas.

— Ils devaient traîner à la cérémonie, à Canterbury, dit Pahoo en s'approchant pour examiner le cadavre. Et ils se doutent de nos destinations probables. Ils ont dû nous suivre jusqu'ici.

— Nous savions qu'ils risquaient de s'en prendre à nous, dit Siobhan. C'était un risque depuis le début.

— Pour moi, ça n'a toujours pas de sens, murmura Uma.

Je vis Siobhan scruter la ligne des arbres voisins.

— Tu crois qu'il y en a d'autres ? dis-je.

— Il y en a toujours d'autres de leur engeance, répliqua-t-elle. Mais pas ici et maintenant.

— Comment peux-tu être aussi affirmative ?

— Pas de démangeaison, laissa-t-elle tomber.

Pourtant elle se grattait énergiquement une fesse en répondant.

Siobhan nous précéda jusqu'à la voiture. Pahoo était faible, et Uma et moi le supportâmes entre nous. L'Irlandaise prit une petite trousse de secours dans le coffre de la Mini. Elle installa Pahoo sur la banquette arrière, dénoua le garrot improvisé et découpa la manche pour examiner sa blessure. Il grogna quand elle versa de l'antiseptique sur la plaie, avant de la bander avec de la gaze.

— C'est assez laid, mais sans gravité, dit-elle. La balle n'a fait que t'effleurer. J'ai connu pire lors de certains préliminaires amoureux.

Vous savez quoi? Je la crus sans hésitation.

Siobhan avait pansé la blessure avec une efficacité qui trahissait une expérience sérieuse de la chose. Dans la boîte à gants, elle prit un flacon en plastique et en fit tomber deux comprimés dans sa paume.

— Tiens, dit-elle. Contre la douleur. Si jamais tu souffres.

Pahoo considéra les comprimés un instant.

— Codéine? interrogea-t-il.

Siobhan acquiesça. Il avala le remède sans eau, en déglutissant avec effort. L'Irlandaise se tourna vers Uma, laquelle me paraissait faire preuve d'un calme inhabituel. Elle était adossée contre le flanc de la voiture, bras croisés, et regardait fixement au loin.

— Vous voulez qu'on s'occupe des corps? demanda Siobhan.

L'Indienne la regarda, sans répondre. Je vis des larmes briller dans ses yeux. Avec un petit hochement de tête, Siobhan prit une pelle pliable dans le coffre de la Mini avant de revenir auprès de Pahoo.

— Tu sais te servir d'un flingue?

— Oui.

— Alors tu descends tout ce qui bouge. Je l'enterrerai plus tard. – Elle me regarda – Allons-y.

— Quoi, moi ?

— Il est grand temps que tu te rendes un peu plus utile que par la parlote. Il y a des tombes à creuser.

Le ventre noué, je la suivis sur la sente.

13

Même le didgeridoo resta silencieux pendant que la Mini roulait jusqu'à la grand-route puis prenait la direction des Cornouailles. Dans la voiture, la tension était palpable. Siobhan ne chantonnait pas, Pahoo ne somnolait pas, Uma ne souriait pas, et je ne réfléchissais pas.

Enfin, je m'y efforçais.

Siobhan et moi avions creusé à tour de rôle un coin de terre meuble non loin du tumulus. La scène avait quelque chose d'ironique, quand on y pensait. Nous avions jeté un coup d'œil aux grands blocs rocheux qui scellaient le tumulus, en nous demandant si nous ne pourrions pas balancer les cadavres à l'intérieur, mais même en admettant que nous ayons disposé d'un levier assez puissant, il était peu probable que nous serions parvenus à seulement faire bouger les pierres. Et bien que je sois resté sceptique à propos de tout ce bazar du bizarre où nous évoluions, j'estimais que ce ne serait peut-être pas une très bonne idée de planquer les corps de deux nazillons à côté des ossements d'anciens sorciers païens.

Pahoo avait raison sur ce point : mon karma était déjà assez mauvais comme ça.

Finalement, c'est surtout Siobhan qui avait joué les terrassiers – normal, puisqu'elle était au moins deux fois plus forte que moi –, et par chance la terre était meuble. Nous n'avions ni le temps ni l'énergie de creuser autre chose que deux fosses peu profondes. N'empêche, l'épreuve physique n'était pas le pire aspect de la situation.

— La tête ou les pieds? avait demandé Siobhan en jetant la pelle sur le sol.

— Les pieds, avais-je répondu sans hésiter.

Nous nous occupâmes d'abord de Barbe-Rousse, qui était le plus proche. Le cuir de ses bottes était glissant et je ne pus trouver une bonne prise à ses chevilles. Je le saisis donc aux mollets, en calant ses pieds sous mes aisselles pour le soulever. Siobhan le prit par les poignets et souleva son torse énorme sans difficulté apparente. Mais dans le mouvement la tête du cadavre se renversa en arrière et la blessure mortelle béa brusquement. J'étais certain que la tête allait se détacher de ce qui restait de son cou, et un instant je crus que j'allais être malade. Je perdis ma prise.

— Bordel de merde!

— Désolé, dis-je en levant une main en signe de paix.

Elle secoua la tête d'un air irrité et entreprit de traîner le mort vers la fosse.

— Attends, soupirai-je.

Après avoir inspiré à fond, je repris les pieds du cadavre et les soulevai. Je m'efforçai de ne pas le regarder pendant que nous parcourions la vingtaine de mètres jusqu'au trou, mais même dans ma vision périphérique ce sourire ensanglanté semblait rire de moi, et j'avais les plus grandes difficultés à respirer. C'est seulement lorsque le corps eut basculé face la première dans la fosse qu'il me sembla possible de remplir normalement mes poumons d'air.

Je me sentais un peu étourdi et je me courbai en avant, mains sur les genoux. L'évanouissement menaçait, mais peu à peu la sensation s'estompa. Quand je me redressai, ce fut pour constater que Siobhan s'occupait déjà de son autre victime. Je la rejoignis en trottant.

Le skinhead était beaucoup plus léger que Barbe-Rousse, et l'impact de balle dans sa tête nettement moins horrible à contempler, de sorte que son transport fut presque aisé. Je n'en étais pas moins hors d'haleine lorsqu'il rejoignit son acolyte dans la fosse. Pour sa part, Siobhan paraissait fraîche comme une rose. Du pied elle déplaça les cadavres pour qu'ils soient allongés côte à côte. Elle ramassa la pelle, puis se figea. S'accroupissant au bord du trou, elle saisit la main de Barbe-Rousse et examina la chevalière en argent qu'il portait à l'auriculaire. Tout d'abord je crus que le bijou était orné d'un svastika, mais c'était en fait une sorte de croix celtique au dessin complexe.

— Tu n'es pas délicat, pas vrai ? me lança-t-elle.

Je réussis à refouler un accès de rire hystérique.

— J'ai joué dans deux films de George Romero, improvisai-je crânement, puis je croisai l'index et le majeur et les lui montrai. Quentin Tarantino et moi, on est comme ça.

— Hum, grogna-t-elle.

Soudain un couteau apparut dans sa main. D'un mouvement rapide, elle trancha net le petit doigt de Barbe-Rousse. De la pointe de la lame elle ôta la bague, l'essuya dans l'herbe et me la tendit.

— Garde ça, dit-elle.

— Pourquoi ?

Elle le déposa dans ma paume, mais je laissai ma main loin du corps. Comme si ça changeait quelque chose.

— Mets-la dans ta putain de poche.

— Beurk, gargouillai-je, mais j'obéis.

Siobhan me décocha un sourire assassin en ramassant la pelle.

— Quentin Tarantino n'est qu'une tantouze, déclara-t-elle aimablement.

Je la laissai remettre la terre sur les cadavres.

— J'ai soif, déclara Siobhan.

Nous roulions depuis environ une heure lorsqu'elle prit la bretelle menant à une station-service et s'arrêta dans un coin de l'aire de repos. Elle ne demanda pas si quelqu'un d'autre voulait quoi que ce soit, et se contenta de partir vers le magasin. Nous sortîmes tous trois de la Mini. Uma, qui n'avait pas prononcé un mot depuis notre retour de l'enterrement des deux cadavres, se dirigea d'un pas lourd vers les toilettes pour dames. Pahoo tenait son bras bandé, crispant et décrispant ses doigts.

— Ça fait mal ?

— La codéine est efficace. Mais mon bras commence à se raidir.

— Hmmm, fis-je, car je ne voyais pas quoi dire.

Que dit-on à quelqu'un qui vient de se faire canarder par des nazis ? J'essayai de me remémorer un dialogue d'un vieux film de guerre, mais je ne pus penser qu'à *L'Express du colonel Von Ryan*, et ça ne m'aida pas beaucoup. On n'aurait jamais dû donner ce rôle à Sinatra.

Siobhan ressortit du magasin avec un sac en plastique à la main. Elle en sortit un godet de jus d'orange qu'elle vida à moitié, et me lança le sac. Elle avait acheté une demi-douzaine de boissons différentes et une poignée de barres chocolatées, ainsi qu'un rouleau de gaze et un tube de baume désinfectant. Je donnai ces deux derniers articles à Pahoo.

— Besoin d'un coup de main ? demanda-t-elle au petit homme.

Il secoua la tête négativement et partit en direction des toilettes tout en lisant l'emballage du baume. Je passai en revue les cannettes en hésitant. Siobhan dut lire mes pensées, car elle déclara :

— Pas de bière. Désolée.

Je me rabattis sur une boisson pétillante à la pomme. Étonnamment, elle était bien fraîche.

J'avais presque entièrement dévoré une barre de Lion quand Uma revint auprès de la voiture. Elle semblait toujours triste. Je lui tendis le sac, dont elle examina le contenu sans enthousiasme. Elle porta son choix sur une eau minérale gazeuse et une barre chocolatée.

— Ça ne va pas ? m'enquis-je.

— Je suis… troublée.

— Prenez votre ticket.

— Pardon ?

— Bienvenue au club, expliquai-je. Ce n'est pas non plus ce à quoi je m'attendais.

— C'est ma faute.

— Ce n'est pas ce que j'ai dit. Je ne vous accuse de rien, Uma. J'ai accepté de venir dans ce… quoi que ce soit. Dans cette expédition, disons. Et vous m'aviez mis en garde. C'est juste que… – je regardai autour de moi et baissai la voix pour terminer : nous avons tué deux personnes.

— J'en suis très consciente, Marty. Et ma responsabilité dans ces morts pèse sur mon cœur.

— Ne pensez plus à ces charognes, conseilla Siobhan. Moi, ils me sont déjà sortis de l'esprit.

— Est-ce vraiment aussi facile que ça ? lui dis-je. C'est ce que tu as appris à l'IRA ?

— Dis-le-moi, toi.

— Hein ? Qu'est-ce que tu sous-entends ?

— Tu as tué, toi aussi, pas vrai ? Je peux le sentir. Et jusqu'à maintenant ça n'a pas l'air de t'avoir beaucoup préoccupé.

De fait j'avais effectivement tué des hommes dans le passé. Et d'autres créatures. Cependant j'avais été dans l'obligation de me débarrasser d'eux, et quand je l'avais fait, je n'avais pas toutes mes facultés. Alors que je soutenais le regard de Siobhan, ou plutôt que j'essayais de le soutenir, il m'apparut que je n'avais jamais réellement réfléchi aux implications de mes actes, que j'avais refoulés au fond de ma mémoire, dans un petit coffre-fort mental dont j'avais jeté la clef. Il me semblait maintenant incroyable que je n'aie jamais été tourmenté par ces actes, que je n'aie pas ressenti de culpabilité, et même pas fait un cauchemar. Sortie de nulle part, l'horreur passée déferla sur moi comme une vague du Pacifique. Je me sentis soudain le dernier des crétins, comme si je me retrouvais brutalement dans un de ces rêves où vous vous rendez compte d'un coup que vous êtes nu, et que c'est pourquoi tous les autres rient de vous.

Je dus m'asseoir sur le sol.

— Marty ? dit Uma en s'accroupissant à côté de moi. Ça va ? Que se passe-t-il ?

— Je ne sais pas, répondis-je en luttant contre l'étourdissement et une nausée soudaine. Je ne me sens… pas très bien…

Je vomis mon jus de pomme et la barre chocolatée, avec en prime une substance sombre. Les haut-le-cœur se succédèrent jusqu'à ce que j'aie l'impression que mon diaphragme me chatouillait les amygdales en cherchant l'issue de secours.

Je m'en étais mis plein sur les chaussures, mais cela m'indifférait totalement. Je basculai sur le côté, un filet de bave collé à mon menton. Uma l'essuya avec un mouchoir en papier. Elle caressa ma chevelure plaquée à mon crâne par la sueur, mais j'étais toujours incapable de relever les yeux. Je vis une autre paire de pieds entrer dans mon champ de vision.

— J'ai raté un truc ? demanda Pahoo.

— Voulez-vous boire autre chose ?

— Non, dis-je en acquiesçant.

Uma leva les yeux au ciel et alla commander une autre tournée au bar : Jack Daniels sec pour moi, eau minérale pour elle. Siobhan était assise à l'écart au comptoir, où elle dorlotait une pinte de Guinness et effrayait visiblement le serveur. De cette position stratégique elle surveillait la porte. Pahoo avait préféré aller se promener dans les bois.

Le pub était situé un peu plus haut sur la route, après la station-service. Nous n'avions même pas eu à remonter en voiture. C'est Uma qui avait suggéré qu'il serait peut-être bon que j'avale quelque chose de plus corsé qu'un jus de pomme pétillant, et j'avais approuvé sans l'ombre d'une hésitation.

La jeune femme plaça les deux verres devant moi – elle avait ajouté une bière blonde pour faire passer la brûlure du bourbon – et s'assit sur la banquette en face de moi. Elle avait également acheté un paquet de cacahuètes grillées à sec. Elle déchira l'enveloppe avec les dents, en versa un peu dans la paume de sa main et posa le reste au milieu de la table. Je pris le sachet, lus les informations nutritionnelles, jouai avec, mais je n'avais aucune envie de manger des cacahuètes. J'avalai le bourbon d'un trait et reposai le verre en le faisant claquer sur le bois.

— Pas très généreuse, comme dose.

— C'est calibré.

— Comment ça ?

— Vous avez la même quantité d'alcool dans tout établissement en servant, partout en Angleterre. C'est très strictement réglementé.

— Vous plaisantez, là ? Et si le barman veut m'accorder un petit supplément ?

— Il le pourrait, reconnut Uma. Mais ils ne le font jamais.

— Ce pays est bizarre.

— Ce pays est différent du vôtre, corrigea-t-elle. Vous ne vous en étiez pas encore rendu compte ? J'ai l'impression que vous êtes comme un poisson hors de l'eau, Marty.

— Ou sorti de mes grands fonds, peut-être. Bon sang, je me sens comme découpé en filets, grillé et servi avec des pommes de terre et des brocolis. Avec une sauce sans rapport. – Uma eut un petit rire – Mais bon, vous avez l'air d'avoir retrouvé un peu de bonne humeur, c'est toujours ça.

— Peut-être parce qu'il le faut.

— Parce que moi non ?

— Non, c'est simplement qu'il n'y a pas de place en ce moment pour ce genre de sentiment. Nous avons trop à faire.

— Ouah. Vous pouvez allumer ou éteindre ce truc comme ça ? Où avez-vous acheté l'interrupteur ?

— Je regarderai s'il ne m'en reste pas un en réserve.

Je levai les yeux vers elle, m'attendant à la voir sourire, mais son visage demeurait soucieux.

— Vous n'êtes pas obligé de venir avec nous, Marty.

— Vous en êtes bien sûre ?

Uma ouvrit la bouche pour répondre, hésita.

— Je vous ai eu, dis-je.

— Non, vous n'êtes pas obligé. Mais je pense qu'il est bien que vous le fassiez.

— Pourquoi ? Pourquoi moi ? Je ne comprends rien à tout ce que vous fabriquez. Toute cette histoire celtique ancienne et ces conneries de New Age. Ça ne signifie vraiment rien pour moi. Je risque ma carrière rien qu'en étant avec vous. Sans parler de ma vie. Et peut-être les vôtres, en me montrant aussi nul. Je ne vois vraiment pas en quoi je vous aide. En rien, à part si vous avez besoin d'un préposé au vomi. Alors pourquoi ?

— Je crois que votre place est ici, que vous devez faire partie de tout cela. Je… Cela ne va pas vous plaire, mais je sens que c'est nécessaire, que c'est un point important. Je pense que vous êtes… une sorte d'aimant.

— Comment ça ?

— Un aimant pour l'inhabituel. Le surnaturel, si vous préférez. J'ai rencontré d'autres personnes comme vous, mais elles sont rares. Dasra était ainsi, mais ses capacités étaient limitées. Selon moi, c'est un don très précieux.

— Vous avez raison. Et je ne l'aime pas du tout.

— Et pourtant vous continuez de nous accompagner. De prendre autant de risques. Pourquoi ?

Je réfléchis un moment à la question. Je veux dire que j'y réfléchis vraiment, le regard perdu au fond de mon verre de bière.

— Je fais des rêves, dis-je enfin.

— Oui ?

— Ou plutôt, j'ai des visions. Quelque chose, je ne sais pas exactement quoi. Et puis il y a ce sentiment très désagréable que je ne peux pas abandonner maintenant. C'est encore un peu vague pour moi, mais j'ai l'impression qu'il y a là quelque chose de plus important en jeu que ma carrière. Non qu'elle représente tellement, d'ailleurs. Mais j'ai constamment cette sensation de…

— Quelle sensation, Marty ?

— De ténèbres. Des ténèbres affreuses. J'ignore si je fais quelque chose de bien ou pas, mais je me sens impliqué ; je suis persuadé que, si je laisse tomber maintenant, ces ténèbres ne se dissiperont jamais. Qu'elles m'engloutiront. C'est comme si c'était une sorte d'épreuve, bien que je n'en connaisse même pas le sujet ni ce qu'on peut y gagner si l'on en sort vainqueur. Mais j'ai l'intuition que c'est une épreuve à laquelle je ne survivrai pas si j'échoue. Dingue, hein ?

— Je ne dirais pas cela.

— Et il y a autre chose.

La tête inclinée de côté, Uma me contemplait. Je dus déglutir avant de pouvoir parler :

— Les gentilles filles vont au paradis, les méchantes filles vont à Londres.

— Je vous demande pardon?

— C'était l'inscription sur le tee-shirt que portait cette gamine, dis-je en relevant le nez de mon verre à moitié vide. Dans l'épicerie qui a été incendiée. Il y avait cette fillette adorable qui a joué à cache-cache avec moi. Je n'arrête pas de revoir son visage. Elle portait un de ces tee-shirts stupides pour touristes qu'ils vendent dans le West End. Mais à chaque fois que je le revois, que je *la* revois, j'ai l'impression de sentir l'odeur de la chair calcinée. Comment pourrais-je continuer à me regarder dans une glace en sachant qu'une autre enfant a brûlé vive parce que je n'ai pas eu le cran de faire quelque chose? Faire... ce que je dois faire.

— Il n'y a pas de prédestination, Marty. Il existe des énergies, des canaux et des possibilités infinies, mais l'avenir demeure une route non tracée.

— Une route pavée des ruines du passé, grognai-je.

Avec un soupir, Uma détourna le regard. Je remarquai que Siobhan nous observait.

— Bah, d'ailleurs vous ne saviez pas? J'ai un nom indien secret: Qui-n'A-Pas-l'Air-Très-Éveillé, fis-je avec un petit ricanement.

— Je ne comprends pas: qu'est-ce que ce nom a d'indien?

Je la dévisageai, sa jolie peau mate asiatique, et je me mis à rire.

— Je voulais dire amérindien, expliquai-je. Désolé, ce n'est pas la bonne tribu.

Elle sourit, mais semblait toujours perplexe.

— Je ne saisis toujours pas.

— Bah, moi non plus, en fait.

Je bus une longue gorgée de bière et gobai une cacahuète.

— Il y aura peut-être d'autres morts, déclara Uma à mi-voix.

— Comment cela?

— Des morts. Je crois que chacun de nous en verra d'autres. Et peut-être sera la raison de ces morts. C'est triste, mais c'est la nature même de ce combat. Comme vous avez pu le constater, nos adversaires n'ont aucune pitié. Nous devons adopter la même attitude.

— Ce n'est pas justement pour ça que Siobhan est ici ?

— Oui, mais elle ne doit pas porter seule ce fardeau. Nous sommes tous égaux dans tout ceci. Nous sommes tous responsables, et pas seulement de nos actions individuelles. Pouvez-vous accepter cela ?

— Je crois que c'est déjà fait. Et je pense que c'est pour cette raison que j'ai décoré mes chaussures avec mon petit déjeuner.

Uma acquiesça gravement.

— Comme je pense que vous l'avez désormais compris, Siobhan est très… capable, malgré une certaine tendance à l'obstination et à l'impétuosité. C'est d'ailleurs pourquoi elle a été exclue de l'IRA.

— L'IRA l'a exclue ? Que faut-il faire pour être exclu de l'IRA ? Je veux dire…

Ce scoop avait de quoi laisser rêveur. Moi, en tout cas. Je jetai de nouveau un coup d'œil à l'Irlandaise, et vis qu'elle nous surveillait toujours. Je lui adressai un petit sourire un peu crispé, mais elle resta de marbre. Un frisson me parcourut l'échine.

— Elle me fout le trouillomètre à zéro, avouai-je.

— Oui, dit Uma. Et c'est probablement pour le mieux.

— Je croyais que tout ce bataclan autour d'Arthur n'était que de la daube, dis-je.

— Ça l'est, répondit Pahoo. Mais les touristes gobent tout. Ces foutus Américains adorent ça.

— Tu m'étonnes. C'est probablement les mêmes ratés qui fréquentent ces restos à thème débiles où ils regardent des types déguisés s'affronter dans de faux combats pendant qu'eux mangent du poulet avec leurs doigts. Et je ne parle pas des poulettes qui servent.

Le sourcil orné d'un piercing de Pahoo s'arqua en signe d'étonnement.

— Les serveuses, quoi. Celles-là, on ne peut pas les manger. À moins de laisser un très gros pourboire, je suppose.

Les Cornouailles offraient le premier paysage anglais qui m'impressionnât. Les landes que nous avions traversées pour atteindre la mer étaient lugubres à souhait, comme arrachées à une autre planète dans leur désolation – très *Chien des Baskerville* – et la côte dégageait une atmosphère naturellement dramatique. Bien plus que les endroits visiblement anciens de Londres, ce paysage était très connoté XIXe siècle pour moi, dans le style *Les Hauts de Hurlevent*, même si, n'ayant vu que le film, j'ignore où l'action se déroule dans le bouquin.

Le château de Tintagel, ou plutôt la ruine qui porte ce nom, est perché sur une falaise particulièrement impressionnante dominant une crique naturelle fouettée par les flots. C'est le genre d'endroits qui vous donne envie de faire une halte et de prendre la pose sur les hauteurs, poings sur les hanches, un pied botté posé sur un rocher, avec le vent qui vous décoiffe tandis que vous regardez au loin en pensant tristement à un amour perdu.

C'est ce que faisaient tous les touristes. Sauf que les Américains à la calvitie galopante et aux bermudas trop longs, avec ces chaussettes qui remontent trop haut, ont simplement l'air ridicules. Et le fait que leur amour n'est pas perdu, mais qu'il se tient à trois mètres et qu'il mitraille la scène au flash alors qu'on est en plein jour ôte un peu du côté romantique qui plane ici.

— Plutôt couru comme coin, hein ? dis-je.

Je désignai la file de touristes qui attendaient bien sagement devant le salon de thé «Sword-in-the-Scone». La ville grouillait de touristes, ce qui n'était que justice puisque tout dans cette agglomération avait pour but de séparer l'argent des gens qui venaient avec.

— Oui, reconnut Uma à contrecœur.

— Ça me rend malade, commenta Pahoo.

— Et vous voulez effectuer un de vos petits rituels ici ?

— Pas ici précisément. À quelque distance de cette ville se trouvent les ruines d'un monastère celte. C'est le point focal du réseau de leys. Le château de Tintagel n'a en fait rien de spécial, même si la Direction du patrimoine anglais refuse de l'admettre. Toutefois les leys exercent une grande influence ici. C'est un des grands carrefours.

— Je croyais que ce serait un truc genre Camelot.

Siobhan émit un reniflement agacé.

— Camelot n'a jamais existé, dit Pahoo. Et ce château a été construit pour une bonne part au XIIIe siècle, même s'il y a des ruines plus anciennes sur ce site. Les spécialistes ne sont pas tous d'accord ; certains prétendent que Tintagel est lié au mythe arthurien.

— En admettant qu'Arthur ait jamais existé, dit Uma.

— Vous n'y croyez pas ? lui demanda Pahoo.

— Je crois à l'authenticité historique d'un roi qui a inspiré, et très probablement commandé toute une série d'histoires le concernant. Mallory était un fieffé menteur, vous savez. Il y a sans doute eu plusieurs rois et seigneurs de guerre locaux qui se sont appelés Arthur, entre le Ve et le IXe siècle. Mais j'ai la certitude absolue que les Cornouailles sont un endroit extra-ordinaire par leur pouvoir. En fait, cette région, d'ici à Salisbury et jusqu'à Glastonbury, n'a pas d'équivalent réel sur la planète.

— Pas même Ur ? fit Pahoo. Ou Jérusalem ?

— Ou Hollywood ? ajoutai-je.

— Pas même ces lieux, répondit Uma en souriant. Mais malgré ces énergies fabuleuses, et le caractère très romantique des légendes, je doute que le pouvoir de l'endroit ait plus qu'un lien passager et de coïncidence avec un roi nommé Arthur. Bien que j'aie entendu dire qu'Arthur Askey avait résidé ici, naguère.

— Je crois à l'histoire de Pendragon. Je pense que ce mythe est trop puissant pour ne pas être vrai, sous une forme ou une autre, dit Pahoo. Les gens y croient toujours. Et ils peuvent le sentir.

— Les gens croient également à l'Arche de Noé, objectai-je. Ce n'est pourtant pas exactement une théorie très crédible pour la zoologie.

— Oui, mais l'Arche de Noé, comme tous les récits bibliques, possède le poids écrasant du dogme religieux qui y est attaché, non ? Toutes ces histoires bénéficient d'une influence coercitive très forte. Mais il n'y en a aucune derrière les légendes arthuriennes. Rien pour les soutenir, sinon la vérité et la puissance de l'histoire.

— Le désir de croire, conclut Uma.

— Des foutaises romantiques, fit Siobhan. Arthur était une tapette, Guenièvre une salope et Lancelot un connard sans parole. Et ce sont ces héros, ces légendes de la soi-disant culture anglaise, qui sont la base de ce mythe. Que la vérole les bouffe tous.

— Qu'en pensez-vous, Marty ? me demanda Uma.

— De Camelot ?

Elle acquiesça. Je laissai mon regard errer sur les ruines au-delà du parapet de pierre, descendre vers les vagues frangées d'écume qui s'écrasaient contre les rochers de la Grotte de Merlin, loin en contrebas. Je sentais de façon presque palpable le caractère historique autant que romantique des lieux s'infiltrer en moi, et le désir de croire à la grandeur et au merveilleux de cette histoire ancienne et si émouvante d'amour, de justice et d'une épée magique.

— Je préfère *Brigadoon*, dis-je.

Nous nous promenâmes sur le site jusqu'à l'heure de la fermeture, et je dois admettre que j'appréciai beaucoup ces moments, quelle que soit la vérité derrière les histoires. Je n'osai pas l'avouer, mais je pensai que Siobhan se trompait du tout au tout sur la mythologie britannique. Je sais bien que les Américains raffolent de tout ce qui est anglais et romantique – cette dernière catégorie exclut la bière tiède et les travelos dans les dramatiques télévisées en costume de la BBC, hélas – mais ces histoires possèdent une véritable puissance évocatrice. Je soupçonne mes connaissances en la matière de ne pas dépasser de beaucoup les versions aseptisées des studios Disney que j'ai ingurgitées dans ma jeunesse, comme la plupart des gens, mais pour moi la grande force de ces légendes est qu'elles vous tiennent toujours, même à l'âge adulte.

Je préférerais mâcher du verre pilé que de l'admettre, mais je pense que Pahoo avait peut-être raison : ces histoires sur Arthur et Guenièvre et la Table Ronde perdurent, même sous leur forme expurgée et très sage, parce qu'elles établissent un lien avec quelque chose d'essentiel dans la nature humaine. Les histoires de la Bible sont ennuyeuses précisément parce qu'elles sont déclinées en noir et blanc, sans nuance ; à l'inverse, il me semble que les légendes arthuriennes éveillent des échos en nous parce qu'aucun de leurs personnages n'est entièrement bon ou mauvais. Ils veulent faire ce qui est juste, et ils merdent. Ou bien ils veulent faire le mal, et ils découvrent qu'ils ne sont pas si mauvais que ça, finalement. Même si ces récits ne sont pas totalement véridiques sur le plan historique, je m'en fiche, je les aime bien.

Et juste entre nous, je n'ai jamais vu *Brigadoon*.

Comme si vous ne le saviez pas : piquez un cynique, c'est le romantique qui saignera.

Pahoo était monté à l'avant avec Siobhan, et il la dirigeait le long des routes de campagne incroyablement étroites – nos rétroviseurs frôlant ceux des voitures que nous croisions, je finis par être très content de me trouver coincé dans la Mini – jusqu'à un terrain de camping jouxtant une décharge, pas très loin de Nulle-Part-Ville. Trois caravanes attaquées par la rouille et une douzaine de tentes aux couleurs vives et de tailles variées étaient disséminées là. Le sol était défoncé, boueux par endroits, envahi par les herbes folles ailleurs. Deux chevaux à l'air fatigué faisaient maigre bombance de la verdure. Trois gros rochers, ornés de graffitis en lesquels j'identifiai des runes celtiques, trônaient au centre du site. Une bande de gamins crasseux et à demi nus se poursuivaient entre les rochers. Je vis la forme poilue d'un homme qui dormait dans une bâche suspendue entre deux arbres. Son gros ventre blanc saillait du hamac improvisé. Accroupie dans son ombre, une blonde à la poitrine découverte donnait le sein à un bébé complètement nu. Instinctivement je détournai le regard quand j'aperçus une goutte de lait perler à son mamelon, mais elle n'en parut pas le moins du monde embarrassée – pas plus que quiconque, de ce que je constatai. Un couple sortit d'une tente en entendant le moteur de la Mini, et comparé à eux Pahoo avait tout de M. Propre.

— Bon sang, on vient d'atterrir en plein *Délivrance II*, grommelai-je. Si je vois un gosse prendre son banjo, je mets les voiles aussi sec.

— Ce sont des Voyageurs, Marty, me dit Uma.

— Ceux de la nouvelle série de *Star Trek* ?

— Des Voyageurs du New Age, précisa-t-elle.

— Oh, ça explique tout, évidemment.

— Branleur, siffla Pahoo.

Il descendit de voiture avant que celle-ci ne s'arrête complètement. Il marcha sur la pointe des pieds jusqu'au hamac et assena une claque retentissante sur le ventre rebondi du dormeur. En un éclair le gros type se redressa en position assise, le regard assassin. Mais dès qu'il reconnut Pahoo, il afficha un grand sourire et poussa un rugissement léonin. Il roula hors de la bâche suspendue avec une grâce surprenante et souleva le petit homme dans une étreinte d'ours, jusqu'à ce que les pieds de Pahoo ne touchent plus le sol. La femme au bébé se leva et embrassa Pahoo dès que le gros le lâcha. Comme lui, elle mesurait vingt bons centimètres de plus que leur visiteur, et elle continuait d'allaiter son enfant tout en écrasant le visage de Pahoo contre son autre sein. Le bébé se mit à pleurer. Je ne pouvais pas lui en vouloir : moi non plus je n'aime pas partager.

Alertés par le cri du gros, plusieurs autres Voyageurs apparurent. Ils étaient vêtus de haillons, comme Pahoo, pantalon kaki et pulls bariolés. Les hommes portaient la barbe, non entretenue bien sûr, et quelques-uns des dreadlocks. Les femmes également avaient les cheveux longs, teints de couleurs voyantes et décorés d'assez de perles et de colifichets divers pour racheter six fois au moins l'île de Manhattan aux Indiens de l'époque. Aucun ne semblait avoir dépassé la trentaine, et j'avais l'impression d'être retombé par un tunnel temporel à l'année 1967. À la différence près qu'au lieu d'arborer le signe de la paix, ce groupe semblait préférer les runes et d'autres symboles tout aussi ésotériques. Ils paraissaient beaucoup intriguer Uma.

Pahoo étreignit les autres Crasseux – il s'attarda quelques secondes avec la femme à la poitrine découverte – et ébouriffa les chevelures certainement infestées de poux des gamins. Il regarda en arrière dans notre direction et nous fit signe de sortir de voiture. Uma ouvrit sa portière et se composa un sourire quel-plaisir-d'être-ici complètement faux. Elle se retrouva très vite l'objet de l'accueil un rien étouffant d'un Voyageur particulièrement sale. Siobhan ouvrit à son tour sa portière, mais elle paraissait rechigner à descendre du véhicule. Pour ma part, je n'avais pas bougé d'un pouce.

— Psstt, fis-je à l'Irlandaise, et si on allait se trouver un pub dans le coin ? C'est moi qui régale.

— Non, maugréa-t-elle. Dieu me protège des Voyageurs et des romanos. Si un seul de ces enfoirés crasseux essaie de m'embrasser, je les bute tous.

J'approuvai avec enthousiasme.

Je tins aussi longtemps qu'il me fut possible, redoutant le pire. Je fis tout pour l'éviter, mais arrive un temps dans la vie de tout homme où il doit rassembler son courage et affronter ses peurs. Peut-être est-ce même ainsi qu'on reconnaît un homme, un vrai.

Il fallait que je me soulage.

Après un dîner composé d'un chili végétarien étonnamment comestible, Pahoo empoigna son didgeridoo tandis que plusieurs de ses hôtes sortaient leur propre instrument. Je me retrouvai à péter en rythme pendant cette petite *jam session* impromptue – je pense que musicalement j'étais le plus juste – avant de décider qu'il était temps de faire face à l'inévitable. Je demandai à un type à la tignasse crépue descendant jusqu'à ses reins et à la joue droite ornée d'un tatouage du yin et du yang où se trouvaient les lieux d'aisance.

— Gort, dit-il.

— Klatu barata niktu, répondis-je prudemment.

— Non, Gort, c'est mon nom.

— Ah. Eh bien, je vais exploser, mon vieux. Où sont les chiottes ?

Il me considéra un instant et émit un claquement de langue avant de désigner les buissons. Alors que je partais dans cette direction, je l'entendis murmurer « Mauvais karma ».

Le crépuscule s'installait imperceptiblement, et je scrutai les ombres à la recherche de toilettes portables, mais je ne vis rien d'autre que la végétation. Avec un soupir je m'enfonçai un peu plus loin dans la nature, en rêvant de dénicher une plante avec de grandes feuilles douces et sans pucerons.

Je tombai sur une petite sente de terre. Quinze mètres plus loin, je rencontrai la femme à la poitrine nue que j'avais vue plus tôt. Elle sortait de cabinets extérieurs délabrés en bois – des latrines sommaires construites au-dessus d'un fossé. Je détectai une odeur de lessive.

Je l'appelle la femme à la poitrine nue parce que je ne connaissais toujours pas son nom et qu'elle allait toujours seins nus. Le bébé recroquevillé dans ses bras tétait joyeusement, et plutôt bruyamment. Si elle n'y prenait garde, son gosse finirait aussi gros que Yaphet Kotto à la fin de *Vivre et laisser mourir*. J'émis un petit bruit de gorge et gargouillai un « Salut » aimable tandis que nous effectuions un petit pas de deux sur la sente en nous croisant.

— Tu es spécial, hein ? dit-elle.

— Euh, répondis-je.

J'avais les plus grandes difficultés à détacher mon regard de l'enfant. C'était un garçon, et plus âgé que je ne l'avais cru de prime abord. Une seconde il tourna la tête vers moi et je vis de petites dents aiguës dans sa bouche. Aïe !

— Je le sens, dit-elle.

Pas étonnant, pensai-je en contemplant son mamelon mâchouillé. Je lui souris benoîtement.

— Je le sens, aussi sûr que je sens ma peau, répéta-t-elle avant de remonter la sente.

— Da-da-*dum*-da-dum-da-*dum*-dum-dum, chantonnai-je en imitant le son d'un banjo.

Heureusement il n'y eut pas de réponse.

Je réussis à éviter les échardes du siège non terminé des toilettes et eus la bonne surprise de découvrir un rouleau de papier hygiénique. J'envisageai d'en voler un peu, au cas où je trouverais des planches ayant besoin d'être poncées, mais je résistai à la tentation. Je me sentais un peu bizarre, et exposé ici ; puisque je pouvais voir au-dehors par les nombreux jours dans les cloisons, les autres pouvaient voir à l'intérieur. Même si je n'imaginais aucune raison pour qu'ils le fassent. Mais la nuit arrivait et l'envie était tellement pressante que très vite plus rien d'autre ne compta.

Peut-être que je suis spécial.

Le récital des didgeridoos dura une heure encore. Un Crasseux apporta deux tambours, mais cela n'ajouta ni ne retrancha à mon plaisir musical. Pahoo et ses amis étaient assis en cercle. Ils riaient et fumaient joint sur joint. Uma se trouvait avec un autre groupe de Voyageurs et écoutait attentivement mon pote Gort. Malgré sa concentration évidente, je lisais sur son visage un désespoir mal dissimulé. Peut-être avait-elle besoin d'aller faire un tour dans les buissons, elle aussi.

Je trouvai Siobhan assise sur le capot de la voiture, qui surveillait la scène. Comme d'habitude. Elle avait une bière à la main.

— Où as-tu déniché ça ? demandai-je.

— Je sais y faire avec les gens, au cas où tu n'aurais pas remarqué. Ils sont très réceptifs à mon charme naturel.

— Normal, marmonnai-je.

Siobhan me tendit la cannette. C'était de la bière blonde et elle était tiède, mais c'était aussi de l'alcool, point le plus important. C'est triste à dire, mais la fumette et l'ecstasy semblaient être les seuls toxiques en vogue chez les amis Voyageurs de Pahoo. J'avalai une bonne gorgée et lui rendis la cannette en la remerciant.

— Garde-la.

Elle se pencha et par la portière ouverte et en prit une autre sur le siège.

— Le charme, pas de doute, dis-je en portant un toast silencieux en son honneur.

— Eh, ça ne veut pas dire que nous allons fricoter.

— Merde. Maintenant il va falloir que je t'arrache tes fringues, alors.

Je bus encore un peu de bière pendant que Siobhan riait. À son tour, elle leva sa cannette.

— Holà, tu dois être saoule, dis-je.

— Tu peux toujours rêver.

Je m'assis sur le capot de la Mini mais je sentis le métal plier sous mon poids. Je redescendis et m'appuyai contre la voiture, à côté de Siobhan.

— Je peux te poser une question ?

— Tu viens juste de le faire.

— Hilarant.

— Vas-y, dit-elle.

— Quelle est la capitale du Dakota du Sud ?

Elle se rembrunit.

— Je blaguais, précisai-je. Tu sais, pour briser la glace.

— Tu es Mortimer et Reeves sous un seul emballage.

— Qui ça ?

— Pose ta question.

— Pourquoi es-tu ici ? – Elle fronça un peu plus les sourcils. Je veux dire, quel rapport entre toi et tout ce fatras de dingues ? D'accord, je reconnais que de mon côté je serais incapable de répondre à cette question si tu me la posais, mais tu as l'air…

— L'air quoi ?

— Tu n'as pas l'air à ta place. Pas du tout. Enfin… – Je baissai la voix : Tu as vraiment été virée de l'IRA ?

— C'est Uma qui t'a dit ça ? – J'acquiesçai. Disons simplement que nos opinions divergeaient sur deux ou trois petits détails.

— Mais comment passes-tu de l'IRA à… ça ?

De la main, j'englobai le campement des Voyageurs.

— J'ai quitté les Provisionals parce qu'ils ne savent plus ce qu'ils font. Leur façon de voir la situation actuelle est complètement périmée, et même si dans leur cœur ils savent bien que le monde a changé, ils ne peuvent pas se résoudre à l'admettre. Quand je les ai rejoints, je pensais croire en leur cause, et vouloir mener un combat qui méritait qu'on meure pour lui. Mon père a passé la moitié de sa vie dans les prisons britanniques pour la même raison.

— C'est justement ce que je ne saisis pas. Je reconnais bien volontiers que la complexité du problème irlandais me dépasse – je veux dire, je ne sais pas qui a raison et qui a tort –, et sans vouloir t'offenser ce n'est pas vraiment *mon* problème, tu comprends ? Il y a des situations de merde plus proches de moi que je ne pige pas non plus, et je n'ai pas de temps pour m'y intéresser. Mais il me semble que… Tu détestes les Anglais à ce point ?

— Disons que j'ai un certain ressentiment à leur égard.

— Alors pourquoi fais-tu ça ? Pourquoi aider Uma à… déployer sa magie, ou je ne sais pas quoi ? Ça ne servirait pas mieux ta cause de regarder tout aller vers le chaos ?

— Je ne suis pas anarchiste. J'en connais quelques-uns qui le sont, et je trouve qu'ils puent : ils sont arrogants et égoïstes. Les anarchistes sont des gens qui se détestent profondément mais qui sont incapables d'affronter le mépris qu'ils éprouvent pour eux-mêmes. Alors ils retournent cette détestation personnelle contre tout et tout le monde. Et je soupçonne à moitié tous ces Crasseux d'être de la même eau, c'est pour ça que je me méfie d'eux.

— Eux, en plus, ils sentent mauvais.

— C'est vrai, fit Siobhan. Mais parfois il faut prendre ses alliés là où on les trouve. Je me suis écartée des troubles non parce que j'ai renié la cause mais parce que je n'aimais pas ce que devenait le mouvement. La pourriture le gangrenait. C'est la même pourriture que Uma combat, à sa manière. Je ne comprends pas entièrement comment Uma peut faire les choses qu'elle fait, mais je sais que je dois être avec elle. Si tu tiens à donner un nom à la pourriture et à l'appeler la Thulé, ça me va. Mais si tu veux mon avis, ce n'est qu'une partie de la pourriture. Le vrai combat est contre ceux qui s'imposent aux autres sans se soucier des conséquences. Les Unionistes, la Thulé… C'est une hydre aux têtes multiples.

Moi je vise simplement les plus grosses têtes que je peux
t   r   o   u   v   e   r   .

— Comme le dit le sage : y a tout un tas de salopards ici-
bas.

— Et moi je m'occupe d'eux un par un, Martin Burns. Un
par un.

Nous entrechoquâmes nos cannettes.

Notre expédition quitta le camp des Voyageurs juste avant
minuit. Pahoo était monté dans une voiture avec plusieurs
de ses amis New Age. J'avais pris place à l'avant de la Mini,
avec Siobhan au volant et Uma à l'arrière. Deux autres véhicules emplis de Voyageurs nous suivaient.

— Et maintenant ? demandai-je en me tournant pour
regarder Uma, laquelle continua de regarder par la vitre
sans me répondre. Allô ? Ici la Terre, Uma, répondez.

Elle se tourna vers moi mais garda le silence. Elle semblait ailleurs.

— Houston, je crois que nous avons un problème, fis-je à
l'adresse de Siobhan.

— Uma ? dit doucement l'Irlandaise.

— Quoi ? répondit la jeune femme.

— Tout va bien ? demanda Siobhan. Qu'est-ce qui cloche ?

— Je n'en suis pas certaine. Soudain j'ai une sensation
très bizarre de… distorsion. Mais je ne parviens pas à en
déterminer l'origine.

— C'est sûrement la mélodie du didgeridoo qui vous
manque, dis-je. Si vous voulez, je peux roter pendant que
nous roulons.

— Ce ne sera pas nécessaire. Merci quand même de la
proposition.

— Quelle sorte de distorsion ? voulut savoir Siobhan. Que
ressentez-vous exactement ?

— C'est terminé, maintenant. Mais il y avait… comme une
présence importune. Ce n'est sans doute rien. L'effet de la
fatigue.

— Alors nous continuons ?

— Nous le devons.

— Qu'allons-nous faire, au juste ? m'enquis-je.

— Nous allons accomplir le deuxième des rituels. Voyez-les comme des inoculations contre la Thulé. Tout comme à Canterbury j'ai utilisé le pouvoir du réseau de leys pour le protéger de la corruption de la Thulé, cette fois nous allons entrer en contact avec les énergies qui s'écoulent dans la terre en ce lieu.

— Et comment allez-vous y parvenir ?

— Pas moi. Ce sera de la responsabilité de Pahoo. Bien que les énergies des leys soient toutes de la même nature, elles prennent des caractéristiques différentes selon le lieu. Pahoo est beaucoup plus proche des énergies d'ici que moi. Il les a déjà utilisées par le passé.

— Et le commando des glandus ?

— Pardon ?

— Les Voyageurs. Les Grands Crasseux. Que vont-ils faire ?

— Ils vont participer au rituel.

— Vous dites ça avec l'enthousiasme d'une femme en chemin pour se faire arracher une dent.

— J'admets que je suis un peu troublée par le nombre de personnes impliquées. Je ne les connais pas et par conséquent je dois me fier entièrement au jugement de Pahoo. – Ce n'est pas très encourageant. Pas si son goût vestimentaire est une indication du reste.

— Pahoo a insisté : le nombre de participants est essentiel dans les cérémoniaux druidiques, et ce n'est pas à moi de mettre sa parole en doute. L'accomplissement de tous les rituels est ce qui importe.

— Des druides ? Comme ces types qui vénèrent les arbres ?

— C'est un peu plus compliqué que ça, Marty. Le druidisme est une religion très ancienne et très raffinée, bien que très peu pratiquée à notre époque. À l'époque romaine les Druides dominaient en Cornouailles, et c'étaient de formidables ennemis de Rome. Finalement ils furent presque tous anéantis. La nature et le développement des leys en Grande-Bretagne doivent beaucoup aux progrès de la philosophie et de la magie druidiques.

— Vous savez, c'est marrant, fis-je.

— Quoi donc ?

— Pahoo.

— Eh bien ?

— Il ne fait pas druidique du tout.

Siobhan rit, mais Uma se replongea dans la contemplation du paysage.

Uma, Siobhan et moi regardions les Crasseux s'organiser pour la cérémonie sur la petite colline où se trouvaient les ruines du monastère celtique. Les falaises rocheuses du cap de Tintagel et les murailles écroulées du château se dressaient à moins de huit cents mètres, et le fracas du ressac roulait dans la nuit. Le monastère lui-même n'était pas protégé par un grillage ou une barrière. Mais pourquoi l'aurait-on fait ? Les « ruines » se résumaient à quelques pierres érodées dispersées sur le sol qui suggéraient vaguement qu'un édifice s'était jadis élevé à cet emplacement. Même au clair de lune, j'estimai que la vue sur la mer était impressionnante du haut du tertre, mais que l'endroit ne possédait aucune résonance sacrée et pas une once de l'atmosphère mystérieuse qui planait dans les tunnels et la crypte secrète sous la cathédrale de Canterbury.

Les amis de Pahoo avaient revêtu des sortes d'aubes blanches et s'étaient réunis en rond avec Pahoo, toujours en pantalon et tee-shirt, au centre. Il était agenouillé devant un petit feu entouré d'un cercle de pierres. Un des Crasseux se mit à frapper un tambourin sur un rythme lent et régulier, tandis qu'une femme faisait tinter une sorte de triangle à intervalles plus espacés. Ce n'était pas la mère à la poitrine perpétuellement dénudée, mais sa robe ouverte laissait exposé un petit sein. Uma se rapprocha des Voyageurs, sans pour autant entrer dans le cercle. Siobhan et moi la suivîmes.

Les Druides commencèrent à marcher autour de Pahoo, en conservant entre eux la même distance afin de garder au cercle son intégrité. Ceux sans instrument tenaient de petits brins de ce qui pour moi était du gui – même si je ne vis pas de couples s'embrasser – qu'ils brandissaient d'abord loin puis vers le centre du cercle, avec une précision et un ensemble qu'auraient pu leur envier bien des pom-pom-girls. Pahoo était agenouillé devant le feu et une pierre plate. Il tenait un petit morceau de roc dans sa main et traçait des runes dans la pierre plate. Il chantait lentement, et de temps à autre les membres du cercle aboyaient ce que je supposai être une réponse à ce qu'il avait dit. La langue m'était inconnue, mais ça ressemblait fort au babillage idiot que les gamins inventent pour énerver les adultes, et pendant un moment je crus que toute cette mise en scène n'était qu'une farce navrante. Je jetai un coup d'œil à Uma, mais son expression sombre m'assura que c'était sérieux.

Le cercle ralentit son allure tandis que le chant gagnait en ferveur. Pahoo prononçait une phrase, le tambourin et le triangle résonnaient, et un membre du cercle coupait un des brins de gui qu'ils brandissaient. Cela dura jusqu'à épuisement du gui. Alors le cercle s'immobilisa, et tous s'accroupirent. Pahoo se leva.

— Oh… entendis-je Uma souffler.

Dans sa main, Pahoo tenait un lapin gris par les pattes arrière, à l'envers, et même dans le clair de lune blafard je vis que l'animal tremblait de peur. Avec le tranchant de la pierre dont il s'était servi pour graver les runes, Pahoo trancha la gorge du lapin, puis l'ouvrit sur toute la longueur du corps. Peut-être était-ce dû à ma position, mais les yeux de Pahoo me parurent enflammés par le reflet du feu tandis qu'il éventrait sa victime. Il se mit à chanter, et lorsqu'il ouvrait la bouche, je distinguais des filets de salive entre ses mâchoires. Pendant une seconde je crus qu'il allait arracher un morceau de chair de la bête avec ses incisives.

Uma étouffa un hoquet.

Les pattes du lapin tressautaient encore lorsque ses viscères se déversèrent sur la pierre plate formant l'autel. Le tambourin s'arrêta, le triangle s'arrêta, le chant s'arrêta.

Tout s'arrêta.

Je voulus détourner la tête, mais c'était comme si j'avais été plongé dans un baquet de colle. Je ne pouvais plus bou-

236

ger. J'essayai de seulement écouter; je ne pouvais même plus entendre le grondement pourtant omniprésent du ressac tout proche. Je sentis un point froid toucher ma nuque et se propager tout le long de mon échine, puis dans mes jambes.

J'entendis de nouveau le ressac.

Les Voyageurs s'embrassaient et ôtaient leurs aubes. Trois d'entre eux étreignaient Pahoo avec enthousiasme. Le lapin mort gisait sur la pierre, à leurs pieds.

D'un des véhicules une musique assourdissante éclata soudain. Deux gros haut-parleurs avaient été installés dans l'un des coffres et un air répétitif de techno – de la house, du garage ou du bungalow, quel que soit le nom qu'ils donnent à ce martelage auditif insensé – emplit la nuit. Les Voyageurs se mirent à danser follement – en fait, c'est le mot «cabrioler» qui me vint à l'esprit – entre les ruines de l'ancien monastère. Je n'arrivais pas à le croire.

Du coup, je fis tapisserie.

14

Nous passâmes le restant de la nuit dans le campement des Voyageurs. Ces heureux druideux dénichèrent quelques sacs de couchage non utilisés, et bien qu'Uma en acceptât un, ils me parurent trop ressembler à des nids à puces et je préférai m'installer sur la banquette arrière de la Mini. Siobhan s'était déjà endormie à l'avant. Je ne pense pas avoir dormi plus de trois heures avant que la lumière crue du jour ne me réveille, mais mon dos et mon cou étaient si raides qu'une grasse matinée m'aurait sans doute transformé en statue. Si délicieuses que fussent les toilettes du campement, j'optai pour une petite balade en forêt, en espérant trouver mieux quand nous aurions repris la route.

Uma et Siobhan n'avaient pas mieux dormi que moi, et à six heures et demie nous étions impatients de partir. Nous dûmes pourtant attendre une heure entière l'apparition de Pahoo ; je crois que lui et une des beautés locales avaient fait une partie de bête à deux dos.

Nous chargeâmes la Mini, acceptâmes un pain ressemblant à une banane molle de la part de la femme à la poitrine (toujours) nue – était-ce un truc religieux ? Je devrais peut-être étudier un peu tout ce fatras druidique. Pahoo en arracha un gros morceau qu'il engloutit avec entrain, mais malgré la faim qui me tenaillait assez pour dévorer deux petits déjeuners grand format, je déclinai l'offre. Je me méfiais des ingrédients secrets qui avaient pu être ajoutés à la recette, et je ne tenais pas du tout à avoir une douloureuse confirmation de mes craintes. Uma et Siobhan partageaient ma prudence. Finalement nous ficelâmes le didgeridoo de Pahoo sur le toit, et nous fûmes prêts à repartir.

La Mini n'était pas de cet avis.

— Bordel de merde ! rugit Siobhan en écrasant son poing sur le tableau de bord.

À part faire démarrer les voitures avec les fils de l'allumage, elle ne s'y connaissait pas en mécanique. Et moi je ne sais même pas faire ça.

— Le démarreur ? suggérai-je.

— Oh, non, gémit Uma, qui semblait aussi désemparée que moi.

— Saloperies de bagnoles, contribua aimablement Pahoo.

Il prit la banane de pain et retourna auprès de sa conquête, du moins je le suppose.

Une heure plus tard, nous avions un diagnostic plus précis du problème. Le gros type au ventre de Moby Dick s'y connaissait en moteurs, lui.

— Joint de culasse, lâcha-t-il avec une moue lugubre, en essuyant ses mains graisseuses sur son ventre.

Il avait cette expression que redoute toute personne ayant déjà possédé un animal familier : celle du véto quand il vous annonce : « Désolé, mon vieux, mais on devrait endormir votre gentille Fluffy définitivement. »

— Bon, et maintenant ? questionnai-je.

— Je pourrais voler quelque chose, proposa Siobhan, une lueur dans les yeux.

Uma fit un signe négatif.

— Un modèle confortable, plaida l'Irlandaise.

— Non, trancha Uma. C'est trop risqué. Inutile d'attirer l'attention sur nous de cette manière.

— Je suis foutrement douée pour ça, vous savez, insista Siobhan.

Mais Uma ne voulait pas en entendre parler.

— Où allions-nous, au fait ? demandai-je

— Liverpool, répondit Uma. Il y a là-bas un ami que nous devons rencontrer.

— Quoi ? m'étonnai-je. Je croyais que c'était l'Écosse notre prochaine étape ?

Uma me toisa et ouvrit la bouche – je me préparai à une réflexion cinglante – mais elle n'émit qu'un soupir.

— Bon, bon, on va où vous voulez. Mais pourquoi ne pas prendre un train, ou autre chose ? Vous devez bien avoir une ligne de Chiens ici, ou l'équivalent local.

— Les chiens ? répéta Siobhan, perplexe.

— Les Greyhounds, vous savez ? Les cars ?

Pas de réponse.

Je me mis à chantonner l'air de la pub hyperconnue, mais seulement aux States :

— « Laissez-nous vous conduire… »

— Il y a les trains, dit Uma avant que Siobhan ne se jette sur moi pour m'étrangler. Mais je crains qu'ils ne tiennent plus de l'escargot que du lévrier.

En fin de compte, c'est Pahoo qui vint à notre secours.

— Ô mon Dieu, soufflai-je.

— Je parie que ça roule comme un tank, gémit Siobhan. Ou pire. Seigneur, est-ce qu'il va seulement démarrer ?

— Il faudra nous en contenter, trancha Uma. Même si ce n'est pas aussi discret que je l'aurais souhaité.

C'était un Minibus Volkswagen. Vingt ans d'âge minimum, et prématurément vieilli. Il avait été repeint à maintes reprises. Je dénombrai pas moins de six couleurs différentes, dont deux teintes de pourpre, chacune plus laide que la précédente. C'était sans grande importance, puisque la rouille avait mis tout le monde d'accord. Je n'avais pas revu de Minibus depuis une éternité, et j'aurais parié qu'ils étaient tous partis au paradis automobile allemand, mais la simple vue de ce modèle fit déferler en moi une avalanche d'images archivées dans les années 1970, avec beaucoup de filles qui aimaient la défonce mais pas les sous-vêtements.

— Bon sang, ça me rappelle un tas de trucs, dis-je. À une époque, on levait plus de nanas avec un de ces engins qu'en ayant son propre show télévisé.

Uma et Siobhan me jetèrent un regard identiquement réprobateur.

— C'était il y a longtemps, précisai-je.

— Eh bien, ne crois pas que les jours heureux sont de retour, grogna Siobhan.

— Vraiment, Marty… soupira Uma.

J'admets avoir été quelque peu embarrassé, mais surtout – et je ne peux qu'espérer que mes compagnes ne l'aient pas remarqué – parce que la simple vue du Microbus m'avait refilé un début d'érection.

Ah, souvenirs, souvenirs…

Le Volkswagen appartenait à l'un des Voyageurs qui était prêt à l'échanger contre la Cooper, du moins pour le moment. Le moteur du minibus était nettement plus bruyant que celui de la voiture, mais nous pouvions caser le didgeridoo à l'intérieur. Mince consolation en vérité. Avec ses sièges déchirés et son plancher troué par la rouille, il était pourtant beaucoup plus confortable. Tant que vous regardiez où vous posiez les fesses et les pieds.

Pahoo prit place devant, à côté de Siobhan qui décidément se révélait incapable de céder le volant. Nous poursuivîmes dans la même direction qu'à notre arrivée au campement, jusqu'à ce que nous arrivions sur l'autoroute qui nous mènerait au nord de Liverpool. Uma était assise à côté de moi. Bras croisés sur la poitrine, elle paraissait anormalement morose tandis que nous filions dans le paysage désolé des Cornouailles.

— Ça baigne ? m'enquis-je.

— Ça va, Marty. Je suis juste un peu préoccupée.

— Tout s'est bien passé la nuit dernière ? Je veux dire, le rituel a donné les résultats que vous escomptiez ?

— Évidemment, lança Pahoo que j'avais pensé assoupi. Tu crois que je ne sais pas ce que je fous ?

— Pour être franc, je n'ai pas la moindre foutue idée de ce que tu fous, c'est même pour ça que j'ai posé la question. Mais si…

— Qu'y a-t-il, Marty ? coupa Uma.

— Tu as un problème, mon pote, balance, fit Pahoo.

— C'est juste que… Il fallait vraiment que tu zigouilles le lapin ?

Pahoo tourna vers moi un visage crispé par la colère.

— Qu'est-ce que tu y connais, hein ?

— Je viens de te le dire, je n'y connais foutre rien. Nib au carré.

Il hocha la tête sèchement et reporta son attention sur la route devant nous.

— Mais est-ce qu'il fallait faire la peau à Roger Rabbit ?

Pahoo fit volte-face et se jeta dans l'espace entre les deux sièges avant.

— Eh ! s'exclama Siobhan en donnant un petit coup de volant qui nous déporta sur la file voisine.

— Écoute, mon pote, me cracha Pahoo au visage. Ce n'est pas à toi de me dire ce que je dois faire. Ce que tu sais de la terre et de l'esprit de la terre ne remplirait pas le trou du cul d'une mouche. Je peux remonter ma lignée jusqu'à mille ans en arrière. Ce que j'ai appris, je l'ai appris par âges et mages, tu piges.

— Âges et mages. C'est comme *Donjons et Dragons* ?

— Foutu imbécile. Si je dois trancher la gorge d'un foutu lapin, tu peux être sûr qu'il y a une excellente raison à ça. Et je n'explique pas mes actes et des gens comme toi.

— Alors peut-être accepteriez-vous de me l'expliquer, à moi, intervint Uma.

— Hein ?

— Je suis bien sûr au courant de l'usage d'un sacrifice animal dans la tradition druidique. En fait seule une faveur de la terre ne peut être obtenue qu'à un certain prix.

— Exact, dit Pahoo.

— Mais j'ai cru comprendre aussi qu'un tel coût ne nécessite pas la perte d'une vie. J'ai moi aussi était déconcertée par le choix du rituel la nuit dernière. Je reconnais l'intérêt d'un tel sacrifice, mais je doute de son efficacité étant donné les forces contre lesquelles nous sommes alliés.

— Vous voulez dire que vous désapprouvez ?

— Je ne porte pas de jugement, j'exprime simplement mon inquiétude. Je pense que Marty a été perturbé par le rituel, et je vous explique que je partage en partie son trouble.

— Ouais! lançai-je, bien que cela n'eût pas le même effet dévastateur qu'au lycée.

Pahoo ne répondit pas immédiatement, et je crus voir une rage incendiaire crépiter dans les yeux bruns du petit homme. Siobhan dut le sentir également, car une de ses mains avait quitté le volant et elle surveillait Pahoo du coin de l'œil. Ce dernier inspira à fond, et la colère déserta ses prunelles.

— Je m'excuse, dit-il, mais en ne regardant que Uma. J'aurais dû vous en parler avant. Vous avez raison, le rituel peut être accompli sans sacrifice, mais c'est beaucoup plus compliqué. Il faut cueillir toute une collection de plantes et d'herbes à la lune nouvelle. Je n'aime pas effectuer les rites sacrificiels, aucun d'entre nous n'aime ça, mais nous n'avions pas le temps de procéder autrement. Le temps est le maître du jeu, n'est-ce pas? Surtout avec la Thulé à notre poursuite.

— C'est vrai, fit Uma d'une petite voix.

Pahoo se tourna enfin vers moi.

— Et bien que je n'aime pas tuer d'être vivant, la population des lapins dans ce coin est très excessive. C'est un des symptômes qui révèlent un déséquilibre profond de l'écosystème, mais dans ce cas particulier des dommages plus grands encore surviendront si le nombre des lapins n'est pas limité. Alors quand je dois sacrifier un animal, le choix d'un lapin me paraît le plus judicieux.

J'opinai du chef, mais une image de la nuit précédente s'imposa à mon esprit. Je revis Pahoo au milieu du cercle des druides, le lapin mourant au poing, ses yeux brillants de… de je ne sais quoi. J'aurais bien dit qu'il s'agissait de joie, quand même.

Je coulai un regard à Uma, qui elle aussi acquiesçait. Avec un haussement d'épaules, Pahoo se rassit sur son siège. La jeune femme décroisa les bras et se laissa aller contre le dossier de la banquette.

Mais elle n'avait toujours pas l'air très heureuse.

Il nous fallut une heure sur les petites routes – le Minibus ne remporterait jamais de course, sauf de tracteurs, peut-être

– avant d'apercevoir les premiers panneaux indiquant l'autoroute, près d'une ville du nom d'Exeter. J'avais des crampes d'estomac, et nous stoppâmes devant un café en bord de route pour que nous prenions le petit déjeuner. Pahoo annonça qu'il n'avait pas faim et qu'il préférait marcher un peu. Siobhan, Uma et moi entrâmes donc dans l'établissement.

C'était un routier, avec une salle minuscule où se serraient des tables en plastique flanquées de petites banquettes. La patronne semblait avoir eu pendant quelques années pour profession de sucer des citrons. À mon avis, elle aurait dû avoir des tatouages, mais je n'en vis aucun. Le menu était pour le moins limité; je mourais d'envie de me goinfrer de pancakes noyés sous un tsunami de sirop d'érable, deux douceurs apparemment inconnues au Royaume-Uni. Aussi me rabattis-je sur des œufs au bacon.

— Haricots ou frites? demanda Lèvres-à-Citrons.

— Haricots? m'étonnai-je.

— C'est noté, dit-elle en s'éloignant.

— Des haricots au petit déjeuner? dis-je à mes compagnes.

— Bien sûr, répondit Siobhan.

— Vous n'êtes pas forcé de les manger, Marty.

— Et je ne les mangerai peut-être pas.

Je les engloutis, évidemment. Ils se révélèrent d'ailleurs très bons, alors que le bacon était gras et mou, et les œufs morveux. Mais comme vous le savez, je ne suis pas du genre à me plaindre.

J'avais envie d'un autre café après avoir vidé mon assiette, bien que même moi j'avais fini par apprendre qu'on n'offre pas de tasse gratuite en Angleterre. Je commençai à critiquer cette coutume détestable (ce n'est peut-être pas la première fois que je le mentionne), mais Siobhan coupa court à mes jérémiades en se levant et en allant commander pour moi au comptoir.

— Ça marche à chaque fois, raillai-je, et Uma me considéra sans se dérider. Eh, que se passe-t-il, Uma?

— Que voulez-vous dire?

— Il y a quelque chose qui ne va pas. Je le sens. Vous donnez l'impression de marcher avec un caillou dans votre chaussure. Et vous avez une expression qui pourrait laisser penser que c'est vous qui passez toute votre vie à servir des haricots dans un routier graisseux. Alors ?

— Je n'en suis pas sûre, exactement, répondit-t-elle. Je... Qu'entendez-vous par « Je sens que quelque chose ne va pas » ?

— Il veut dire que le service d'étage du Savoy lui manque, intervint Siobhan, qui déposa deux tasses sur la table et repartit chercher la troisième, mais Lèvres-à-Citrons l'avait suivie et lui évita le déplacement.

— Ce n'est pas ce que vous voulez dire, n'est-ce pas, Marty ?

— Non. Ce qui n'empêche que ça aussi, c'est vrai. – Siobhan leva sa tasse pour saluer ma franchise en un toast silencieux. Mais non, ce n'est pas ce que je voulais dire.

— Alors c'est quoi ?

— Ce n'est pas très clair dans mon esprit. Je... je sais que par nature je ne suis pas du genre très intuitif. Disons plutôt que je préfère attendre de voir si mon idée est bonne. Quand j'étais plus jeune, j'étais beaucoup plus impétueux, et ça m'a embringué dans tout un tas d'ennuis.

— *Massacre au bazooka sur la plage*, rappela Siobhan.

— Merci, Docteur. J'ai appris à la dure à analyser les situations au lieu de réagir immédiatement.

— Alors dites-moi le résultat de vos réflexions.

— Je pense que quelque chose cloche, dis-je avant de rire. J'admets volontiers que je suis largué avec toute cette... aventure. Enfin, je ne suis toujours pas très sûr de ce que nous fabriquons. Il n'empêche, j'ai vraiment *senti* que nous faisions ce qui convenait quand nous avons commencé ce truc à Canterbury.

— Et maintenant ? demanda Uma.

— Quelque chose ne va pas. Je ne voudrais pas parler comme un gamin froussard, mais cette cérémonie de la nuit dernière – le coup du lapin –, ça me reste sur l'estomac comme des fruits de mer pas frais par une journée de canicule. J'ignore pourquoi.

Uma jeta un regard appuyé à Siobhan.

— D'accord, maugréa l'Irlandaise. Moi aussi, j'ai cette impression. Et pourtant, ça ne m'enchante pas d'être d'accord avec cette créature de la télé. Est-ce que quelque chose cloche vraiment ?

Uma fit tourner sa cuillère dans le café fumant devant elle. La tasse était tachée, mais il n'y avait pas de marc à décrypter.

— Je partage votre impression. Moi aussi, j'ai été troublée par cette cérémonie, même si j'accepte les explications de Pahoo. D'après mes connaissances, le rituel a réussi et les leys ont été fortifiés contre l'appropriation ou la profanation. Comme vous deux, je suis incapable de définir avec précision la source de mon trouble, ce qui en soi accentue encore ce… malaise.

— Et si… Je regardai autour de nous et baissai la voix : Après ce qui s'est passé à Woodhenge, et si la Thulé était toujours sur nos talons ?

Uma se tourna vers Siobhan.

— Tout est possible. Mais je ne crois pas que nous soyons suivis. Pas physiquement, en tout cas. S'ils nous suivent, ils sont meilleurs que moi. Et il n'y en a pas beaucoup qui sont meilleurs que moi.

Sur ce dernier point, je la croyais sans peine.

— Cependant nous laissons une piste qui peut être suivie, dit Uma.

Je me rembrunis, puis la petite lumière s'alluma au fond de ma cervelle.

— Les rituels.

— Oui. La Thulé elle aussi ne manque pas de ressources magiques propres. Ils ne peuvent qu'avoir remarqué les modifications que nous avons déjà apportées au réseau de leys. En fait il n'est pas impossible qu'ils anticipent nos futures actions. À partir de maintenant, nous devrons donc procéder avec célérité, et prudence, si nous ne voulons pas être devancés par la Thulé. En espérant que ce n'est pas déjà le cas.

— Je n'aime pas trop ça, fis-je.

— Moi non plus. Mais je ne sais pas comment agir autrement. Quoique le réseau de leys soit accessible en maints endroits, il n'existe que quelques carrefours clefs. Nous en avons déjà visité deux. Il n'est pas difficile de deviner où nous allons nous rendre prochainement.

— Quel est le plan, alors ?

— Notre plan, répondit Uma, consiste à nous déplacer très rapidement.

— La douloureuse ! lançai-je aussitôt à la patronne.

— L'addition, Marty. En Angleterre, on paie l'addition.

Une précision pleine de sens s'il en était un.

Nous allâmes plus vite sur l'autoroute, sans toutefois aucun record digne d'être enregistré. J'avais acheté un journal lors de notre pose petit déjeuner, non pour le lire, mais pour boucher les trous du plancher. J'avais choisi le torchon qui avait publié ces photos de moi quand je jouais dans ce porno soft mémorable. La une du jour était consacrée à des frères formant un groupe pop dont je n'avais jamais entendu parler, et dont chacun aurait mis un contrat sur la tête des autres. Ce n'était cependant pas un numéro sans réelle nouvelle intéressante, puisqu'ils avaient trouvé la place de publier la photo d'une blonde souriante confortablement mamelue et boudinée dans la robe de sa petite sœur. Qui a dit que nous ne vivions pas l'âge d'or du journalisme d'investigation ?

Je m'assoupis sur la banquette arrière, ouvris un œil alors que nous dépassions Bristol – un paysage aussi excitant que ceux qu'on peut découvrir d'une de nos Interstates – et me remis en veilleuse. Je ne me réveillai pas avant que Siobhan ne s'arrête pour faire le plein. Nous étions alors aux abords de la banlieue de Birmingham qui, comme le bavardage de mes compagnons me l'apprit, ne se prononce absolument pas comme la ville en Alabama. Maudit soit Randy Newman.

Je suggérai de déjeuner, mais le seul établissement en vue était un de ces restaurants en préfabriqués appartenant à des chaînes peu gastronomiques, et ma proposition ne souleva aucun enthousiasme. Le logo surmontant la devanture ressemblait à un type se fourrant un doigt dans la gorge, et j'en déduisis que les réticences des trois autres étaient motivées. Uma entra dans la petite boutique de la station-service et en ressortit avec tout un lot de sandwichs sous cellophane. Siobhan et moi lorgnâmes tous deux ceux au poulet/salade/estragon, mais quand je vis que tous les sandwichs étaient beurrés, je décidai de jouer le martyr et, royal, j'offris ma part à l'Irlandaise. Je réglai quand même son sort à une barre Lion. Siobhan me gratifia de son regard assassin, mais avec des traces de poulet à l'estragon sur les lèvres elle n'eut d'autre choix que de sourire et de me donner ses Snickers.

Uma avait pris un loukoum. Rien que le nom me déplaisait, mais *de gustibus*, etc.

Je remontai à l'avant, à côté de Siobhan, tandis que Pahoo et Uma somnolaient à l'arrière. Alors que nous nous lancions sur la route pour la dernière portion jusqu'à Liverpool, le paysage se révéla beaucoup plus engageant que les plaines mornes du Kent, mais sans la puissance sauvage des Cornouailles. Cela me rappelait un peu certains coins du nord-est des États-Unis et, bien sûr, je me frappai mentalement le front du plat de la main en comprenant soudain pourquoi ces petits malins de premiers colons avaient appelé cette région la Nouvelle-Angleterre.

Lorsque vous passez un temps suffisamment long à bord d'un véhicule qui roule, le rythme du voyage finit par avoir une sorte d'effet hypnotique. Siobhan fredonnait – il y avait un grand trou aux bords rouillés ornés de fils déconnectés là où la radio aurait dû occuper une place dans le tableau de bord – et sa mélopée ajoutait à l'atmosphère soporifique du moment. Je suis certain de ne pas m'être assoupi, car je sentais chacun des cahots généreusement retransmis par la suspension moribonde du Minibus et je savais que j'avais les yeux ouverts, mais je glissai dans un état curieux de semi-conscience. Le pare-brise et la route qui l'emplissait se transformèrent insensiblement en un écran sombre sur lequel mon esprit ensommeillé projeta un film au montage délirant.

Je vis l'image de la bouteille de Snapple que j'avais lancée et qui filait dans l'air en tournoyant pour exploser au visage du skinhead dans l'épicerie de Londres. Puis elle se métamorphosa en un tas de décombres fumants, avec en surexposition le visage souriant de la petite Indienne au tee-shirt. Une camionnette noire qui nous dépassait sur la gauche devint le tombeau de Becket et une bouffée de fumée blanche jaillissant de son pot d'échappement un ley doré reliant le sépulcre aux ruines tourmentées du château de Tintagel. Puis ce fut le lapin gris que Pahoo avait égorgé et sacrifié sous le ciel nocturne. Toutes ces images tourbillonnèrent et fusionnèrent sur l'écran flou de l'autoroute M6, et aucune ne me dérangeait réellement – les silhouettes en noir n'apparurent pas – jusqu'à ce que j'aperçoive le vieil homme campé en plein milieu de la route.

— Attention ! hurlai-je.

Éructant un chapelet de jurons, Siobhan donna un brusque coup de volant et le Minibus mordit sur la bande d'arrêt d'urgence, en freinant brutalement. Pahoo et Uma furent projetés contre les dossiers des sièges avant. Par chance aucun véhicule ne nous suivait de près, ce qui nous évita un méchant carambolage.

— Nom de Dieu de bordel de merde ! Qu'est-ce qui ne va pas chez toi ? rugit Siobhan.

— Merde, soufflai-je. Je suis désolé.

— Pourquoi as-tu crié ?

— Marty ? dit Uma qui se frottait le coude là où il avait heurté la portière.

Pahoo ne m'agonit pas d'injures. Il se contenta de me fixer d'un regard de figurant dans un western de Sergio Leone.

— Désolé, répétai-je. Je… j'aurais juré avoir vu quelqu'un au milieu de la route. Je sais bien, c'est impossible, mais sur le moment ça m'a semblé tellement réel…

— Tu rêvais, mon pote, grommela Pahoo. Tu devrais t'installer derrière.

— Qu'avez-vous vu exactement, Marty ? demanda Uma.

— C'est dingue. C'était… J'ai vu un vieux Noir. Vêtu d'une sorte de robe.

— Impossible, siffla Siobhan. On ne les voit que sur la M25.

— Avec un chapeau, dis-je en me remémorant la vision. Comme ces trucs que portent les Shriners. Comment on appelle ça ? Un fez, c'est ça ?

— Il était assorti à la robe ? me demanda Siobhan. C'était un ensemble ?

— À quoi ressemblait-il ? voulut savoir Uma, qui semblait très intéressée. Vous êtes sûr que c'était une robe ?

Je fermai les yeux et m'efforçai de recréer l'image dans mon esprit, mais elle demeurait imprécise.

— J'ai eu l'impression qu'il portait une robe. Et ce n'était pas un fez, mais la forme s'en rapprochait.

— Et son visage ?

Je secouai la tête.

— C'était un Noir. Ça, j'en suis sûr. Mais je ne me souviens pas de plus de détails. Écoutez, Pahoo a raison : j'ai dû m'endormir sans m'en rendre compte. Ce ne pouvait être qu'un rêve.

— Mmmh, fut tout ce que Uma dit.

— Je suis vraiment désolé, fis-je à l'intention de Siobhan.

Sans réfléchir, je lui avais effleuré le bras de la main. Elle baissa vivement les yeux vers mes doigts, et pendant une fraction de seconde je crus que j'allais les perdre.

— Quel monde de branleurs, dit-elle en riant.

Elle remit le Minibus sur la route.

Nous arrivâmes à Liverpool peu après trois heures, et il était temps. La jauge de température grimpait rapidement et nous roulions contre la montre pour arriver à destination avant qu'un geyser de vapeur ne jaillisse du capot. La circulation dense de l'après-midi nous ralentissait, comme le fait qu'aucun de nous ne connaissait cette ville. Uma était montée de nouveau à l'avant et consultait un gros atlas routier ouvert sur ses genoux, tandis que Siobhan insultait systématiquement tous les autres conducteurs.

— Oh, bon sang, soufflai-je en scrutant le paysage citadin en pleine décrépitude. Et dire que je pensais que la ville de Gary dans l'Indiana était le trou le plus laid au monde. – Je descendis la vitre et inspirai un peu d'air. – Non. Gary gagne. Au moins Liverpool ne pue pas.

— Avant de te prononcer, attends que nous approchions du fleuve, me conseilla Siobhan.

Liverpool avait l'air d'un endroit dont l'heure de gloire était passée et qui n'entretenait aucun espoir de connaître une autre période de gloire. Les cités ont une existence propre, et tout comme les gens on ne peut jamais complètement passer en profits et pertes une ville. Il y a une sorte de source de vie dans chaque patelin, comme un cœur qui bat, aussi faiblement que cela soit. Pour pousser un peu plus loin la métaphore, disons que Liverpool donnait l'impression d'avoir grand besoin d'une transplantation.

Alors que nous sortions du centre, les quartiers devinrent de pire en pire. Les maisons mal entretenues cédèrent la place à une dégradation urbaine tous azimuts. La plus grande partie de cette ville avait l'aspect d'un seul immense lotissement délabré. Notre Minibus rouillé ressemblait presque à une voiture de luxe comparé à celles garées le long des trottoirs.

— Vous êtes sûre de votre destination ? demandai-je.

— Hélas oui, répondit Uma.

Il y avait peu de gens dans les rues et aucun passant que je vis n'était blanc. Ce quartier me rappelait celui où j'avais été agressé, dans l'East End, mais si là-bas c'était un bidonville indien, ici il était noir. Pour la première fois depuis mon arrivée en Angleterre, je sentis l'emprise glacée de la paranoïa de Los Angeles hérisser les petits poils de ma nuque.

— Celle-là, je crois, dit Uma en indiquant une rue menant à un autre lotissement lugubre.

Il s'appelait Tebbit Gardens, mais en fait de jardins la seule trace de vert visible se réduisait à un entassement de moquette pourrie débordant d'une benne à ordures. Un poste de sécurité vandalisé se trouvait à l'entrée du lotissement, ainsi que les débris d'une barrière. S'il y avait eu un garde, ses os devaient avoir été nettoyés depuis longtemps par les rats. Abandonne tout espoir, toi qui entres ici…

Uma rangea l'atlas routier et consulta un morceau de papier qu'elle tira de son sac à main. Elle donna des indications hésitantes à Siobhan qui tenait le volant avec un peu plus de force et qui scrutait les alentours d'un regard méfiant. Les «gendarmes couchés» – une appellation particulièrement appropriée ici – étaient disposés sur la rue à des intervalles ridiculement courts. La suspension agonisante n'aimait pas du tout ça. La partie charnue de mon anatomie était en plein accord avec elle.

— Ici, je crois, dit Uma en désignant une des nombreuses bâtisses identiques de quatre étages.

Un long balcon courait le long de chaque niveau, et la balustrade disparaissait sous le linge mis à sécher. Chaque étage comptait au moins trente appartements, qui devaient être horriblement exigus. Je ne voyais qu'un salopard d'architecte malade et extrêmement misanthrope pour avoir créé ce genre de logements. Même pour des HLM, qui pouvait imaginer que vivre là serait une bonne idée? Mais je suppose que l'imagination ne jouait qu'un rôle très mineur dans l'affaire.

Un groupe de gamins se jetaient des pierres devant la façade de l'immeuble, et je vis un bambin courir comme un fou sur un balcon, dans un sens puis dans l'autre. Je n'aperçus aucune présence adulte dans les parages et je priai pour que l'enfant ne tombe pas dans le vide. Enfin, au moins pas sur moi.

— C'est ça.

— C'est ça, quoi? demandai-je.

Il n'y avait pas de parking digne de ce nom, ni aucune place de libre, même si des panneaux mettaient en garde contre tout stationnement illicite. Siobhan s'arrêta simplement aussi près que possible de la porte d'entrée. Les gamins cessèrent de se jeter des cailloux alors que nous descendions du Microbus. J'eus le sentiment qu'ils voyaient rarement des Blancs, ou même des Asiatiques dans le coin. Siobhan marcha droit vers eux.

Elle tendit un billet de cinq livres au plus grand de la bande.

— C'est pour surveiller notre voiture, dit-elle. Si vous faites bien votre boulot, il y aura la même chose pour vous quand nous reviendrons.

Le loubard en herbe empocha l'argent, avec un rictus désagréable.

— Si vous ne faites pas un bon boulot… menaça Siobhan.

Elle regarda autour d'elle puis s'approcha d'une fenêtre condamnée par des planches épaisses. De l'index elle traça un X imaginaire sur le bois, jeta un regard aux gosses, puis enfonça son poing droit dans le bois épais de deux centimètres.

— On s'est compris ? interrogea-t-elle.

Le rictus avait disparu du visage du chef de bande. Je vis sa jeune pomme d'Adam jouer au yo-yo le long de son cou quand il déglutit.

— Oui, M'dame, dit-il.

Nous entrâmes dans l'immeuble, Uma ouvrant la marche, et j'exprimai mon admiration à Siobhan pour sa technique de communication avec les gamins.

— Mais comment fais-tu ça sans te faire mal ? demandai-je.

— Qu'est-ce qui te dit que ça ne fait pas mal ? rétorqua-t-elle.

L'ascenseur était en panne, mais hormis ce détail l'intérieur de l'immeuble était en bien meilleur état que l'extérieur. Je m'étais attendu à trouver de la crasse et des graffitis partout, mais les murs étaient propres et le sol net. Les gens qui habitaient ici n'avaient peut-être pas la possibilité de contrôler leur environnement externe, mais ils entretenaient leur propre espace de vie.

Nous montâmes au dernier étage et émergeâmes de la cage d'escalier sombre sur l'un des longs balcons de façade. Il ne faisait pas plus de soixante-dix centimètres de large – comment diantre les gens passaient les meubles pour emménager et déménager ? – et la balustrade n'avait pas un mètre de haut. Je jetai un coup d'œil en contrebas et éprouvai aussitôt un léger vertige. La bande de gosses n'avait pratiquement pas bougé, et le meneur essuyait une tache sur le pare-chocs du Minibus avec le bas de son tee-shirt. À un niveau superficiel je ne peux pas me prononcer sur les capacités relationnelles de Siobhan, mais elle possède certainement une méthode efficace, au fond de sa folie.

Une palette d'odeurs contrastées nous accueillit alors que nous passions devant les portes closes. Je n'aurais pu en identifier aucune, mais toutes avaient un caractère que je définirais comme épicé. Un gargouillement m'annonça le réveil de mon estomac. Uma s'arrêta devant une porte, à environ un tiers du balcon. Tout d'abord je crus que quelque chose était accroché au panneau, mais en m'approchant je constatai qu'il s'agissait d'un motif gravé dans le bois. Beaucoup moins complexe que les symboles runiques que j'avais déjà vus, celui-ci ressemblait plutôt à un dessin d'enfant, et il n'aurait pu être plus différent des runes. Bizarrement, il me les remémora quand même, sans doute à cause de l'impression de pouvoir qui s'en dégageait. Uma leva le poing pour toquer, mais la porte s'ouvrit avant qu'elle achève son geste.

Une petite femme noire très jolie, vêtue d'une robe d'été bariolée se tenait devant nous. Elle nous dévisagea un à un, posément, puis nous gratifia du sourire le plus lumineux qu'il m'ait été donné de voir. Elle avait des dents blanches parfaites, des lèvres épaisses et rouges, et une langue au diapason. Elle nous salua d'une révérence exagérée, et d'un ample mouvement du bras nous invita à entrer.

— Il attend, dit-elle sans cesser de sourire.

Je la saluai d'un hochement de tête et passai devant elle, et que je sois damné si elle ne me lança pas un clin d'œil. Comme elle fit la même chose avec Pahoo, je n'en conclus rien du tout.

À l'intérieur de l'appartement, l'odeur d'épices était très forte. Le plafond semblait horriblement bas, mais peut-être était-ce une impression due aux banderoles de couleurs vives qui drapaient les coins de la pièce. D'autres motifs semblables à celui de la porte, mais dans des couleurs tout aussi chatoyantes, se répétaient sur les tapisseries pendues aux murs. Il n'y avait pas de mobilier à proprement parler, simplement des coussins épais empilés sur la moquette, et quelques tables basses surchargées de plats de fruits frais et secs. Par une porte ouverte j'entraperçus la cuisine où une autre jeune femme, encore plus ravissante que la première, s'affairait. À un moment elle regarda dans ma direction et sourit.

— Salut, mes enfants, dit une voix de basse.

Je me retournai et découvris un Noir énorme qui entrait dans la pièce. Il se laissa tomber sur les coussins. Le sol vibra sous le choc de sa masse.

— Bon sang de bon sang, soufflai-je.

C'était l'homme que j'avais cru voir sur l'autoroute.

Baba Dutty, puisque c'est ainsi qu'il se présenta, fit montre d'une hospitalité qui aurait fait honte à une douzaine de maîtres d'hôtel italiens. Dès que nous nous assîmes, on nous proposa sans cesse à manger et à boire. Et c'était bon, rien à voir avec cette horreur de pain en banane que les petits copains de Pahoo nous avaient offert. Nous commençâmes par des plateaux de fruits frais et secs – mangues, bananes vertes, oranges, citrons, amandes, noix de pécan, cacahuètes entre autres – avant d'attaquer une série de plats délicieux, jusqu'à arriver à celui de résistance, une volaille boucanée accompagnée de haricots rouges et de riz, le tout plus succulent que tout ce que j'avais pu goûter des deux côtés de La Nouvelle Orléans. Je fis passer le tout avec des bières blondes Red Stripe, et pour ne pas froisser Baba Dutty avec un bon verre de rhum épicé. Je déteste cet alcool, mais celui-là me ravit. En fait j'aimai tout. Si le Père Noël était un Noir, Baba Dutty était certainement son frère.

La conversation resta anodine mais très détendue. On parla surtout de notre voyage, du temps, de la qualité des mets. Pendant que les deux jeunes femmes débarrassaient les plats et les assiettes avant d'apporter d'autres plateaux de fruits pour le dessert, et que Baba Dutty essayait de séduire Siobhan – ah, bonne chance, l'ami ! –, je me penchai vers Uma pour lui murmurer à l'oreille :

— Alors vous et le gros Baba êtes copains, hein ?

Elle secoua la tête négativement.

— Je ne l'avais encore jamais rencontré.

— Bon sang, quel accueil il doit réserver à ses bons amis, alors !

Les deux jeunes femmes qui nous avaient servis s'éclipsèrent, et une troisième beauté, plus rayonnante encore qu'elles, apparut et s'assit aux pieds de Baba Dutty. Il devait chausser du 45, et elle aurait pu faire pousser des champignons à l'ombre de ses orteils. Elle aussi était vêtue d'une robe multicolore qui aurait été hideuse sur quatre-vingt-dix-neuf femmes sur cent. Et c'était la centième. Le vêtement remontait haut sur les cuisses et le décolleté généreux découvrait une peau brune sans défaut qui luisait comme du caramel. Un bracelet serpentin entourait son biceps droit et plusieurs bracelets en bois tintaient à son poignet gauche. Des taches mordorées dansaient dans ses yeux couleur café, et quand elle sourit, mon cœur s'emballa.

D'un de ses bras épais comme un tronc d'arbre, Baba Dutty lui entoura la taille.

— C'est mon Alourdes, annonça-t-il, et il fit passer sa main sur un sein qu'il pressa tendrement. Ma femme numéro Un.

Alourdes frappa sa main d'une tape en riant. Puis elle nous considéra à tour de rôle, sourit encore et inclina la tête.

— Vous êtes tous les très bienvenus, dit-elle.

En dépit de tous mes efforts, je ne cessai de lancer des regards furtifs aux cuisses appétissantes d'Alourdes. Sa robe était si courte que j'avais l'impression qu'à tout moment je pourrais entrevoir la Statue de la Liberté. Hollywood, vous serez peut-être choqués de l'apprendre, fourmille de gros porcs aveugles à autre chose que le plus proche aperçu de l'intimité féminine. J'ai toujours détesté les types dont la vie est centrée autour du déshabillage mental. Certes il en existe également un nombre important dont la vie est centrée sur le déshabillage physique, mais eux au moins ont le courage de leurs convictions, même si leur façon d'exprimer ces convictions est souvent un peu rude. Je compris que j'avais rejoint leurs rangs quand Uma me lança ce qui pour elle devait être un regard sévère. Je me concentrai sur les tapisseries aux murs.

— Vous êtes un homme de goût et de discernement, mon ami, me dit Baba Dutty de sa voix grave.

— Hein ?

Je venais tout juste de jeter un œil sur les cuisses

d'Alourdes.

— Erzulie Freda, expliqua Baba Dutty en désignant une des tapisseries.

— Et joyeuse Hannuka à vous aussi, répondis-je.

Baba Dutty plissa un peu les yeux, mais il souriait toujours.

— Non, non. Le *vévé* sur la bannière. La marque d'Erzulie Freda, le *loa* de l'amour sensuel.

— Très joli, dis-je.

En fait pour moi cela ressemblait à un cœur couronné d'étoiles, le genre de peinture qu'un gamin de dix ans pas très doué, voire un peu attardé, pourrait commettre pour la fête des Mères. Chouettes couleurs, cependant.

— Comment il s'appelle, vous avez dit ?

— Erzulie Freda, intervint Alourdes, et je m'obligeai à ne regarder que ses yeux. Elle est le *loa* de l'amour charnel.

— Les *loas* sont comparables à des esprits, m'expliqua Uma, et elle me parlait comme si c'était moi le gamin attardé. Dans le système de croyances *vaudoun*, les *loas* existent à tous les niveaux du monde naturel. Ce sont les intermédiaires, les liens entre le monde des hommes et les mondes au-delà.

— Plus que cela, déclara Baba Dutty avec un très grand sérieux. Les loas guident nos actions, ils structurent nos vies et nos esprits. Ils sont le lien, oui, entre l'homme et Dieu.

Alourdes approuva ce petit discours en hochant la tête, ainsi que Pahoo et Uma. Seule Siobhan paraissait un peu déconcertée.

— Le vaudou, marmonnai-je, pensif.

— Le vau*doun*. Baby Dutty est un *houngan*, Marty. Un grand prêtre *vaudoun*.

Le gros homme inclina légèrement la tête et ferma les yeux en signe d'approbation. Alourdes le couvait d'un regard lumineux.

Je suis toujours le dernier à piger.

Juste après le coucher du soleil, nous suivîmes Alourdes.

Elle nous mena en bas de l'immeuble, puis nous sortîmes et contournâmes la bâtisse, avant de traverser un terrain de jeu envahi par les herbes folles. Les gamins matés par Siobhan à notre arrivée avaient disparu, mais un groupe d'adolescents noirs à l'air nettement plus méchant étaient assis sur un muret. Ils buvaient des cannettes, fumaient de l'herbe et riaient faux.

Alourdes avait passé une robe un peu plus discrète, mais elle n'en restait pas moins une attraction fatale pour l'œil. Les jeunes la suivirent du regard et je sentis Siobhan se raidir et se préparer à l'affrontement. Un des adolescents dit quelque chose, mais son accent était si épais que je ne compris rien. Toutefois l'expression avide sur son visage était très explicite. Un autre eut un signe de dénégation nerveux et tira sur la chemise de son ami. Mais le premier le repoussa d'un geste agressif, se mit deux doigts écartés dans la bouche et tira la langue de façon obscène à l'intention de la femme numéro Un de Baba Dutty.

Alourdes ne ralentit pas. Elle accorda à peine un regard à l'adolescent et eut un geste rapide dans sa direction. Immédiatement le jeune se prit le cou dans une main. Sa langue saillait affreusement de sa bouche, ses yeux s'exorbitèrent et il émit un gargouillis étranglé. Il tomba lourdement du muret sur les genoux, puis bascula sur le flanc.

Ses compagnons prirent tous la fuite.

Alourdes poursuivait son chemin vers l'immeuble proche. Elle s'arrêta devant une porte qui n'était pas couverte de graffitis, qu'elle ouvrit sans l'aide d'une clef. Elle nous fit signe d'entrer. Uma passa la première, suivie de Siobhan et de Pahoo. Je m'arrêtai le temps de regarder en arrière. Le jeune était toujours au sol, le corps agité de spasmes. Je me tournai vers Alourdes. Avec une moue lasse, elle fit en direction de l'adolescent le geste qu'elle aurait eu pour chasser un moustique importun. L'autre haleta, toussa puis inspira goulûment l'air comme s'il suffoquait. Il cessa de trembler

Alourdes eut de nouveau son sourire létal et me fit signe d'entrer. Je lui répondis d'un sourire très affable, en rivant mes yeux aux siens, les pensées aussi claires et pures que celles d'une vierge.

Je franchis rapidement la porte.

La pièce ne ressemblait à rien de ce que j'avais pu voir jusqu'à ce jour.

Imaginez ça. Quand je commençais à travailler sur *Salt and Pepper*, nous tournions dans un studio situé sur les anciens terrains de la MGM. C'était juste avant qu'ils ne démolissent tout pour y installer des galeries marchandes et des concessionnaires automobiles. Un jour, alors que j'étais supposé me trouver à «l'école» MGM, pour étudier l'algèbre ou la géographie, je séchai les cours et j'allai me balader. Par un coup de chance, alors que je cherchais les toilettes pour dames avec le célèbre petit trou d'espion, je tombai sur le hangar des accessoires.

Tout le monde connaît ce plan à la fin de *Citizen Kane*, celui qu'ils ont repompé dans *Les Aventuriers de l'arche perdue*, où l'on voit le hall immense de Chassarie qui symbolise tout ce qui reste de la triste vie de Charles Kane.

Orson Welles avait dû en avoir l'idée et le tourner dans le hangar des accessoires de la MGM.

Il y avait des centaines, peut-être des milliers de luminaires. Lampes de bureau, candélabres, lampadaires, lustres de toutes les formes et de toutes les tailles. Et des meubles : des trônes pour les châteaux médiévaux, des tabourets pour les châteaux français du XVIIIe siècle, des tables de cuisine pour les sitcoms situées dans les années 1950. Une annexe entière de la taille d'un terrain de football et sur trois niveaux ne contenait que des portraits encadrés. Par milliers, remisées depuis deux mille ans ou à peu près, les tronches de gens qui n'avaient jamais existé.

C'était ahurissant. Et très beau.

Et ils avaient tout incendié.

Le temple de Baba Dutty – son *oufò*, puisque tel était le nom exact du lieu, que j'appris plus tard – me rappelait cet endroit merveilleux, mais en miniature.

La pièce était située dans le sous-sol de l'immeuble. De la

forme d'un rectangle irrégulier, interrompu par deux piliers de soutènement en métal peints de couleurs vives et ornés de symboles, avec à leur base une petite plate-forme ronde haute de trente centimètres environ et couverte de dentelle. Une série de bannières et de tapisseries, semblables à celles que j'avais vues dans l'appartement de Baba Dutty, était accrochée aux murs. En revanche le sol était de terre battue.

L'avant de la pièce, qui je le compris plus tard était un autel, constituait la partie la plus surprenante de l'endroit. Une série d'étagères avaient été fixées au mur le plus court et sur la moitié des murs les plus longs. Et chaque centimètre carré de ces rayonnages, ainsi qu'une bonne part du sol, était occupé par toutes sortes de récipients.

Il y avait des pots, des bouteilles et des récipients de toutes les tailles, toutes les formes et toutes les couleurs imaginables. Des poteries de cinq litres peintes de motifs sommaires entremêlés, et des verres à liqueur en cristal emplis de quelques gouttes d'un liquide sombre et épais. Des bouteilles de rhum et de whisky, certaines pleines, d'autres vides mais servant de vases pour des fleurs aux couleurs vives, en papier et naturelles. Il y avait des saladiers Tupperware fermés par leur couvercle translucide – ne me demandez pas ce qu'ils contenaient – et sur toute la longueur d'une étagère rien que des bouteilles en plastique de shampooing Head and Shoulders. Est-ce que le loa avait un problème de pellicule?

Et au milieu de toute cette verrerie étaient disséminées des poupées. Artisanales, confectionnées avec des épis de maïs, avec des haricots secs pour les yeux et des sourires de pâtes collées. Et puis il y avait des Barbie aveugles avec des épingles à nourrice dans leurs petits seins de plastique. L'endroit était recouvert de perles et de faux diamants, et de cubes de zirconium. Des cloches, grandes et petites, certaines sans battant. Et des battants, certains sans cloche. Je vis des tambours de toutes les tailles sur l'autel et sur le sol. Il y avait des étoiles de mer, des ampoules électriques, un alligator empaillé marqué de la mention «Souvenir d'Ashbury Park, NJ», des gourdes, un parapluie cassé, un tee-shirt clamant «Votez Howard le Canard», un vieil exemplaire du magazine *Life* avec en couverture une photographie en noir et blanc du couronnement de la reine d'Angleterre, plusieurs petites flûtes, une douzaine de montres (aucune à affichage digital)…

Et au milieu de tout cela, une croix. Fabriquée sans finesse avec du bois qui semblait avoir été récupéré sur une épave, peinte en rouge et haute d'environ un mètre trente. Divers colifichets et joyaux en toc ou non y étaient fixés, et des ensembles de lanières de chanvre méticuleusement tressées étaient accrochés au sommet et attachés à l'extrémité de chaque bras. Perché au sommet de la croix trônait un crâne humain en mauvais état portant une paire de Ray-Ban grand style.

Ah oui, et il était coiffé d'une casquette de base-ball Tweetie-Pie.

Je me mis à rire.

Uma me lança un regard acéré, mais j'étais incapable de m'arrêter. L'hilarité venait du fond de mon être. Ou peut-être de mon inconscient.

— Est-ce que vous riez avec nous ou de nous, mon ami ? tonna une voix derrière moi.

Je me retournai pour regarder Baba Dutty, qui avait revêtu d'amples robes mauves de prêtre.

— Avec vous. Définitivement avec vous. – D'un large geste je désignai le temple et l'incroyable collection d'objets disparates qui encombraient l'endroit. C'est… – Je secouai la tête en cherchant le terme exact : C'est grandiose. Absolument épatant.

Baba Dutty s'approcha de moi et me donna une grande claque sur l'omoplate. Et il éclata de son rire de géant débonnaire.

— Vous n'avez encore rien vu, promit-il.

J'avais les yeux tellement agrandis qu'on aurait pu mettre des billes de billard dans mes orbites.

Jambes largement écartées, Alourdes gisait sur le sol devant moi et se convulsait comme l'enfant improbable de Jerry Lee Lewis et de Little Richard. Son dos était arqué en arrière et seuls ses épaules et ses pieds touchaient la terre battue, et sa tête était tournée selon un angle bizarre pour supporter son poids. D'une de ses mains elle se frottait furieusement l'entrejambe (à peine recouverte de son vêtement), et de l'autre elle se caressait un sein (totalement découvert). Sa langue dardait de sa bouche ouverte comme celle d'une vipère et elle haletait et gémissait, et ses traits étaient tordus en une grimace exprimant les transports de l'orgasme, mais d'une sorte dont je n'avais jamais eu le plaisir d'être responsable. Mes yeux revenaient sans cesse à ses mamelons, rouge bordeaux, gros comme un dollar en argent et aussi durs qu'une balle blindée de gros calibre.

— Eh-eh, balbutiai-je.

Tout avait débuté assez tranquillement. Baba Dutty nous montra où nous placer, légèrement sur le côté de l'autel, qu'on appelait un *pedji*, mais en pleine vue de la croix que Baba nommait le poteau-mitan. À l'aide d'un morceau de craie blanche, il dessina rapidement des motifs, des *vévés*, sur le sol autour de nous, puis il nous enjoignit de nous tenir à l'écart d'eux pendant la cérémonie. Puis il s'éclipsa, Alourdes sur ses talons.

— Ça veut dire ? demandai-je à Uma.

— Baba Dutty va exécuter un *service*, une invocation du *loa*. Il tient beaucoup à notre participation.

— Cela fait-il partie de ce que nous devons accomplir ? Pour protéger le réseau de leys ?

— Pas exactement, reconnut Uma. C'est plus une manière de bénir notre mission en général. Liverpool n'est pas un des carrefours de leys. Plutôt l'opposé, en réalité. Ici les énergies sont empoisonnées depuis de nombreuses années, peut-être au-delà de toute rémission.

— Comment cela ?

— Mauvais karma. Liverpool a été le centre du commerce des esclaves pendant plus d'un siècle. Cela remonte à presque deux cents ans, mais les forces négatives résiduelles de cette horreur perdurent. C'est la raison pour laquelle Baba Dutty est venu vivre ici.

Pahoo renifla de façon méprisante.

— Ce truc me donne la chair de poule. Je n'aime pas toutes ces simagrées africaines.

Siobhan ne dit rien, mais je la vis qui étudiait tout ce capharnaüm et j'eus l'impression qu'elle était assez d'accord avec le petit homme.

— Il ne va pas sacrifier un lapin, hein ? demandai-je.

Franchement, toute cette mise en scène ne me paraissait pas moins déjantée que le rituel druidique de Pahoo. Au moins c'était beaucoup plus coloré, et les intervenantes étaient incontestablement plus sexy. Uma allait me répondre quand le roulement de tambours l'en empêcha.

Vêtue d'une longue blouse de coton blanc écru, Alourdes entra dans le *oufò*. Elle était suivie d'une douzaine de femmes noires, tout de blanc vêtues également, mais chacune portant un mouchoir rouge pompier. Plusieurs ramassèrent des tambourins et des cloches, tandis que les autres déroulaient de petits drapeaux et autres fanions aux couleurs gaies. Alourdes brandissait une bannière blanche frappée d'un unique *vévé* en noir. Elle la faisait claquer devant elle comme si elle éventait quelqu'un sur le point de s'évanouir. Les tambours marquaient un rythme lent que ponctuait le tintement insolite d'une cloche. La procession décrivit un cercle autour du plus petit poteau-mitan, au fond du temple, en s'arrêtant pour chanter en français ou en haïtien, ou en un patois mélangeant les deux, avant de se rapprocher de l'autre pilier en dansant. Pas plus Alourdes que ses acolytes ne firent mine de nous voir. Elles tournèrent par trois fois autour du grand mât, chantant, frappant les tambourins, agitant les drapeaux et exécutant une parade à la chorégraphie très précise autour du temple. Les femmes munies d'un tambourin les posèrent sur la petite estrade à la base du poteau-mitan, et toutes reculèrent pour former un cercle devant l'autel, à l'exception d'Alourdes. Elle agita sa bannière à plusieurs reprises encore, en psalmodiant des paroles qui pour moi sonnaient comme du français mâtiné de latin, puis elle déposa le *vévé* sur le sol, devant la petite estrade. Ensuite elle recula et se plaça dans le cercle avec les autres.

Sa robe pourpre satinée luisant à la lumière des cierges, Baba Dutty fit enfin son entrée. Je notai qu'il portait un couvre-chef semblable à un fez et je frissonnai en me souvenant de ma vision sur l'autoroute. Il brandissait devant lui une crécelle en bois – le genre de cadeau à faire au bébé de Rosemary – qu'il pointait en tremblant dans une direction différente tous les trois pas. Lui aussi chantait dans le même dialecte inconnu qu'Alourdes. Devant le poteau-mitan le plus petit, Baba Dutty marqua une pause et plongea sa main libre dans une poche. Il la ressortit et dispersa ce qui avait l'air d'être une poignée de graines sur l'estrade. Puis il exhiba une toute petite bouteille – comme ces mignonnettes qu'on trouve dans les minibars de chambres d'hôtel et dans les avions, d'après mon souvenir… –, renversa quelques gouttes de son mystérieux contenu sur l'estrade et la déposa au milieu du tapis de graines. Il secoua une nouvelle fois sa crécelle avant de s'approcher du poteau-mitan le plus grand.

Une des femmes lui tendit deux morceaux de craie, l'un rose, l'autre blanc. Il agita la crécelle devant elle et elle reprit sa place dans le cercle. Il fit par trois fois le tour du poteau, dans le sens inverse des aiguilles d'une montre, puis posa la crécelle à terre et s'agenouilla. Une craie dans chaque main, il se mit à dessiner avec frénésie des vévés sur le sol. Pendant ce temps deux femmes vinrent placer divers objets – des bouteilles ouvertes, des morceaux de gâteau, des graines, une des poupées Barbie – sur l'estrade. Alors Alourdes s'avança, un poulet vivant dans les mains.

— Oh non, juste au moment où je croyais pouvoir retourner au temple sans risque, grognai-je.

Uma me donna un coup de coude dans les côtes. Bien appuyé.

Baba Dutty termina le dernier des vévés et se redressa. Il hocha la tête à l'adresse d'Alourdes. Maintenant le poulet coincé sous un bras, elle but une gorgée de chacune des bouteilles, puis mordilla dans un morceau de gâteau, avala quelques graines. Baba Dutty ramassa la crécelle et la pointa sur elle. Alourdes déposa le poulet sur l'estrade. Le volatile resta un instant immobile avant d'aller picorer les graines. Avant que je puisse comprendre ce qui se passait, un jet de sang s'éleva dans l'air du cou du poulet décapité.

Savez-vous que les poulets ne courent pas tant que ça, une fois qu'on leur a tranché la tête ?

Tous les membres du cercle se mirent à chanter quand Alourdes mouilla ses doigts de sang et les porta à ses lèvres.

— Beurk, fis-je à voix basse.

Alourdes jeta le corps du volatile sur son épaule en le tenant par les pattes. Elle alla d'abord auprès de Baba Dutty, qui lui aussi goûta le sang. Puis, tournant le dos aux autres femmes, elle leur présenta le poulet mort. Certaines burent le sang, d'autres s'en imprégnèrent le bout des doigts et tracèrent une croix sur leur front. Ensuite Alourdes retourna devant le poteau-mitan et brandit le poulet vers chaque coin de la pièce. Finalement elle posa le cadavre de l'animal sur l'estrade et recula pour reprendre sa place dans le cercle.

Uma dut sentir que j'allais dire quelque chose car son coude heurta mes côtes à nouveau avant que j'aie ouvert la bouche. Je la regardai et elle barra ses lèvres de l'index pour m'intimer le silence. Siobhan et Pahoo étaient tous deux complètement absorbés par le spectacle de la cérémonie.

Plusieurs femmes reprirent leurs tambourins qu'elles frappèrent sans chercher l'unisson. Baba Dutty monologuait dans son patois comme un chanteur soufi pris de folie, en secouant sa crécelle avec frénésie. Les femmes se balançaient d'avant en arrière, yeux clos, tandis que le cercle approchait lentement de l'estrade. Soudain Baba Dutty s'arrêta, et une à une les femmes cessèrent leur balancement.

À l'exception d'Alourdes.

Les autres la poussèrent hors du cercle et elle trébucha sur le sol devant le poteau-mitan. Elle fut secouée de spasmes violents, les yeux grands ouverts et complètement révulsés. Elle tressautait et se retournait sur le dos puis sur le ventre comme un poisson sur le pont d'un chalutier, et elle s'élevait du sol d'une bonne vingtaine de centimètres à chacun de ses sauts. Sans réfléchir j'avançai d'un pas vers elle, mais Uma me saisit le bras et me tira en arrière.

Les autres continuaient de chanter et de frapper leurs tambourins, Baba Dutty à agiter sa crécelle comme le meneur hystérique d'un orchestre de bar-mitsva. Alourdes retomba à plat ventre. Lentement, elle se releva sur les mains et les genoux, le postérieur tendu en l'air, tandis qu'elle gardait la joue pressée contre le sol. Elle se trémoussa d'une façon ouvertement provocante. Relevant sa robe sur ses hanches, elle révéla ses fesses nues. Ses mains griffèrent la terre battue et elle arqua le dos pour faire saillir plus encore son postérieur. Avec un cri qui tenait autant du plaisir que de la douleur, elle eut un brusque mouvement en avant, comme si elle était pénétrée par-derrière. Toujours sur les mains et les genoux, elle se mit à décrire du corps un va-et-vient qui faisait immanquablement penser qu'elle était prise en levrette par un amant invisible. À chaque coup de boutoir elle poussait un cri.

Et subitement elle bondit sur ses pieds. Elle se pencha et ramassa des poignées de graines qu'elle fourra dans sa bouche. Beaucoup retombaient par terre, et elle mâchait à peine ce qui restait. Elle saisit une bouteille emplie d'un liquide clair et but, en renversant une bonne partie sur son menton. Même à cette distance, je sus à l'odeur que c'était du rhum à 150 degrés. Elle se baissa de nouveau et pendant une seconde très désagréable je crus qu'elle allait prendre la carcasse du poulet et tenter de se l'enfoncer dans la bouche aussi, mais soudain tout son corps pivota dans une autre direction.

Elle se tourna vers nous. Tressautant et tremblant comme si elle était atteinte de la maladie de Tourette, elle avança tel un pantin désarticulé jusqu'aux limites tracées par les *vévés* que Baba Dutty avait dessinés sur le sol. Ses yeux étaient à moitié révulsés, mais pendant une seconde ils rebasculèrent et se fixèrent directement sur moi.

Sauf que je crois que ce n'était pas elle.

Ses yeux se révulsèrent à nouveau comme on remonte

un store, et c'est alors qu'elle s'écroula sur le dos et commença à se frotter le sexe à travers le voile blanc de sa robe. De ses mains griffues elle arracha le haut de son vêtement, dévoilant sa généreuse poitrine caramel. Ses mamelons étaient aussi durs que le truc entre mes jambes.

Elle se figea.

J'eus l'envie perverse d'applaudir ou de lui glisser un billet de cinq dollars dans la ceinture, mais je réussis à me contenir. Alourdes restait là, les yeux fermés, la respiration lourde. Elle était toujours à moitié nue mais elle ne paraissait plus du tout sexy, seulement… vulnérable. Je voulus la recouvrir et fis un pas vers elle, mais Uma me saisit une fois de plus le bras pour m'arrêter. J'eus alors l'intention d'obéir et de reculer. Vraiment.

Mais j'en fus incapable.

Mes jambes semblaient se mouvoir selon leur volonté propre. J'eus conscience de n'avoir plus aucun contrôle sur elles lorsque mon pied droit franchit la ligne des *vévés* et se posa sur le sol du temple. Je ressentis une décharge électrique quand il toucha la terre. Je relevai aussitôt le genou, et les poils de ma jambe se hérissèrent. Je sentis que Uma me lâchait le bras – peut-être avait-elle éprouvé elle aussi le choc – et je me rendis compte que je tournai la tête vers elle pour la regarder. Ses yeux étaient écarquillés par l'inquiétude. Cela ne m'émut guère, même si je me soupçonnais d'arborer la même expression. J'ai la certitude que j'essayai alors de secouer la tête pour lui dire : « Je ne sais pas ce qui m'arrive, au secours ! » mais je crois que je n'y parvins pas.

Je sentis ma jambe gauche passer la frontière des *vévés* à son tour, et juste avant que mon pied ne touche la surface du *oufò* une seconde décharge électrique me parcourut. À cet instant je revis une autre cérémonie dans une autre sorte de temple, lorsque l'esprit de Shoki, le grand guerrier japonais, m'avait possédé.

Tout devint noir.

Quand je rouvris les yeux, je constatai que j'étais allongé

sur les coussins moelleux, dans le salon de Baba Dutty. Uma me tenait une main et me contemplait d'un air soucieux. Siobhan poussa un gros soupir.

— Bordel, mais qu'est-ce qui s'est passé ? articulai-je d'une voix rauque.

La tête énorme de Baba Dutty investit mon champ de vision. Il affichait un sourire démoniaque et se grattait songeusement le menton d'un doigt. Il avait troqué ses robes cérémonielles contre un tee-shirt proclamant « I love Bob Marley ». Il pointa un doigt gros comme un boudin entre mes yeux.

— Ainsi c'est toi, dit-il en hochant la tête. C'est toi.

Qui d'autre espérait-il, mon percepteur ?

15

— J'ai l'impression d'avoir été percuté par un camion, dis-je.

— Tu l'as été?

— Quoi donc?

— Percuté par un camion, précisa Baba Dutty.

Je réfléchis à la question, bien qu'elle ne fût pas particulièrement difficile.

— Non, admis-je.

Baba Dutty poussa un grognement.

— Mais j'imagine que c'est comme ça qu'on doit se sentir, après, expliquai-je.

— Je ne crois pas.

— Vous ne croyez pas?

— Non.

— Pourquoi, vous avez déjà été percuté par un camion, vous?

— Oh, oui, affirma Baba Dutty en opinant du chef avec conviction.

Là, il m'avait eu. Ça m'apprendrait à jouer au plus malin.

— Et j'ai déjà effectué la *danse-loa*, j'ai été choisi et monté comme *cheval*. Beaucoup, beaucoup de fois. Le camion n'est pas aussi dur. – Il parut perdu dans ses pensées pendant quelques secondes, avant d'ajouter : Mais c'était un petit camion.

Après m'être assuré que je n'avais rien de cassé, que je ne saignais pas et que rien ne me manquait, Baba Dutty m'expliqua ce qui m'était arrivé dans le *oufò* :

— Le *loa* est venu et a pris ton corps. Comme pour Alourdes. C'est le but de la cérémonie, tu comprends.

— Pas trop, non. Ça aurait été sympa de votre part de me prévenir.

Baba Dutty jeta un regard à Uma, qui assise en face de moi buvait une tasse de thé à petites gorgées.

— C'est pour ça que j'ai dessiné les *vévés*. Ils auraient dû te protéger.

L'Indienne posa sa tasse et se pencha en avant.

— Les motifs que Baba Dutty a tracés sur le sol auraient dû nous cacher au *loa*. Nous rendre invisibles pour lui. Pendant la cérémonie, le *loa* choisit un initié qu'il va monter. Ce qui signifie : qu'il va posséder et à travers lequel il va pouvoir agir et avoir une présence physique.

— Et vous faites ça tout le temps ? m'enquis-je. Vous ne préférez pas louer des vidéos ?

Baba Dutty me contempla d'un regard qui voulait dire Est-ce-que-le-pape-va-chier-dans-les-bois.

— Sans le *loa* pour nous protéger, pour nous guider, notre vie irait à la dérive comme un morceau de bois dans la mer. Il nous indique la bonne voie pour notre existence.

— Donc les *loas* sont comme des dieux, ou un truc approchant, c'est ça ?

— Il n'y a qu'un *Grand Maître*. Seul Dieu est Dieu. Les *loas* ne sont que des *loas*.

— Le *vaudoun* est une religion monothéiste, Marty. Les *loas* sont, pardonnez-moi, Baba Dutty, les *loas* sont assez comparables aux anges de la tradition chrétienne. – Elle regarda le gros Noir d'un air de doute. – Mais c'est une analogie assez peu satisfaisante, en fait.

— Les *loas* ne sont pas des anges. Les *loas* sont des *loas*.

Je m'efforçai de me rappeler ce qui s'était passé une fois que j'avais franchi la protection offerte par les *vévés*, mais il n'y avait dans ma mémoire qu'un grand trou ténébreux.

— Qu'arrive-t-il exactement quand le loa vous possède ?

— Tu as vu le *loa* monter Alourdes, laissa tomber Baba Dutty.

Je me souvenais comment elle était tombée à quatre pattes, et son attitude qui suggérait qu'elle était pénétrée par-derrière. Instinctivement, je serrai les fesses.

— C'était Maîtresse Erzulie, dit encore Baba Dutty.

— Erzulie?

— Erzulie est le *loa* qui personnifie l'amour sensuel, intervint Uma.

Ça se tenait. Je veux dire, pour autant que tout ça pouvait avoir un sens.

— Et donc, euh, Erzulie… m'a monté, moi aussi? risquai-je.

Uma et Baba Dutty échangèrent un regard. Un homme au caractère moins trempé aurait sans doute cédé à la paranoïa.

— Non, dit-il. Tu as été le *cheval* de Maître Carrefour, le gardien du portail entre les mondes. – Sa phrase éveilla en moi des échos bien trop familiers. – Carrefour est le mari d'Erzulie, tu comprends.

— Évidemment, mentis-je éhontément. Donc Carrefour s'est pointé pour chercher les clefs de sa bagnole, et il a taillé une petite bavette avec Madame, c'est ça?

— Plus qu'une petite bavette, intervint Siobhan avant de toussoter.

Depuis mon réveil elle était si calme que je n'avais même pas remarqué sa présence.

— Pourquoi? Que s'est-il passé?

Je parvins à afficher un faible sourire, mais je me sentais soudain pareil à un ivrogne qui essaie de savoir quelles horreurs il a commises lors du cocktail de Noël à son boulot.

Uma et Siobhan regardaient ailleurs, mais Baba Dutty semblait toujours aussi serein. Il leva l'index boudiné de sa main droite, forma avec l'index et le pouce de sa main gauche un cercle parfait et y introduisit l'index droit. Il effectua un rapide mouvement de va-et-vient, le seul symbole universellement plus connu que le sigle Coca-Cola.

Je sentis le sang déserter mon visage, mais aussi mon torse, jusqu'à mon postérieur. Je devais être aussi blanc qu'une virée du Klan.

— Qu'est-ce que vous voulez dire ? Que nous… Que j'ai fait l'amour avec Alourdes ? murmurai-je.

Baba Dutty sourit largement.

— Maître Carrefour a exercé ses droits conjugaux. Ça arrive.

J'avais du mal à respirer normalement.

— *J'ai fait l'amour avec Alourdes ?* répétai-je.

— Ça n'avait rien à voir avec toi, ou avec Alourdes. C'était la volonté des *loas*.

— J'ai fait l'amour avec Alourdes ? hurlai-je presque, pour aussitôt me reprendre et demander à voix basse : Devant tout le monde ?

— Marty… commença Uma, mais elle ne savait pas comment poursuivre et elle éprouvait de grandes difficultés à croiser mon regard.

Siobhan, béni soit son petit cœur sec de terroriste, m'offrit un peu de réconfort :

— Ça n'a pas duré très longtemps, dit-elle, et elle toussa de nouveau.

Vrai de vrai, du coup je me sentis beaucoup mieux.

Baba Dutty me proposa de sortir avec lui nous promener. Je me sentais toujours assez mal, mortifié pour tout dire, mais quelque chose me dit que c'était peut-être une bonne idée. Nous laissâmes les autres aux bons soins des « dames » de Baba Dutty. Elles étaient assez nombreuses pour monter une agence d'escort-girls, et je me demandai brièvement ce que le voisinage pensait de la façon de vivre de Baba Dutty. Mais à la façon dont Alourdes avait traité l'adolescent trop égrillard, je supposai que les voisins devaient rarement se plaindre.

Minuit approchait quand nous sortîmes de l'appartement. Baba Dutty adopta un pas tranquille et nous déambulâmes au hasard dans la cité. Il n'y avait pas un chat dehors, et presque toutes les fenêtres des centaines d'appartements dans la douzaine d'immeubles étaient éteintes. En toute autre circonstance j'aurais été paranoïaque à l'extrême, mais avec Baba Dutty à mes côtés je n'éprouvai même pas le besoin de regarder par-dessus mon épaule.

— Tu as déjà été *cheval* avant ? me demanda le gros Noir.

Je pensai de nouveau à l'époque où j'avais été possédé par l'esprit de Shoki.

— Oui, mais ce n'était pas pour un *loa*, et ce n'était pas, enfin, pas la même chose.

— Les *loas* ont leurs façons de faire. Ils se montrent sous différents visages à différentes personnes, tu comprends. Mais ce sont toujours des *loas*.

— Comment avez-vous su ? dis-je.

— Quoi ?

— Pour moi. Que j'avais déjà été, hem, *cheval* ? Comment avez-vous pu le dire ?

Baba Dutty laissa échapper un bref aboiement de son rire tonitruant. Je n'aurais pas été étonné que quelques ampoules explosent dans les appartements proches.

— Tu es marqué ! Tu ne le savais pas ?

Je n'aimais pas du tout la tournure que prenait la conversation.

— Comment ça, « marqué » ?

Baba Dutty s'arrêta net. Mains sur les hanches, il regarda alentour. Je l'imitai, mais il n'y avait pas grand-chose à voir.

— Tu vois, là ? interrogea-t-il en désignant un arrêt de bus non loin.

Les parois en verre avaient été pulvérisées, les sièges en plastique arrachés et l'horaire couvert de tags.

— Que vois-tu ? demanda-t-il.

— Un arrêt de bus ?

— Tu poses une question ou tu réponds à la mienne ?

— C'est un arrêt de bus, affirmai-je.

— Comment le sais-tu ?

— Parce que, euh… – je tendis un doigt vers l'abribus, puis je levai les bras en l'air avec une pointe d'exaspération. – C'est… un arrêt de bus. Bon, il n'est pas très joli, mais il a ce truc, et les… Enfin tout, quoi.

J'aurais dû être poète, moi.

— Oui ? insista-t-il.

Je soupirai avec irritation.

— Eh bien, il y a ce foutu panneau sur lequel est inscrit ARRÊT DE BUS.

— C'est ce que tu as, mon ami. Tu as un grand foutu panneau au-dessus de ta tête. Je te le dis : si tu ne sais pas déchiffrer ce panneau, tu ne peux pas savoir que c'est un arrêt de bus. Moi, je peux lire depuis que je suis tout petit. C'est ce qui fait de moi un *houngan*.

J'essayai de regarder au-dessus de ma tête. S'il y avait un panneau là, il était en néon et clamait ABRUTI en grosses lettres. Je ne vis rien. Évidemment.

— Bon, et qu'est-ce que ça signifie ? Marqué pour quoi ?

— Je pense que tu es une sorte de fenêtre, de passage. Maître Carrefour t'a monté sans être invoqué. C'est ce qui me surprend autant. Qu'un *loa* vienne sans être invoqué, sans même son *vévé*, c'est très inhabituel. Carrefour est venu parce qu'il le devait, tu comprends. Il essaie de te dire quelque chose. De nous le dire à tous.

— Mais me dire quoi ? Quel est le message ?

— Peut-être qu'il ne m'appartient pas de le dire. Mais tu es spécial, mon ami. Je garde un œil sur toi.

Je le trouvais un rien sibyllin, mais je n'avais pas rencontré de saint homme de quelque chapelle que ce soit qui ne parlât pas par énigmes, en particulier quand il ne savait pas de quoi il parlait.

— Uma m'a dit quelque chose, fis-je en réfléchissant à voix haute.

— Quoi donc ?

— Elle a dit… Elle pense que je suis peut-être une sorte d'aimant, ou un truc de ce genre. Un point de convergence pour les énergies. À dire vrai, je n'ai pas compris ce qu'elle entendait par là, mais je me demande si ça n'a pas un rapport.

— Possible. Cette Uma connaît beaucoup de choses.

— Mais qu'est-ce que tout ça signifie ? quémandai-je. Je suppose que vous faites partie de cette croisade contre la Thulé, n'est-ce pas ? Je veux dire, c'est bien pour ça que Uma nous a amenés ici, non ?

Les yeux de Baba Dutty s'agrandirent à la mention de la Thulé et il jeta un regard vif autour de lui.

— Nous sommes tous confrontés au même Mal.

— Mais quel est votre intérêt dans tout ça? Comment votre… – je me retins de dire «bazar» – magie s'accorde avec celle de Uma? Ou celle de Pahoo? Vous faites tous un drôle de portrait de famille.

Baba me présenta le dos de sa main, qu'il toucha du doigt.

— Voici mon intérêt, dit-il, et il se pencha pour ramasser une poignée de terre. Et ça. Cet endroit était maudit pour les gens comme moi. Liverpool. Des millions d'Africains ont été condamnés à un sort misérable et même à la mort à partir d'ici.

— En fait je l'ignorai encore ce matin. Ce n'est pas le genre de chose que le syndicat d'initiative met dans ses dépliants, je suppose.

— Ils ont bâti un empire sur le malheur des miens. Sur leurs souffrances. Tu peux appeler ça de l'ignorance, de l'apathie, mais l'histoire est là, qui doit être lue, et jamais oubliée. La Thulé voudrait réécrire l'histoire, tu comprends. La Thulé voulait reconstruire un nouvel empire sur le dos des esclaves. Beaucoup de ces esclaves seraient des Noirs, comme moi. Mais beaucoup d'autres seraient bruns comme Miss Uma Dharmamitra. Et beaucoup aussi seraient aussi pâles que votre Miss Smythe, même si je dois avouer que je n'avais encore jamais vu quelqu'un d'aussi pâle.

Nous rîmes tous deux.

— Alors le portrait de famille n'est pas si étrange qu'il n'y paraît, je pense. Le tableau que ferait la Thulé serait beaucoup plus dur à contempler.

— Et vous pensez que Uma a raison, que j'ai un rôle à jouer dans ce combat contre eux?

— J'en suis certain. Tu as une tâche à accomplir, mon ami. Et c'est sûrement la raison pour laquelle Maître Carrefour t'a choisi comme *cheval*.

— Je vais finir par le croire, soupirai-je en songeant à ce qui s'était passé et dont je ne gardais aucun souvenir. N'empêche, j'aurais préféré qu'il me prévienne par fax de son arrivée.

Les autres mangeaient (encore) lorsque nous rentrâmes à l'appartement. En dépit de la cité délabrée où il habitait, à l'évidence Baba Dutty n'était pas du genre à sauter un repas. Et à mon avis, la profession de *houngan* offrait quelques avantages.

Je passai dans le couloir pour me rendre aux toilettes. La porte en était fermée. Alors que j'allais rebrousser chemin, elle s'ouvrit devant moi et Alourdes apparut qui finissait de se rajuster. La robe qu'elle portait à présent ne cachait qu'en partie ses cuisses, mais cela n'aurait pas dû me troubler spécialement, maintenant.

— Salut, dit-elle avec un large sourire.

— Euh…

Elle me donna une petite tape sur le ventre en passant près de moi, et elle avait déjà parcouru la moitié du couloir quand je retrouvai l'usage de la parole :

— Attendez…

Elle fit volte-face, toujours souriante. Elle était aussi attirante qu'un million de dollars. Seigneur, dix millions, plutôt. C'était vraiment bizarre.

— Je, hem, j'ai comme l'impression que je devrais, vous savez… puisque nous avons… Je veux dire, d'habitude j'offre au moins le petit déjeuner le lendemain.

Elle revint jusqu'à moi et s'arrêta à quelques centimètres seulement. Prenant ma main dans les siennes, elle me regarda au fond des yeux et déclara :

— Ce qui s'est passé pendant la danse-*loa* est la volonté des *loas*. Nous sommes leurs réceptacles sur terre. Nous avons confiance en eux et en leur sagesse. Pas plus que vous, je ne me souviens de ce qui s'est produit. C'est avec joie que je suis le *cheval* d'Erzulie. Ce qui est arrivé ne peut être que pour que tout aille mieux.

Elle éleva ma main à ses lèvres et déposa un baiser sur mes doigts. Puis elle repartit dans le couloir avec cette sorte de grâce dont les lourdauds de mon acabit ne peuvent que rêver. Je me sentais mieux, mais aussi un peu triste. Je la désirais plus que jamais, mais je l'avais déjà eue, et je l'avais oublié.

Satané *loa*.

J'avais la conviction qu'il y avait une morale à tirer de cette situation, mais que je sois damné si j'avais la moindre idée de sa teneur.

Cette nuit-là, nous dormîmes chez Baba Dutty. Uma et Siobhan partagèrent une chambre tandis que Pahoo et moi nous nous débrouillâmes avec les gros coussins sur le sol du salon. Merveille des merveilles, Pahoo se servit de la douche de Baba Dutty avant de se coucher, quoiqu'il gardât toujours les mêmes vêtements crasseux. Il se mit à ronfler deux secondes après s'être allongé et je dus résister à la tentation d'atténuer le bruit à l'aide d'un des coussins. Après quelque temps, je finis par m'assoupir.

Je dormis mal. Aussi fatigué que je fusse, je passai une de ces nuits où vous avez l'impression de ne pas avoir fermé l'œil, jusqu'à ce que la lumière cruelle de l'aube vienne vous assurer du contraire. J'eus l'impression de faire nombre de cauchemars, mais je ne me souvins que d'un seul.

Je me trouvais dans un puits très profond, et j'étais entouré de flammes blanches. Dans un cercle au-dessus de moi se tenaient les cinq silhouettes en noir, toujours sans visage et toujours aussi menaçantes.

— Choisis, ordonna une voix glaciale.

Je baissai les yeux et vis des personnes miniatures perchées dans la paume de mes mains, comme les homoncules dans *La Fiancée de Frankenstein*. Dans ma main droite étaient assises June Hanover et Kendall, mon agent ; dans la gauche, Uma et Siobhan.

— Choisis ! siffla encore la voix.

Je ne le voulais pas. Refermer l'un ou l'autre poing tue-rait celles qui se trouvaient dans cette main.

Les flammes étaient de plus en plus brûlantes, les sil-houettes en noir de plus en plus grandes. Je savais que je n'avais plus de temps.

— CHOISIS !

Je me réveillai en sursaut.

Alourdes apparut pour préparer le petit déjeuner. Elle ne portait qu'une robe des plus légères, et je me demandai ce qu'elle mettait par temps froid. Sa vue me remémora très briè-vement un rêve précédent, hautement pornographique, mais cet éclair se dissipa dès qu'elle passa dans la cuisine.

Baba Dutty arriva et nous salua, suivi quelques minutes plus tard de Uma et de Siobhan. Le gros Noir était vêtu d'un pantalon vert olive et d'une veste de sport en tweed sur une chemise rose saumon. Je préférai regarder ailleurs. Alourdes et une autre des Baba-ettes nous servirent. Je me contentai de café et d'une tranche de cake aux fruits, mais les autres se jetèrent sur la nourriture avec la voracité de vautours le jour de la St Charognard. Je découvris sans réelle surprise que Baba Dutty reprenait deux fois d'à peu près tous les mets. Ce n'était pas le convive le plus distingué du monde – il mâchait en ouvrant la bouche et émettait des grognements après avoir avalé – mais on lisait sur son visage le plaisir intense qu'il éprouvait. D'habitude les bâfreurs ont tendance à me rendre un peu malade, mais j'avais devant moi un homme qui appréciait tant ce qu'il mangeait que c'en était communicatif. Je me retrouvai à engloutir une assiettée de bananes vertes frites alors que j'étais sûr de ne pas avoir faim. Et que je sois damné si je ne couronnai pas le tout de deux ou trois beignets, et un demi-melon.

Quand il eut terminé, Baba Dutty se renversa dans son siège et se frotta doucement le ventre. Il laissa exploser un rot titanesque (les voisins durent croire que le Concorde venait de passer au-dessus de leur tête), puis eut un immense sou-rire de contentement. Dans la poche de sa veste il prit un cigare qu'il roula entre ses doigts avant de le passer sous son nez. Il en mordit l'extrémité et recracha le bout cisaillé dans

278

son assiette. Il tapotait ses poches à la recherche d'allumettes quand il se souvint subitement que ce matin il n'était pas seul.

— Vous fumez ? dit-il à la cantonade.

Uma déclina poliment l'offre, et Pahoo prit un air dégoûté. Siobhan accepta, et je me dis qu'il n'y avait aucune raison de ne pas l'imiter.

À L.A., il est une catégorie de gens qui sont considérés comme des parias, plus encore que les fumeurs : ce sont ceux qui n'ont pas de voiture. Cela ne me dérange pas trop car la cigarette est à peu près le seul vice auquel je n'ai pas succombé, mais je n'ai jamais dit non à un bon cigare. Il y a quelque chose dans le cigare – ouais, ouais, je sais ce que vous pensez, le symbolisme et tout le bataclan ; eh bien, qu'oncle Sigmund aille se faire voir. Broderik Crawford m'avait initié aux plaisirs du cigare lorsque nous tournions en *guest stars* dans un épisode de *Longstreet*. Je serais peut-être même devenu accro si je n'avais eu peur d'hériter de sa voix. Ou pire, de son bide.

Baba Dutty m'alluma mon cigare. Je tirai une bouffée, considérai le cigare, tirai une autre bouffée.

— Ouah, soufflai-je.

Siobhan semblait apprécier tout autant le sien.

Baba Dutty éclata d'un rire joyeux.

— C'est quoi ? voulus-je savoir.

— Des Cubanos.

— Mais c'est illégal. Comment vous les êtes-vous procurés ?

Tout le monde me regarda bizarrement. Siobhan me toisait en secouant la tête, l'air attristé.

— Quoi ? Qu'est-ce que j'ai dit ?

— Tu es en Angleterre, mon ami. Ici les cigares cubains ne sont pas illégaux. Qu'est-ce que tu as qui ne va pas chez toi ?

— Nous n'avons pas vraiment le temps de dresser la liste, glissa Siobhan.

— Exact, surenchérit Uma. Il faut vraiment que nous partions.

Mais Baba Dutty refusa de bouger d'un centimètre avant que nos cigares ne soient plus que de la cendre. Alourdes apporta encore de la nourriture, car il nous fallut quarante-cinq minutes pour arriver au terme de notre plaisir. Ce boulot de *houngan* n'avait pas l'air trop mal, vraiment.

— Bon, quel est le programme pour aujourd'hui ? demandai-je quand enfin nous quittâmes la table.

— Je crains que nous n'ayons encore un long trajet par la route devant nous, répondit Uma.

Elle regarda Siobhan qui répondit d'un haussement d'épaules indifférent. Je crois que l'Irlandaise était toujours dans son paradis cubain.

— Dwarfie Stane ? demanda Pahoo.

— C'est la prochaine étape logique, approuva Uma. Et c'est ce que j'avais prévu. Baba Dutty ?

Le gros Noir se gratta le menton un moment.

— Je crois aussi. Mais le voyage ne m'enchante guère.

— Vous avez déjà mentionné ce nom. C'est quoi ?

— Un endroit, Marty. Situé à l'extrême nord de l'Écosse, sur les îles Orkney. Sur celle d'Hoy. D'après la tradition, les îles Orkney seraient le site de l'Ultima Thulé du mythe. Personnellement, j'émettrai quelques réserves à ce sujet. En revanche il est certain qu'il s'y trouve un nœud spirituel vital. Dwarfie Stane est un ancien tombeau et un ancien temple, et un endroit investi d'un pouvoir gigantesque.

— Mais imprévisible. Très difficile à maîtriser.

— Oui, mais cela vaut qu'on tente notre chance, ne croyez-vous pas ?

Baba Dutty acquiesça.

— Nous prendrons ma voiture, décida-t-il.

— Ça, c'est de la bagnole, dis-je, pouce levé à l'adresse de Baba Dutty. Où diable l'avez-vous dénichée ?

— C'est mon bébé, dit-il en souriant.

Sa voiture était une grosse American Ford LTD, vieille de quinze ans, d'un jaune canari et absolument immaculée. C'était un dinosaure, dernier représentant d'une lignée de suceurs d'essence que les économies postindustrielles avaient jetés aux poubelles de l'histoire. Une tragédie, vraiment.

— V-8 ? m'enquis-je.

Baba Dutty se contenta d'un geste vague pour balayer la question. Bien sûr, c'était un V-8. Demandait-on si l'eau est humide ?

— Magnifique, dis-je en caressant de la main la carrosserie. Je parie que ce tueur terrorise les chauffeurs de Mini.

Nous déposâmes nos affaires dans le coffre, et malgré le didgeridoo il restait encore assez de place pour y caser un petit cirque ambulant, puis nous plaçâmes une glacière de pique-nique pleine jusqu'à la gueule sur le plancher devant la banquette arrière. Siobhan ouvrit la portière avant droite, oubliant que sur ce véhicule le volant se trouvait à gauche. Elle allait passer d'un siège à l'autre quand Baba Dutty leva impérieusement l'index.

— Personne d'autre que moi ne prend le gouvernail, dit-il, et en voyant la grimace de mécontentement qu'affichait l'Irlandaise je m'apprêtai au pire, mais Baba ajouta avec un clin d'œil : Pas même vous, jolie dame.

Nom de nom, ça marcha. Siobhan accepta d'un hochement de tête et prit la place passager.

Ce qui prouve bien qu'avec la flatterie on peut tout obtenir.

À l'étude de l'atlas routier de Baba Dutty, j'eus la déprimante surprise de calculer que nous avions plus de mille cent kilomètres de route avant d'arriver à John O'Groats, le point le plus au nord de l'Écosse. De là il faudrait prendre le bateau pour atteindre Hoy.

Nous ne sortîmes même pas de la ville.

À la réflexion, ce fut une chance que la Thulé ait décidé d'attaquer alors. Peut-être étaient-ils trop impatients, ou trop sûrs d'eux. Ou bien ils avaient pensé qu'il serait plus facile pour eux d'agir dans cette partie de Liverpool, où les policiers étaient aussi peu nombreux qu'ils se montraient discrets. Peut-être aussi qu'ils n'en avaient rien à foutre.

Nous avions à peine quitté les limites de la cité HLM quand ils surgirent dans un rugissement de moteur derrière nous, sur la droite. C'était un Ford Transit blanc – volé, je suppose – au flanc orné d'un logo au nom de *Caravia and Son Software*.

— Foncez! cria Uma à Baba Dutty avant que je comprenne ce qui arrivait.

Il réagit vite, écrasant la pédale d'accélérateur, mais pas assez vite. La porte du van s'ouvrit et quatre hommes en tenue commando noire, armés de pistolets-mitrailleurs, ouvrirent aussitôt le feu sur nous.

Je me penchai en avant au moment où les balles firent exploser la vitre du côté conducteur. L'intérieur de la voiture fut inondé d'une grêle d'éclats de verre, mais de façon incroyable aucune ne me coupa. Je sentis que Baba Dutty contournait brusquement deux voitures garées sur notre gauche avant de remettre les gaz à fond. J'entendis des klaxons et des crissements de pneus, et un bruit de choc assourdissant sur notre droite, mais plus d'autres détonations. Je risquai un œil.

Le van avait été obligé de se placer derrière nous car la rue s'était rétrécie. Baba Dutty conduisait comme un homme possédé – au sens figuré ; enfin, je pense – et du sang coulait le long de son cou. Cependant il paraissait très bien maîtriser son véhicule, et j'espérai qu'il avait seulement été entaillé par la pluie d'échardes de verre, et non blessé par un projectile. Automatique au poing, Siobhan était en train d'abaisser la vitre de sa portière. Je me tournai vers Uma, qui s'était courbée en avant comme moi. Sa chevelure était constellée d'éclats de verre, elle aussi se redressait, et elle semblait indemne. Pahoo s'était roulé en boule sur le plancher. Il ne bougeait pas, mais je ne vis pas de sang sur lui.

Baba Dutty dut ralentir car nous arrivions à un grand rond-point. Le van en profita et nous percuta à l'arrière. Siobhan, qui était à moitié sortie par la portière, faillit chuter à l'extérieur. Je plongeai et la saisis par les jambes pour l'empêcher de basculer. De nouvelles détonations, derrière nous. Je perçus l'explosion de la lunette arrière et le chuintement des balles qui déchiraient le magnifique tissu des sièges devant moi. Je lâchai Siobhan et me baissai.

Baba Dutty dut doubler en catastrophe un véhicule devant nous pour foncer sur le rond-point. Il n'hésita pas une seconde et engagea la Ford dans le flot de la circulation. Il y eut d'autres crissements de pneus, des chocs derrière nous, mais le LTD continuait de foncer. Une nouvelle rafale d'arme automatique retentit, et cette fois elle provenait de devant nous. Je relevai la tête.

Accrochée au montant de la portière, le torse sorti, Siobhan tirait sans discontinuer sur nos poursuivants. Je n'aurais pu dire si elle fit mouche.

Baba Dutty parcourut les trois quarts du cercle puis feinta un brusque tournant sur la gauche avant de virer sur la droite. Le LTD monta sur le trottoir bétonné et fila sur le rond central gazonné. Il coupa au centre du cercle et rejoignit la route de l'autre côté.

Le van avait mordu à sa feinte et corrigea sauvagement sa trajectoire. Des véhicules se percutèrent un peu partout sur le rond-point, dont une petite Fiat qui s'écrasa en accordéon contre notre pare-chocs arrière. L'impact envoya le LTD dans une queue de poisson, mais Baba Dutty corrigea le dérapage avec tout l'art d'un cascadeur. Il obliqua vers la plus proche sortie.

Derrière nous, je vis le van blanc nous suivre. Il décolla d'une trentaine de centimètres quand il franchit le trottoir et tangua en touchant l'herbe, mais il ne nous lâcha pas. Baba Dutty avait traversé les voies du rond-point et s'engageait dans la rue quand le staccato de pistolets-mitrailleurs s'éleva. Au moins une de nos roues arrière s'envola au paradis Michelin.

Baba Dutty était fort, mais il perdit le contrôle quand le pneu éclata. Le LTD dévia sur la gauche, puis mordit sur le terre-plein central et se retrouva à contresens. Je vis Baba Dutty tourner une dernière fois le volant pour éviter le camion de chez McDonald's qui fonçait sur nous, et je fermai les yeux.

J'entendis d'abord l'explosion, puis je sentis l'impact.

L'explosion vint du van de nos poursuivants. J'étais trop occupé à me faire tout petit, mais Siobhan vit tout et plus tard me raconta qu'alors même que Baba Dutty réussissait à éviter la collision avec le camion – en percutant le réverbère sur le trottoir, ce qui expliquait l'impact –, le van effectua un autre saut de carpe en quittant la pelouse et retomba sur la chaussée du rond-point. Mais le premier louvoiement qu'avait eu le véhicule devait venir d'un essieu brisé, et ce second soubresaut fut beaucoup plus dramatique. Le van bascula sur le flanc et traversa les voies dans une longue glissade.

Il percuta le camion avec une violence mortelle.

Les flammes enveloppèrent les deux véhicules alors que je me retournai. Le van disparaissait dans le brasier, ainsi que l'arrière du camion. Nous observâmes tous la scène pendant quelques secondes, et nos poumons se remplirent de l'odeur de centaines de Big Mac grillés, mais personne ne sortit de l'amas de tôles.

— Voilà ce que j'appelle être percuté par un camion, lâcha Baba Dutty.

— Il faut se tirer de là ! cria Siobhan.

Elle bondissait déjà hors du LTD, le pistolet plaqué contre sa cuisse.

— Personne n'est blessé ? demanda Uma.

Pahoo abandonna enfin sa position fœtale. Il avait écopé de quelques petites coupures et il semblait légèrement hagard, mais il se déplaça avec beaucoup de vivacité. Je sentis une douleur dans le haut de mon dos – mes cervicales avaient dû mal encaisser notre petit rodéo, je suppose –, ce qui ne m'empêcha pas de sortir moi aussi de la voiture très rapidement. Je tirai Uma derrière moi.

Baba Dutty était couvert de sang. Il avait subi de très près l'explosion de la vitre de sa portière, mais par quelque chance incroyable aucune balle ne l'avait touché. Il plaquait une main contre le côté de son cou pour comprimer une entaille qui saignait toujours, mais semblait plus souffrir de l'état de son véhicule que d'autre chose. Il n'y avait pas un endroit qui n'avait pas été endommagé.

— On ne trouve plus ces pièces nulle part, se lamenta-t-il.

— Il faut se tirer de là ! répéta Siobhan.

Elle prit un des sacs dans le coffre de la voiture.

Le rond-point et les rues qu'il desservait s'étaient transformés en parking. Le hululement des sirènes de police s'élevait dans l'air, et les gens couraient toujours pour s'éloigner du lieu de l'incendie tout en gémissant sur leurs véhicules endommagés. Je me rendis compte que nous n'étions qu'à vingt mètres à peine du feu et que le camion McDonald's risquait d'exploser à tout moment. Impossible de dire quelle quantité d'essence restait dans son réservoir.

En essayant de passer inaperçus – ce qui n'était pas très difficile au sein d'un tel chaos, et malgré les vêtements colorés et tachés de sang de Baba Dutty –, Siobhan, protégeant Uma de son corps, nous mena dans une rue. Des témoins de la scène désigneraient certainement la LTD à la police, qui finirait par remonter jusqu'à Baba Dutty, mais nous n'avions pas le temps de nous préoccuper de cela. Il nous fallait être loin avant que les flics n'arrivent et ne commencent à poser des questions.

Nous tournâmes un coin et nous avions parcouru un pâté de maisons et demi dans ce quartier délabré quand Baba Dutty s'écroula d'une pièce.

La seconde précédente il marchait près de moi, et soudain il gisait sur le trottoir sale. Une fontaine de sang jaillissait d'un grand trou au milieu de son torse.

Une seconde et trois détonations plus tard, Siobhan l'imita.

Pahoo restait immobile, paralysé. Je bondis sur Uma et la plaquai au sol avant de rouler avec elle vers l'entrée de maison la plus proche. J'entendis un cri provenant de l'autre côté de la rue, puis une autre série de coups de feu. Une fenêtre explosa quelque part au-dessus de moi et sur ma gauche je vis les briques de la façade éraflées par les projectiles. Il y eut une courte pause pendant laquelle je perçus la respiration sifflante de Baba Dutty et le gargouillis de son sang qui se déversait sur le ciment. Pahoo s'était allongé à côté de lui.

Je relevai la tête et aperçus deux silhouettes sombres qui remontaient rapidement la rue dans notre direction. L'un tenait un fusil équipé d'une lunette de visée, l'autre un pistolet automatique. Une voiture qui descendait la rue ralentit un instant à la vue du carnage, ce qui se révéla être une énorme erreur. L'homme au pistolet tira plusieurs fois par la portière. Le véhicule frôla deux automobiles à l'arrêt avant de stopper.

Les deux assassins se retournèrent vers nous, mais ils venaient de commettre leur dernière erreur. Siobhan s'était remise debout. Je ne sais pas où elle les avait dissimulés, mais elle avait maintenant deux pistolets dans les mains et elle se ruait vers l'ennemi. Avec un hurlement strident, elle se mit à tirer des deux armes en même temps.

Cette folle était ambidextre.

Le *sniper* tomba aussitôt. Il prit une balle dans le ventre et deux dans l'aine, et enfin une, mortelle, dans la gorge. Son arme partit quand il s'écroula.

Sans paniquer le moins du monde, son acolyte riposta en fonçant vers Siobhan. Je vis l'Irlandaise prendre une balle dans la cuisse gauche, qui la ralentit à peine. Le pistolet dans sa main gauche était vide, et elle le lâcha, mais elle continua de tirer avec l'autre. Un projectile la toucha au torse, et elle pirouetta sur elle-même avant de reprendre sa course et son tir sur sa cible.

C'était un putain de massacre.

Le tueur de la Thulé écopa de plusieurs balles en pleine poitrine. Je vis de petits geysers de sang jaillir devant et derrière lui. Sur son élan, il fit encore deux enjambées, mais Siobhan l'avait maintenant bien ajusté. Son œil gauche explosa, puis ses dents, et les trois derniers projectiles lui arrachèrent le haut du crâne.

Siobhan se débarrassa du chargeur maintenant vide, en enclencha aussitôt un autre et se remit à tirer sur ce qui maintenant devait être un cadavre. Quand elle n'eut plus de balles, elle se mit à décocher des coups de pied dans le corps de sa victime. Je vis sa botte s'enfoncer dans la pulpe sanglante qui avait été le visage de l'autre, et je détournai les yeux.

— Marty…

La voix de Uma était comme assourdie. Je baissai les yeux et constatai que je l'écrasai toujours de tout mon poids. En fait j'étais presque en train de l'étouffer.

— Pas de bobo ? dis-je en roulant sur le sol.

Elle inspira à fond.

— Non. Baba Dutty…

L'air choqué, Pahoo s'était mis à genoux. Je pense qu'il s'examinait à la recherche de blessures et qu'il n'arrivait pas à se croire indemne. En titubant, Uma alla auprès de Baba Dutty et se pencha sur lui.

Le *houngan* respirait encore, mais plus pour très longtemps à mon avis. Il n'était pas aussi esquinté que le type réduit en bouillie par Siobhan, mais un grand trou béait à sa poitrine, et bien que je n'aime pas en parler, je vis sans doute possible des organes vitaux luisants dans la blessure. Il avait reçu une deuxième balle dans son gros ventre, et il était couvert de sang jusqu'aux pieds.

— Oh non, gémit Uma, et elle lui effleura très doucement la joue du dos de la main.

Les paupières de Baba Dutty battirent et il ouvrit les yeux. Il respirait par à-coups, en émettant un sifflement douloureux. Avec ces blessures, il ne lui restait que quelques instants à vivre.

— Méé… Méé… coassa-t-il.

Je ne parvenais pas à croire qu'il essayât seulement de parler. Uma se courba sur lui, lui prit la main et pressa son oreille contre les lèvres du mourant. Je vis qu'elle se concentrait pour comprendre ce qu'il s'efforçait de lui dire.

— Marty, fit-elle en me regardant. Je crois qu'il vous veut.

Je m'agenouillai auprès de lui. Je jetai un regard rapide aux alentours – bon sang, les flics allaient rappliquer d'une minute à l'autre – puis courbai la tête pour l'approcher de la sienne.

— Baba Dutty, murmurai-je.

— Méé… Mééé…

— C'est moi, c'est Marty, dis-je, sans savoir s'il comprenait.

Il cligna lentement des paupières et je crus que ses yeux ne se rouvriraient pas. Sa langue rose passa sur ses lèvres. Il tourna la tête et me regarda droit dans les yeux.

— Mééé-maître Ca-arref-efour, dit-il.

— Quoi ?

J'ignore où il trouva la force, mais il ôta vivement sa main de celle de Uma et la tendit vers moi. Il pressa la paume sur mon front. Je sentais la sueur et le sang, le froid qui bientôt le posséderait entièrement.

— Maître Carrefour, lâcha-t-il.

Sa main se durcit contre moi pendant une seconde, et j'eus soudain très froid.

Je sentis sa mort.

Il était parti.

16

— Un penny pour connaître vos pensées, dis-je à Uma.

— Je ne crois pas qu'elles vaudraient autant en ce moment.

Elle était assise en face de moi dans le rapide, et pianotait nerveusement des doigts contre la vitre sale de la fenêtre. Le moteur du train faisait vibrer nos sièges, mais bien que l'heure du départ fût dépassée de quinze minutes, il n'y avait pas signe de mouvement. Pahoo était installé à côté de moi, bras croisés, et son regard allait sans cesse du quai de la gare à l'allée centrale de la voiture. Je remarquai une légère palpitation au coin de sa paupière gauche.

Le siège voisin de celui de Uma était vacant. Siobhan aurait dû s'y trouver, à me cracher quelques injures bien senties. Ce vide hurlait pratiquement sa présence.

— Elle nous rejoindra à Londres, dis-je en consultant ma montre pour la centième fois. Elle savait que c'était le mieux à faire. Ce n'est que dans quelques heures, et ses, hem, problèmes ont peut-être eu besoin de beaucoup d'attention.

— Je sais, répondit Uma.

— Je pense que ça allait quand nous l'avons quittée, pas toi ? demandai-je à Pahoo.

Il me jeta une œillade sombre avant d'acquiescer avec mauvaise humeur.

— Je suppose que oui.

Merci beaucoup, mon pote. Uma accéléra le tempo de ses doigts, passant du tango à la salsa.

— Je veux dire, ses amis sauront quoi faire, non ? Ils lui trouveront un médecin.

— Je crains qu'ils ne soient pas enchantés de la voir, dit Uma. Elle a quitté le mouvement de façon assez brutale.

— Mais ils l'aideront sûrement, dans ces circonstances. Elle a dit elle-même qu'on n'était jamais en dehors.

Uma opina à peine de la tête. Nous attendîmes en silence cinq minutes encore avant que le train ne s'ébranle. Il avança de quelques mètres, s'arrêta puis repartit. Il répéta ce manège trois fois avant de véritablement quitter la gare. Ces mouvements soudains martyrisaient mon dos.

— J'espère que ce voyage jusqu'à Londres sera des plus tranquilles, en tout cas, dis-je. Nous pouvons toujours fredonner des airs de U2.

— Ne rêve pas, trouduc, fit une voix à l'accent irlandais immanquable.

La mine épouvantable, Siobhan vint se laisser tomber sur le siège vide. Elle sourit et posa la main sur celle de Uma.

— Je crois qu'il est temps qu'on parle du prix du danger, déclara-t-elle.

Pas plus Uma que moi ne voulions abandonner le corps ensanglanté de Baba Dutty dans la rue, mais nous n'avions pas le choix. Siobhan revint vers nous en boitillant. La blessure à sa cuisse était plutôt laide, mais elle avait eu de la chance : la balle à son flanc n'avait fait que l'effleurer et le premier projectile, qui lui avait traversé le biceps gauche, était ressorti. Le séton ne saignait même plus. Elle offrait cependant un spectacle des plus impressionnants.

— Debout ! cria-t-elle.

Elle n'eut pas besoin de me le dire deux fois, mais Uma était perdue dans un autre monde et continuait de regarder fixement Baba Dutty et de lui caresser la tête. Elle était couverte de son sang.

— Bouge-toi, bordel de merde ! rugit Siobhan.

Uma leva les yeux vers elle, une expression étonnée sur son visage qui semblait signifier : Il n'y a vraiment aucune raison d'employer un tel langage. J'entendais les sirènes au loin, et un petit groupe d'habitants du quartier s'était rassemblé à l'autre bout de la rue, à distance respectueuse, et nous surveillait avec la plus grande attention.

— Nous ferions bien de filer, dit Pahoo.

Miraculeusement, comme Uma il n'avait pas été blessé.

— Allons-y, commanda Siobhan en saisissant Uma sous l'aisselle pour la mettre debout.

Pahoo nous précéda jusqu'au coin de rue le plus proche, loin des curieux et des témoins. Nous devions constituer un spectacle de choix, avec Siobhan qui claudiquait et saignait de ses multiples blessures, Uma couverte du sang de Baba Dutty et avançant d'un pas de somnambule (je l'ignorais alors, mais j'avais moi-même une grande tache écarlate sur le front), et le petit Pahoo dans ses hardes crasseuses des années 1960 qui ouvrait la marche.

C'est un miracle que nous ayons réussi à fuir.

Malgré son état, Siobhan força la portière de la première voiture qui lui plut et la fit démarrer en dénudant les fils du contact. Elle n'était pas en état de conduire, mais elle insista pour le faire, et aucun de nous ne chercha à la raisonner. Après ce qui était arrivé avec Baba Dutty au volant, je ne crois pas qu'Enzo Ferrari en personne serait parvenu à lui prendre le volant.

Elle mit une distance appréciable entre nous et la scène de nos divers crimes. Dans un centre commercial à la périphérie de la ville nous trouvâmes un garage public et l'Irlandaise arrêta la voiture dans un coin sombre. C'est seulement alors que nous étions assis là en silence, repensant à tout ce qui venait de se passer, que je prêtai attention à l'odeur. Je me rendis compte que je l'avais sentie depuis que nous étions montés dans cette voiture, mais que je n'avais tout simplement pas pu trouver les ressources mentales pour m'en préoccuper. Et je la reconnus subitement.

La voiture était empuantie par l'odeur du sang.

— On ne peut pas continuer dans ces conditions, dis-je.

— Tu ferais un putain de Sherlock Holmes, toi, aboya Siobhan.

— Du calme, fit Uma.

Elle leva la main pour toucher son garde du corps d'un geste de réconfort mais vit qu'elle allait appuyer sur une blessure et suspendit son mouvement.

— Reprenons nos esprits, dit-elle. Il faut que nous réfléchissions.

Uma semblait avoir recouvré toute sa maîtrise d'elle-même, ce que je jugeai incroyablement rassurant.

— Il faut partir d'ici, déclara Pahoo. Foutre le camp de Liverpool avec cette voiture.

— Non, le contra Uma. Pas avec cette voiture. Son vol a peut-être déjà été signalé. Le risque est trop grand. Et Siobhan a besoin de soins médicaux.

— Ça ira, rétorqua l'Irlandaise, mais d'un ton assez peu convaincant.

— Ridicule. Cependant il est évident que nous ne pouvons pas nous rendre dans un hôpital.

— Nous pourrions retourner au palais *vaudoun*, suggéra Pahoo.

— Les flics vont se pointer là-bas dans peu de temps, objecta Siobhan.

— Et ce n'est pas tout, enchaînai-je. La Thulé devait savoir que nous nous trouvions là-bas. Ces fumiers ont dû également nous suivre à la sortie de la cité pour monter cette embuscade. Ils ont un temps d'avance sur nous... depuis Canterbury, je pense. Mais je ne comprends pas comment ils font.

— D'accord avec vous, approuva Uma.

— Oh, merde et remerde, grommela Siobhan en serrant sa jambe de ses deux mains. Il ne reste qu'une solution.

Puisque Pahoo était le seul d'entre nous à ne pas être couvert de sang, nous l'envoyâmes faire les courses. Il revint avec des pantalons de survêtement et des sweat-shirts pour nous trois ; pas du meilleur goût vestimentaire, mais éminemment pratique dans notre situation. Il acheta également de l'antiseptique et des bandages pour Siobhan en attendant mieux, ainsi que des serviettes en papier et de l'eau minérale afin que Uma et moi puissions nous nettoyer et apparaître en public sans nous faire remarquer. Bien que Siobhan boitât fortement lorsque nous quittâmes la voiture, nous réussîmes à arrêter ses saignements. Je lui proposai de prendre appui sur moi, mais elle éclata d'un rire sauvage.

— Même pas s'ils m'explosaient ma putain de jambe.

Elle téléphona d'une cabine publique dans le centre commercial. Elle composa le numéro et dit un unique mot. Elle hocha la tête et raccrocha. Puis elle fit un autre numéro.

Ses camarades de l'IRA acceptèrent de l'aider, mais nous ne pouvions pas l'accompagner au lieu de rendez-vous. Elle était plus pâle et plus faible à chaque minute, et Uma ne voulait pas la laisser seule, mais Siobhan insista, en ajoutant d'un ton sinistre :

— Ces gens-là n'aiment pas qu'on désobéisse à leurs consignes.

Nous la laissâmes à un arrêt de bus, après avoir convenu de nous retrouver plus tard à la gare de Liverpool. Si elle ne pouvait pas s'y rendre, alors elle nous rejoindrait au restaurant indien de Uma, à Londres… quand elle serait en état de le faire. Elle ne nous accorda pas un regard quand elle monta dans le premier bus qui arriva. À travers les vitres je la vis parcourir l'allée centrale, mais toutes les places étaient occupées. Elle se pencha vers un type aux cheveux noirs plaqués en arrière et vêtu d'un blouson de cuir. Elle lui murmura quelque chose à l'oreille et il bondit de son siège si vite qu'il aurait pu être assis sur un crotale. Siobhan s'assit. Le bus redémarra.

— Je crois qu'elle saura s'en sortir, dis-je aux autres.

Pendant le voyage de retour à Londres, nous parlâmes peu. La voiture du train n'était pas un lieu assez intime pour que nous puissions discuter de quoi que ce soit d'important, mais je pense aussi que nous étions tous encore trop abasourdis par les derniers événements. Siobhan confirma qu'elle se sentait bien, quoiqu'elle admît que ce sentiment pouvait être dû pour une bonne part aux doses généreuses de drogues qu'on lui avait administrées. Ses amis de l'IRA avaient trouvé un médecin pour nettoyer et panser ses diverses blessures. Même celle à la jambe n'était pas aussi grave qu'il y paraissait, bien que Siobhan grimaçât et boitât sévèrement à chaque pas quand elle se rendit aux toilettes du wagon.

Elle et Pahoo somnolèrent une partie du trajet, mais Uma et moi restâmes alertes, à regarder par la fenêtre le paysage morne qui défilait. Je trouvais que Uma avait nettement pris un coup de vieux durant les vingt-quatre dernières heures. Son teint cuivré s'était terni, et ses joues s'étaient creusées. Elle remarqua l'attention que je lui portais.

— Qu'y a-t-il? demanda-t-elle.

Je secouai la tête en prenant l'air désolé. Il n'y avait rien à dire.

J'avais beau me tortiller dans tous les sens, je ne parvenais pas à trouver une position confortable sur mon siège. Le choc dans la voiture lors de la collision avait eu pour résultat une raideur insistante de ma nuque et du haut de mon dos, et je souffrais d'une migraine lancinante. J'avais pris un cachet de codéine à Siobhan avant qu'elle ne s'endorme, mais c'était sans effet sur l'étau qui écrasait mes tempes au rythme de mon pouls. Et alors que je n'avais jamais été sujet au mal des transports, les cahots répétés du train commençaient à retourner mon estomac. À un moment je crus que j'allai avoir la nausée et je courus m'enfermer dans les toilettes de la voiture, mais je déteste vomir (qui aime ça, d'ailleurs?) et je réussis à me retenir. Alors que je me lavais les mains dans le minuscule lavabo, j'eus l'impression qu'un pic à glace s'enfonçait en plein milieu de mon crâne. Ce fut si violent que je dus m'agripper au rebord du lavabo pour éviter de tomber. Je croyais que la douleur s'estompait quand un second éclair de douleur me transperça la tempe gauche et incendia mon front jusqu'à un point situé derrière mes yeux. Cette fois je tombai à genoux et j'attendis que la souffrance passe. Je me relevai et restai ainsi une seconde, tandis que deux mots s'imposaient à mon esprit : attaque cardiaque. À mon grand soulagement il n'y eut rien d'autre, et ma migraine commença à faiblir. Je m'aspergeai le visage d'eau froide et retournai à ma place.

Je me sentais toujours limite, mais le reste du voyage se déroula sans incident.

Notre quatuor occupait une table dans un coin du restaurant indien de Uma près de Whitechapel. Siobhan avait pris le siège qui faisait face à la porte, mais elle devait se tenir légèrement de biais et avait posé sa jambe blessée sur une autre chaise. Elle était encore plus pâle qu'auparavant, si c'était possible, et une mélodie de Procol Harum me vint en tête. La même foule se massait dans l'établissement – de ce que j'avais pu constater, il n'y avait jamais très longtemps une table libre ici – et le même serveur à l'expression d'ennui incommensurable posa devant moi une cannette de Kingfisher. Il apporta aussi des plats de hors-d'œuvre, et du chutney, toutes douceurs que nous accueillîmes avec reconnaissance.

— Vous voulez essayer d'aller à Dwarfie Stane ? s'enquit Pahoo.

Il parlait avec la bouche pleine d'oignons *bhaji*, et ce n'était pas très ragoûtant à voir.

— Non, répondit Uma. Pas sans Baba Dutty.

— Pauvre Alourdes, dis-je. Et les autres. Bon sang, et dire que nous les avons laissés dans une de ces merdes… Les flics doivent grouiller là-bas.

— Alourdes peut prendre soin d'elle-même, affirma Uma. Elle est quasiment *mambo*. Une prêtresse à part entière, ajouta-t-elle avant que j'aie le temps de sortir une vanne. Elle a su que Baba Dutty était mort à l'instant où il nous quittait.

Je m'abstins de toute question.

— Et elle ne pourrait pas accomplir le rituel à Dwarfie Stane ? demanda Pahoo.

— Je ne le pense pas. Non. Même *mambo*, elle n'a pas les connaissances ou les capacités de Baba Dutty. Pas plus que moi, d'ailleurs. Je ne doute pas qu'elle accepterait, mais ce serait par amour-propre et je ne peux pas la laisser prendre ce risque. Moi-même je ne le ferais pas.

— Je pourrais aider, proposa Pahoo.

— Avez-vous l'expérience des leys du Nord ?

— Pas réellement.

— Alors cela ne suffirait pas. Vous le savez déjà.

Pahoo parut vexé.

— Où est le problème ? intervins-je.

Uma me considéra d'un regard empli d'une grande lassitude. Je pense qu'elle commençait à regretter de s'être acoquinée avec moi. La plupart des femmes semblent finir par penser ainsi. J'aimerais changer ça, mais je n'ai pas la moindre idée de ce que je dois changer.

— Jouez-vous Shakespeare, Marty ?

Je me mis à rire.

— J'ai dit quelque chose de drôle ?

— Moi, jouer Shakespeare ? Je suppose que je pourrais jouer Yorick, même si les stéréotypes ne marchent jamais, mais c'est à peu près tout.

— Pourquoi donc ?

— Je suis acteur de téléfilms, vous comprenez ? Faire le guignol dans des sitcoms ou des histoires de privés est une chose, mais… je ne supporte déjà pas de lire du Shakespeare, alors essayer de réciter le texte avec le ton…

— Je suis… – Uma leva les yeux dans le vide et réfléchit – je suis Joanna Lumley.

— Hein ? bredouillai-je.

— Pahoo est…

— Vic Reeves, termina le petit homme avec un large sourire.

Uma haussa les sourcils, mais opina du chef. Je compris alors où elle voulait en venir.

— Baba Dutty était Ralph Richardson. Laurence Olivier. John Gielgud.

— Et Dwarfie Stane est Hamlet, conclus-je.

— Vous avez parfaitement compris. Bien que MacBeth soit peut-être plus approprié.

— Donc, si nous ne pouvons pas accomplir le rituel là-bas, que se passera-t-il ? Je croyais que nous devions atteindre le dernier carrefour de leys, pour protéger le réseau avant que la Thulé ne puisse le corrompre.

— Je sens maintenant qu'il est déjà trop tard pour cela. Je crois que la Thulé anticipe toutes nos actions. Le fait qu'ils nous aient retrouvés à Liverpool laisse à penser qu'ils nous attendront également à Dwarfie Stane. Ce chemin est donc fermé.

— Alors que fait-on ? dis-je. C'est fini, ils ont gagné la partie ? Baba Dutty serait mort pour rien ?

— Non. Ils n'ont pas gagné. Du moins pas encore. Grâce à nos actions à Canterbury et Tintagel, Dwarfie Stane nous laisse en position neutre pour l'instant.

— J'ai l'impression que vous ne jouez pas la belle dans cette partie.

— Non, elle reste à être gagnée, ou perdue.

Ce fut au tour de Pahoo de poser ma question favorite :

— Alors qu'allons-nous faire ?

Uma inspira lentement, mais elle ne répondit pas. Elle regarda Siobhan, qui ressemblait à un boxeur saoulé de coups.

— Il se peut que nous devions chercher notre roi Lear, dit-elle enfin.

J'entendis Pahoo commencer à lui demander ce qu'elle entendait par là. J'allais faire écho à sa perplexité lorsque la douleur explosa dans mon crâne. Je me souviens d'avoir vu des étoiles filantes et de m'être pris les tempes entre les mains. Il se peut que j'aie hurlé.

J'étais inconscient avant de m'écrouler et que mon visage ne plonge dans le *mulligatawny*.

— C'est quoi, cette odeur ? demandai-je.

— De la soupe, répondit Uma. Une soupe excellente, bien que pas au point de se baigner dedans. Je vous ai essuyé le visage avec un gant de toilette, mais je crains qu'il ne reste de petits bouts de légumes ici et là dans vos cheveux.

C'est ainsi que j'appris que je m'étais évanoui dans mon *mulligatawny*. Deuxième question :

— Où sommes-nous ?

— Pas très loin du restaurant. Chez moi.

J'étais étendu sur un canapé ma foi très confortable, dans une petite pièce encombrée. Deux murs étaient flanqués du sol au plafond de rayonnages surchargés de livres, papiers et dossiers. Beaucoup de petites représentations colorées de personnages de la mythologie hindoue décoraient un autre mur, et le quatrième était occupé par une tapisserie montrant la confrontation entre cette saloperie multibras armée de couteaux et le type à la tête d'éléphant. Le châle fait main qui me recouvrait était lui aussi orné de la reine aux mains surnuméraires.

— Pouvez-vous vous asseoir ?

Bonne question, pensai-je. Je fis un premier essai peu concluant, mais à la deuxième tentative j'y parvins. J'aurais mérité une médaille.

— Quelle claque…

— Pardon ?

— J'ai l'impression d'avoir été percuté par un… – Je me retins à temps. – Je ne me sens pas trop bien. Quelle heure est-il ? Je suis resté dans le cirage pendant combien de temps ?

— Il est trois heures du matin passées. Vous êtes demeuré inconscient près de quatre heures.

— Nom de nom.

— Gardez-vous le souvenir de ce qui s'est passé ?

— Je me souviens que j'étais assis dans le restaurant, que nous parlions de ce que nous allions faire, et puis il y a eu la douleur. Comme un petit bâton de dynamite qui aurait explosé au centre de mon crâne. J'avais éprouvé cette sensation plus tôt, mais en beaucoup moins fort, dans le train.

— Vous n'en aviez rien dit.

— C'est passé très vite. Et puis Siobhan ne se plaignait pas des trois balles qu'elle avait dans le corps, alors je me voyais mal pleurer sur un simple mal de tête. Je crois que c'est une séquelle de la collision. J'ai pensé avoir reçu un petit coup du lapin, mais c'est peut-être plus grave que ça.

— Mmm, fit Uma. Et comment vous sentez-vous, à présent ?

Une autre bonne question. Je me rassis un peu plus droit et m'étirai précautionneusement, avant de tourner doucement la tête à droite, puis à gauche, et de la basculer en avant et en arrière.

— La migraine semble partie, annonçai-je. J'ai encore la nuque un peu raide. Ah, et j'ai une envie de pisser abominable.

Uma m'indiqua la salle de bains. Elle était petite, comme le reste de l'appartement, et d'une propreté digne d'un hôpital. De petits charmes et des colifichets étaient pendus aux étagères, et une autre représentation d'Elephant Man était punaisée au-dessus du support à serviettes. Je fis mes petites affaires, me lavai les mains et le visage et m'évertuai à ôter de mes cheveux le plus possible des traces de la soupe au curry.

Quand je revins, une tasse de thé et une assiette de biscuits m'attendaient, ainsi qu'Uma.

— Je sais que vous préférez la bière, mais dans les circonstances présentes…

Je la remerciai et bus une gorgée de thé. Impeccable. Je grignotai quelques biscuits, alors que je n'avais pas faim, mais ces douceurs sont comme le mont Everest. Elles sont là, alors vous en profitez.

— Vous souvenez-vous de quoi que ce soit pendant votre sommeil ? demanda Uma. Un rêve, peut-être ?

J'allais répondre non, que je n'avais éprouvé qu'une sensation de ténèbres infinies, quand une image me revint à l'esprit, comme ces lambeaux de rêve lorsqu'on est éveillé.

— Je… je crois qu'il y avait quelque chose en rapport avec Baba Dutty, mais c'est très vague.

— Essayez de vous rappeler quelque chose de précis.

Uma paraissait extrêmement intéressée. Je fermai les yeux et m'efforçai de ressaisir l'image.

— J'ai l'impression que je le vois. Il est habillé comme dans le temple *vaudoun*, l'*oufô*, avec sa toge bizarre et son chapeau ridicule et tout le bataclan, mais… – La vision ne cessait d'échapper à mon emprise mentale. – Non, rien de plus.

— Essayez encore, insista-t-elle.

Je refermai les paupières, et pendant une fraction de seconde je ressentis la douleur violente qui m'avait déjà terrassé. Je plaquai une main sur mon front et Uma s'approcha et me saisit par les épaules, mais je ne rouvris pas les yeux. Dans l'éclair qui accompagna la douleur, je revis Baba Dutty. Son large visage d'ébène grandit dans mon esprit et je vis ses lèvres bouger quand il me murmura quelque chose. Puis il disparut, les silhouettes sombres qui hantaient mes rêves le remplacèrent, et ce fut le noir total.

Je m'affaissai et j'aurais plongé dans un autre *mulligatawny* si Uma n'avait pas été là pour me soutenir. L'étourdissement se dissipa aussi rapidement qu'il s'était produit, et j'ouvris les yeux.

— Ça va, Marty ?

— *Mangé ginen*, dis-je.

— Quoi ?

— *Mangé ginen*.

— Qu'est-ce que c'est ? Qu'est-ce que cela signifie ?

— Je n'en sais foutre rien, lui avouai-je.

— Où sont les autres ? demandai-je lorsque Uma revint dans la pièce avec une théière pleine et fumante, et une bière, Dieu la bénisse.

— Siobhan dort.

— Sans déc' ? Je ne pensais pas qu'elle vous quitterait de vue.

— Siobhan est très loyale. Mais elle était aussi très fatiguée. Et il n'y a pas grand danger ici.

— À propos de ce qui n'est pas grand, et Pahoo ?

Uma eut son délicieux rire de petite fille.

— Il a décidé de se trouver un autre toit pour la nuit. J'ai la nette impression qu'il a une petite amie en ville avec qui il a préféré passer la soirée.

— Bon sang ! Ce mini-salopard puant a plus de succès que Brad Pitt.

— Il semble avoir quelques admiratrices, c'est exact.

— Mais vous n'en faites pas partie.

— Non, répondit-elle en fronçant le nez. Ce n'est pas mon type. Je préfère les hommes plus…

— Plus grands ? Plus propres ? Ceux qui ont le premier rôle dans une série télé ?

Je plaisantais, bien sûr. Enfin, je plaisantais, surtout.

Uma me décocha ce regard désapprobateur qu'a votre

tante lorsque gamin vous lancez une phrase un rien osée. Elle parut réfléchir à ma question.

— Quelqu'un de plus sombre, dit-elle enfin.

Je saisis l'idée et n'insistai pas.

— Et qui c'est, ce John Merrick, là ? fis-je en désignant la tapisserie.

— Pardon ?

— L'homme-éléphant. Il est partout chez vous.

— Ganesh. Le dieu de la sagesse et de l'écriture, seigneur des Ganas.

— Les Ganaches ?

— Les Ganas. Des divinités mineures qui punissent les malfaiteurs et ceux qui reviennent sur la parole donnée.

— Pas copains avec les agents artistiques, alors.

— Cette tapisserie est un cadeau de… Eh bien…

— Quelqu'un de plus sombre ?

Uma rougit.

— Oui. Elle ne dépeint pas une scène de la légende, elle a été composée spécialement pour moi.

— Laissez-moi deviner, la charmante créature avec toutes ces mains armées doit représenter Siobhan.

— C'est Kali la Destructrice, déesse de la Mort. Elle anéantit tout ce qu'elle voit, car rien n'est éternel.

— C'est bien Siobhan, donc, dis-je.

— Ganesh signifie savoir, érudition, rationalité. Sur le plan mythologique, il n'est pas de taille à s'opposer à la furie de Kali, mais intellectuellement il est son opposé. Il faut aussi savoir que Kali est un des aspects de *Jaganmata*, la Terre mère. Kali est sa face obscure. Son autre face est la face lumineuse, l'épouse de Shiva. La *Devi-Uma*.

— Sans rire ?

— Sans rire, Marty.

— Alors vous avez le prénom d'une déesse ? – Elle acquiesça. – Bah, pourquoi pas, hein ? Je suis bien prénommé d'après un personnage joué par Ernest Borgnine. Donc Uma et Kali ne font qu'une ?

— Non, elles sont des aspects différents de la Devi, la déesse. La lumière et les ténèbres. La déesse est déchirée entre le désir d'acquérir et celui de détruire le savoir, la sagesse personnifiée par Ganesh. C'est ainsi que j'interprète cette tapisserie, en tout cas.

— Vous êtes une femme sacrément compliquée. Vous savez, je crois que vous n'aimeriez pas L.A.

— Je n'y suis jamais allée.

— Si vous y mettez les pieds un jour, acceptez le rôle de Kali. Ça a très bien marché pour Sandra Bullock.

— Vous êtes un individu très étrange, Martin Burns. Franchement, je ne sais pas quoi faire de vous.

— Je leur demanderai de vous envoyer une vidéo de l'autopsie.

— Et quand aurons-nous ce plaisir? fit une voix à l'accent irlandais à couper au couteau.

Siobhan se tenait sur le seuil de la pièce, engoncée dans un peignoir rose fripé qui ne pouvait appartenir qu'à Uma. Je n'imaginais pas que l'Irlandaise ait pu l'acheter elle-même. Elle ressemblait assez à une montagne de bubblegum mal mâché.

— Ça pourrait arriver n'importe quand, chérie, alors tu ferais bien de te préparer mentalement au choc. Qu'est-ce que tu fais debout?

Pas besoin de montre pour savoir qu'il devait être très tard.

— Vous autres foutus Yankees faites plus de bruit qu'une fanfare, ronchonna-t-elle.

— Désolé, dis-je, et j'étais sincère.

Siobhan eut un geste de la main pour relativiser la chose.

— Je me serais sûrement levée, de toute façon. Je n'arrivais pas à trouver une position confortable.

— Comment va la jambe?

— Comment va la tête?

Compris. Elle ne se plaindrait pas si je n'en faisais rien non plus. Uma lui servit une tasse de thé.

— Notre petit putois est toujours dehors à s'envoyer en l'air? demanda Siobhan, et Uma hocha la tête. Qui le croirait, hein?

— Alors j'ai raison? Personne n'aime Pahoo?

— La question n'est pas d'aimer ou de ne pas aimer, dit Uma en s'efforçant à la diplomatie.

— Moi, je ne l'aime pas, lâcha Siobhan.

J'acquiesçai avec enthousiasme.

— Vous avez le droit de penser ce que vous voulez, et je reconnais qu'il a un caractère parfois difficile, mais il constitue une part nécessaire de ce que nous espérons réussir.

— Mais pourquoi ? insistai-je, et Uma tourna vers moi un regard exaspéré. Eh, je ne cherche pas à être méchant. Bon, d'accord : je ne cherche pas *seulement* à être méchant. Mais qu'est-ce qui le rend nécessaire ? Quelqu'un d'autre n'aurait pas pu jouer Elmer Fudd à Tintagel ?

— N'avez-vous rien remarqué nous concernant, Marty ?

— Qu'est-ce que vous voulez dire ?

— Rien de particulier ne vous a frappé dans les caractéristiques de notre petit… groupe ?

Je dévisageai Siobhan. Puis Uma. Et la lumière jaillit. J'y avais déjà pensé, quand nous errions dans les pubs de la campagne, et lors de ma conversation avec Baba Dutty.

— C'est une sorte de petite coalition arc-en-ciel que vous avez créée, c'est ça ? Et je suppose que ce n'est pas par accident.

— Il est des gens qui prétendent que rien n'arrive par accident.

— Je sais, mais parfois un cigare n'est rien d'autre qu'un cigare. Sans vouloir t'offenser, ajoutai-je à l'intention de Siobhan, qui haussa les épaules.

— Marty, dit Uma, une partie de la force de la Thulé vient de son invisibilité, de cette aptitude à se fondre dans le paysage, à prospérer dans des endroits où on les voit sans vraiment les remarquer. Et c'est dans ces endroits obscurs que leur puissance croît et que leur malignité se développe sans entrave.

« Pour ceux comme nous, avec la peau noire ou brune, avec des désirs et des sentiments qui ne s'accordent pas avec ceux approuvés par la société, avec des inclinations, des croyances ou des pratiques qui sont jugées excentriques – sinon pires –, pour nous il n'y a nulle part où se cacher. D'ailleurs nous ne devrions pas essayer de le faire. Car la dissimulation ne nous protégera pas de la Thulé. Tôt ou tard elle s'attaquera à nous tous, individuellement.

— « Nous devons combattre ensemble, sous peine de combattre séparément. »

— Exactement. Nous devons nous regrouper contre les sbires de la Thulé en public, comme vous l'avez fait, mais nous devons aussi mener ce même combat dans les endroits les plus sombres. Ensemble nos voix sont plus fortes que celle de n'importe qui d'entre nous. De même, ensemble notre savoir, notre pouvoir sont plus grands que ceux de n'importe lequel d'entre nous.

— Et où est la place d'un Européen blanc dans tout ça? demandai-je.

— Comme si nous ne nous étions pas déjà posé la question trois cent quarante-sept fois, grogna Siobhan.

J'interrogeai Uma du regard. Elle ne répondit pas, mais elle avait une expression de connaissance presque effrayante. Je pris ma bière, qui était vide.

Mauvais présage, pensai-je.

Siobhan avala encore quelques cachets de calmants avant de retourner au lit. Je fis la vaisselle pendant que Uma sortait deux oreillers supplémentaires d'un placard. Elle passa la tête dans la cuisine pour me souhaiter une bonne nuit, mais je n'avais pas l'intention de la laisser s'en tirer à si bon compte.

— Qu'est-ce que vous me cachez? demandai-je.

Elle émit un léger soupir.

— Je suis *très* lasse, Marty.

Un instant nous nous affrontâmes du regard. Elle semblait effectivement avoir vieilli de trois ans durant ces trois derniers jours.

— D'accord, grommelai-je en me retournant vers l'évier.

Uma restait sur le seuil.

— Je croyais que vous étiez fatiguée?

— Je dors déjà.

— Alors allez vous coucher.

J'ôtai les taches de thé sur une vieille chope avec une éponge épuisée et de l'eau froide. Uma n'avait pas bougé.

— Que voulez-vous savoir, Marty ?

Je fermai le robinet, cherchai un torchon autour de moi sans en trouver, et finis par m'essuyer les mains sur ma chemise. Avec une moue, Uma sortit un torchon d'un tiroir. C'était trop tard, mais je m'en servis, juste par politesse, avant de le poser sur le plan de travail.

— Qu'est-ce que signifie « *mangé ginen* » ? Vous le savez, n'est-ce pas ?

— J'ai cherché.

— Et ?

— Et cela se réfère à un rite *vaudoun*. C'est la cérémonie pendant laquelle invocations et offrandes sont faites aux esprits des défunts. Des sacrifices.

— Et nous ne parlons pas de lapin, là, n'est-ce pas ?

— Je n'en suis pas certaine.

— Quel rapport avec moi ? Pourquoi ai-je rêvé ça ?

— Je ne peux pas le dire.

— Vous ne pouvez pas ?

— Je n'en suis pas sûre, Marty, et je préfère ne pas spéculer pour l'instant. Vous connaissez certainement l'adage qui veut qu'un savoir incomplet est dangereux.

— Ouais, et celui qui dit que le pouvoir absolu corrompt absolument.

— De quoi m'accusez-vous ?

Je poussai un très long soupir et secouai la tête.

— De rien. De rien du tout. Je crois… je crois que nous sommes tous les deux très fatigués.

Uma approuva d'un hochement de tête. Mais ce fut son seul mouvement.

— Qu'est-ce que vous préparez ? Quelque chose de moche va se produire demain, n'est-ce pas ? Je le pressens.

— Il y a quelqu'un que nous devons aller voir. Une personne ayant un pouvoir exceptionnel.

— Assez exceptionnel pour arrêter la Thulé ? Même sans se rendre à Dwarfie Stane ?

— Je le crois, oui.

— Alors pourquoi ne pas nous être adressés à cette personne dès le début ?

— Parce que… – Uma arborait cette expression qu'ont les parents exaspérés confrontés à leur enfant de quatre ans qui devrait quand même savoir que les chiens ont quatre pattes et que le toit est toujours situé au-dessus du plancher. – Le simple fait de rechercher cette personne nous fait déjà courir de grands risques. Et si nous parvenons à la localiser, rien ne dit qu'elle nous aidera.

— Ça n'a pas l'air trop bien engagé, cette affaire.

— Je n'ai fait aucune promesse.

— Ouais : si vous ne me posez pas de questions, je ne vous répondrai pas de mensonges. Je connais.

Nous allâmes tous deux nous coucher.

17

Pahoo vint gratter à ma porte comme un rat affamé à huit heures le lendemain matin. Il ne paraissait pas avoir beaucoup dormi, mais il ne s'en plaignit pas. Miraculeusement, il portait un autre pantalon qui par temps couvert pouvait passer pour propre. Il s'était même peigné la barbe et l'en avait débarrassée de tous les débris qui y nichaient. Ou quelqu'un l'avait fait pour lui. La nuit avait dû être mémorable.

Siobhan sortit d'un pas traînant de sa chambre. Elle avait l'air de… bah, de quelqu'un qui a reçu trois balles dans le corps la veille. En boitant lourdement, elle passa dans la cuisine et se servit une tasse de café. Elle eut un hoquet quand elle vit Pahoo – je pense qu'elle avait réussi à identifier les choses dans sa barbe et qu'elle s'était prise d'affection pour une ou deux – mais elle ne fit aucun commentaire. En retour, Pahoo semblait abasourdi par la vision de Siobhan dans sa robe de chambre rose, mais son instinct de préservation était assez développé pour le garder muet sur le sujet.

— Uma dort toujours ? s'enquit l'Irlandaise.

— Elle est partie, répondis-je.

— Quoi ? aboyèrent Pahoo et Siobhan en stéréo.

Je tendis à Siobhan le mot que j'avais trouvé sur la table basse. Pahoo le lut à la dérobée. Uma y disait simplement qu'elle devait retrouver un ami et qu'elle reviendrait aussi vite que possible. Nous avions pour consigne de tous l'attendre dans l'appartement.

— Pourquoi tu ne m'as pas réveillé, connard de trou du cul ? rugit Siobhan.

— Eh, oh ! On se calme, ma chérie, rétorquai-je. Je ne l'ai pas entendue sortir. J'ai dormi tout le temps.

— Foutu connard ! Tu aurais dû venir me prévenir dès que tu as trouvé le mot.

— C'était il y a seulement un petit quart d'heure. Et c'est toi le garde du corps, non ? Où est le problème, de toute manière ? Uma est assez grande pour prendre soin d'elle.

Siobhan fit une boulette de la feuille qu'elle me lança au visage.

— Va au diable, maugréa-t-elle en claudiquant vers sa chambre.

Pahoo me considérait d'un air accablé.

— Eh, le tombeur, fis-je en agitant l'index devant son nez. Elle me fait peur, d'accord, mais toi tu ne m'impressionnes pas du tout, vu ?

Comme Clark Kent après un passage éclair dans une cabine téléphonique, Siobhan réapparut, habillée de pied en cap. Elle avait un automatique au poing, dont elle vérifia le chargeur. Elle le plaça dans un holster passé au creux de ses reins et fit retomber les pans de sa chemise pour le dissimuler. Ses mouvements étaient vifs, et elle ne boitait presque plus.

— Vous deux, vous restez là. Si Uma revient, vous la gardez ici jusqu'à mon retour. Quoi qu'elle dise.

— Où vas-tu… commençai-je, mais la porte claquait déjà sur elle. Merde, conclus-je.

— Qu'est-ce qu'il y a à manger ? demanda Pahoo.

Je le fusillai du regard, mais certaines personnes sont immunisées contre les mitraillages oculaires. Je repassai dans le salon pour réfléchir. Une activité que je ne pratique assurément pas assez dans cette vie.

Pahoo et moi nous évitâmes autant qu'il se pouvait dans un appartement aussi petit. Il resta dans la cuisine un temps, puis alla dans la chambre faire une sieste. De mon côté je pensai à jouer de la télécommande devant le téléviseur, mais chose incroyable il n'y en avait pas dans le salon ! Cela me conduisit à douter sérieusement de la personnalité profonde de Uma, et pire, cela me laissa désœuvré. J'envisageai brièvement de téléphoner à June Hanover, mais je ne savais pas ce que j'aurais bien pu lui raconter. Je sais que j'aurais dû contacter mon agent – elle était sans doute au bord de l'hystérie – mais je ne parvins pas à m'y obliger. Mieux valait attendre de voir comment tournerait la situation avec ce grand superman que Uma espérait trouver.

Je passai la matinée à fouiller dans la mini-bibliothèque du salon. Beaucoup d'ouvrages étaient rédigés en d'autres langues que l'anglais – une bonne part en hindi, ou en urdu, pareil pour moi – et ceux qui étaient lisibles traitaient de sujets très originaux. Plusieurs étagères rassemblaient des textes philosophiques, d'autres des écrits arides sur la théologie. Et une bibliothèque entière était occupée par des volumes sur le mysticisme, la mythologie et les sciences occultes. Je m'attendais presque à découvrir un exemplaire du *Necronomicon* relié avec de la peau humaine, ou au moins une édition d'Arkham House du *Gardien du Seuil*. Je n'eus droit à aucune des deux, en revanche je trouvais plusieurs livres sur le *vaudoun* et les religions africaines. Je me plongeai dans l'un d'eux, et j'étais tellement pris par la lecture que je n'entendis même pas la porte qu'on ouvrait. Bonne chose que je ne me sois jamais établi détective privé.

Uma entra dans la pièce, Siobhan dans son sillage. L'Irlandaise semblait toujours très énervée.

— Ce n'est que moi, annonça Uma.

Les gens disent toujours ça quand ils arrivent quelque part, et je n'avais encore jamais compris pourquoi. Jusqu'à cet instant.

— Ouais, fis-je en relevant le nez du livre. Mais moi, est-ce que ce n'est que moi ?

Je voulais avoir une conversation privée avec Uma, mais Siobhan refusait catégoriquement de la perdre de vue une nouvelle fois. Pahoo était sorti pour faire une autre balade, bien que dans l'East End il ne semblât pas y avoir beaucoup de traces de la nature avec lesquelles communier, hormis les crottes de chien sur les trottoirs.

Uma ne voulut rien faire tant qu'elle n'aurait pas bu un thé. Je déclinai l'offre d'une bière et regardai Uma s'affairer. Elle ne préparait pas son thé avec des sachets, mais avec la matière première en vrac. Il m'apparut qu'elle prenait beaucoup de peine pour un résultat plutôt médiocre, mais elle sifflotait et j'en déduisis qu'elle s'adonnait à une de ces routines personnelles dont les gens parlent toujours et que je n'ai jamais comprises. Elle sortit la boîte à biscuits d'un placard et la posa sur la table. Enfin on en revenait à un langage que je connaissais.

— Que pensez-vous qu'il soit arrivé à Baba Dutty ? lui demandai-je quand elle s'attabla devant son thé.

— À votre avis ?

— J'ai posé la question le premier, remarquai-je.

— C'est celui qui le dit qui y est… répliqua-t-elle.

Je songeai à deux ou trois ripostes d'écolier du même tonneau, mais renonçai.

— Je pense qu'il est peut-être là, dis-je en me tapotant la tempe de l'index.

— Il a beaucoup de place, alors, commenta Siobhan.

L'Indienne mordit dans un biscuit et contempla sa tasse.

— Uma ?

— Vous avez lu les livres, dit-elle.

— Exact.

— Et qu'y avez-vous appris ?

— Pas grand-chose. Normal, j'ai toujours fait un très mauvais étudiant. J'ai quand même déniché vos livres sur le vaudou. Je veux dire : *vaudoun*. Et il y a tous ces trucs sur… – Je sortis de ma poche le morceau de papier où j'avais griffonné quelques notes –… *ti-bon-ange*. Vous savez ce que cela signifie ?

— L'expression ne m'est pas inconnue.

— Et vous connaissiez déjà la signification de *mangé ginen*, n'est-ce pas ? Vous savez tout un tas de trucs bizarroïdes.

— Oui.

— Alors pourquoi ne m'avoir encore rien dit ?

310

— Je ne voulais pas vous inquiéter sans raison. Je ne suis toujours pas certaine qu'il y ait des raisons de… s'inquiéter.

— De quoi vous parlez, alors ? intervint Siobhan.

— C'est Baba Dutty, expliquai-je. Il est en moi, d'une certaine façon. Ou c'est son âme, son *ti-bon-ange*, qui est en moi. C'est ce que Uma soupçonne, en tout cas. Exact ?

Elle acquiesça.

— Baba Dutty était un *houngan* doté d'un pouvoir exceptionnel. Il n'était pas seulement *houngan*, mais aussi *bokor*. Savez-vous ce que cela veut dire ?

— Non.

— Un *houngan* est essentiellement un prêtre, encore qu'un prêtre doublé d'une sorte de magicien blanc. Le *bokor* est plus proche de ce que vous appelleriez un sorcier, qui utilise les techniques *voundoun* les plus sombres. Il détient une aptitude particulière pour manipuler les âmes des vivants et des morts. Il est très rare qu'un seul homme soit à la fois *houngan* et *bokor*. Mais Baba Dutty était quelqu'un de très exceptionnel.

— Et *mangé ginen* ? Les mots de mon rêve ? C'est une référence directe à un sacrifice rituel, pas vrai ?

— C'est moins un sacrifice qu'une offrande aux morts. Un appel à l'esprit du défunt pour qu'il revienne et s'engage de nouveau dans les affaires humaines.

— En clair ?

— Je pense possible que Baba Dutty ait projeté une partie de lui-même en vous. Peut-être est-ce dû au hasard, parce que c'est vous qui étiez auprès de lui quand il est mort, mais j'y vois plutôt un choix délibéré de sa part. Je crois que cela a un rapport avec votre rôle dans notre mission.

— Mais quel rôle ? Que dois-je faire ? Je veux dire, je sais que ça peut sembler un peu dingue, mais j'ai déjà été… *possédé*, par le passé. J'ai partagé la conscience d'une autre… force. Ne me regarde pas comme ça, Siobhan.

— Comme quoi ? railla-t-elle.

— Ce qui m'étonne, c'est que je ne me sentais pas du tout comme maintenant. En fait je ne ressens rien de spécial, en ce moment, seulement une vague impression que tout n'est pas comme d'habitude, vous saisissez? Un truc qui me titille en arrière-plan. Comme si j'avais oublié l'anniversaire de ma mère.

— Avez-vous jamais été touché par le *ti-bon-ange* d'un *bokor* ou d'un *houngan* auparavant? demanda Uma.

— Pas que je me souvienne.

Elle leva les mains en l'air, avec une moue ennuyée. Je n'avais jamais été percuté par un camion non plus, auparavant. Je la comprenais.

— Peut-être que ton moi intérieur essaie de passer la barrière de cet horrible moi extérieur, suggéra Siobhan. Ou alors c'est ta part de féminité qui s'éveille. Ou de masculinité.

Je lui adressai une grimace.

— Quoi que ce soit, c'est forcément mieux que ce que nous avons vu jusqu'à maintenant, ajouta-t-elle.

— Bon, alors qu'est-ce que je fais? demandai-je.

— Je dirais que pour l'instant il n'y a rien à faire. Essayez de vous remémorer un peu plus de vos rêves, si vous le pouvez. Nous verrons comment les choses évoluent.

— Génial.

— Il se peut que nous obtenions certaines réponses ce soir.

— Pourquoi? Qu'allons-nous faire? Où êtes-vous allée ce matin?

— Je suis partie à la recherche de... notre Roi Lear. Celui qui est peut-être toujours capable de nous aider à terminer notre tâche.

— Vous l'avez trouvé?

— Nous verrons, dit-elle, sans s'expliquer davantage.

Nous étions prêts à partir sans lui quand Pahoo réapparut enfin.

— C'est franchement la merde, annonça-t-il.

— Comment cela? fit Uma.

— La Thulé fait des vagues. J'ai rencontré un groupe de Romanos...

— Ah, Seigneur! gémit Siobhan.

— Des Romanos? répétai-je, perplexe.

— La lie irlandaise, dit Siobhan, et je crois qu'elle aurait craché par terre n'eût été la jolie moquette de Uma.

— Ce sont des compagnons voyageurs, expliqua Pahoo. Et ils m'ont dit que des émanations étranges venaient de la London Stone. Et de King Cross.

— Il n'y a rien de spécial à King Cross, déclara Uma. À moins que vous ne cherchiez des prostituées – Pour une raison inconnue, elle me regarda en prononçant la fin de sa phrase. – Les os de Bouddica ne reposent pas là-bas.

— Quoi? fis-je.

— Croyez ce que vous voulez, dit Pahoo en m'ignorant totalement. Mais je suis monté jusqu'à Parliament Hill et j'y ai tué un campagnol. Les vibrations sont très fortes dans le réseau. Il se passe des choses, pas de doute.

— Tu as tué un campagnol? dis-je.

— Peut-être devrions-nous aller à Spitafields, fit Uma en interrogeant Siobhan du regard.

— J'y suis passé, reprit Pahoo. Rien du tout, pas la moindre trace d'activité. Je n'aurais pas pu faire grand-chose dans la situation présente, mais j'aurais senti dans l'air si la Thulé avait été au travail.

— Allô? lançai-je. Il y a quelqu'un? Ici Marty Burns, vous m'entendez?

— Je vous en prie, Marty, fit Uma qui finit par se décider. Quelqu'un a-t-il écouté les infos aujourd'hui?

Nous nous entre-regardâmes tous.

Uma partit en hâte dans une des chambres, et nous la suivîmes comme des poussins derrière Mère poule. Elle prit la télécommande, alluma le téléviseur (finalement, elle était normale. J'en fus soulagé) et sélectionna la chaîne d'infos continues en télétexte. Le service n'offrait guère plus que les gros titres, mais parmi ceux-ci figurait la relation de «troubles» dans Tower Hamlets. Pour une fois mon nom n'apparaissait pas.

— Vous avez peut-être raison. Je crains que ça n'ait déjà commencé, dit Uma en éteignant le téléviseur.

— Quelle est la suite du programme? demandai-je.

— Nous ferions bien de nous mettre en route.

Nous traversâmes la ville dans une vieille Ford Sierra marron, sans doute la voiture la plus neutre qu'on ait jamais conçue. Je ne sais pas à qui elle appartenait, ou d'où elle venait – je préférais ne pas poser de questions – et naturellement Siobhan prit le volant. La circulation était assez démente, et je l'entendais grogner à chaque fois qu'elle appuyait sur la pédale d'embrayage. Sa jambe devait lui faire souffrir le martyre, mais la douleur ne la ralentit pas, et elle lança la Sierra dans les rues étroites de Londres comme Michael Schumacher.

— Qui est ce type que nous allons voir ? demandai-je.

— Je n'ai pas son nom, seulement l'adresse et un contact. Cet individu et moi-même sommes mutuellement conscients de l'existence et des efforts de l'autre, mais nous ne nous sommes jamais rencontrés. Même les négociations pour arranger cette visite ont été… délicates.

— Vous êtes sûre que vous savez ce que vous faites ? dit Pahoo. On peut avoir confiance en ces gens ?

— Aussi sûre qu'il est permis dans les circonstances actuelles. Êtes-vous versé dans le domaine kabbalistique ?

— Non, répondit Pahoo. J'ai entendu certaines histoires, et j'en sais juste assez pour ne pas m'en mêler. Ces vieux Juifs me filent une trouille de tous les diables.

— Sans blague ? fis-je, en repensant à la rune imprimée au fer sur la poitrine du petit homme.

— C'est une sage position, dit Uma. J'ai étudié un peu ce domaine moi-même, mais malheureusement je n'ai jamais assez bien maîtrisé l'hébreu et la plupart des traductions, y compris celles en latin, sont sans valeur. En conséquence mon savoir en la matière est largement de deuxième main, donc peu fiable.

— De l'hébreu ? fis-je.

— Seriez-vous versé dans la Kabbale, Marty ?

— C'est un de ces mots qui flottent librement dans mon esprit, comme « duodénum ». La Kabbale est une sorte de vaudou juif, c'est ça ?

— Votre analogie n'est pas si mauvaise. Il existe en fait nombre de points communs très étranges. Mais ce sont des matières trop particulières pour que ce soit le fruit du hasard, je pense.

— Laissez-moi deviner la prochaine étape du circuit multiculturel de la coalition arc-en-ciel : le Temple Beth-Shalom.

— Nous ne nous rendons pas dans une synagogue, mais la personne que nous allons rencontrer est indubitablement juive. Un sorcier kabbaliste, pourrait-on dire, quoique je doute que le tzaddik apprécierait beaucoup cette description.

— Le tzaddik ?

— Cela signifie « L'homme vertueux ».

— Un *mensch*, quoi, conclus-je.

Pahoo tourna vers moi un regard singulier.

— Quoi ? dis-je.

Il se contenta de secouer la tête.

— Le terme tzaddik peut se référer à un rabbin de haut rang, expliqua Uma. Bien que le mot possède une autre connotation, beaucoup plus complexe.

Une fois le centre-ville traversé, nous prîmes la direction des quartiers nord-ouest. La circulation était toujours aussi dense, et les alentours prirent l'aspect d'une banlieue aisée. Nous passâmes Hampstead, qui me fit songer un peu à Santa Monica sans l'océan, et nous engageâmes dans Golder's Green. Uma avait déplié son plan et indiquait l'itinéraire à Siobhan. Nous vîmes plusieurs synagogues, les premières que j'aie remarquées à Londres, et maints autres signes d'une communauté juive importante : épiceries et boucheries casher, boulangeries vendant des baguels. L'endroit me rappelait un peu le district de Fairfax à L.A., en un peu plus chic. À bien y réfléchir, cette stérilité de la classe moyenne supérieure évoquait pour moi les banlieues américaines plus que n'importe quel autre endroit en Angleterre.

— Ici, je crois, dit Uma en désignant une maison de taille moyenne identique à une douzaine d'autres mais un peu à l'écart, dans une rue tranquille.

Siobhan se gara devant, et nous sortîmes tous de la Sierra.

— Vous êtes sûre que c'est là ? voulut savoir Pahoo.

— C'est l'adresse qu'on m'a donnée, lui répondit Uma.

Siobhan scrutait la rue dans les deux sens, en reniflant l'air comme un chien de chasse.

— Quelque chose ne va pas ? lui dit Uma.

L'Irlandaise répondit d'un grognement intraduisible.

— Tu n'aurais pas une de tes démangeaisons, hein ? lui dis-je en regardant autour de moi nerveusement.

— Non, répondit-elle. Pas de démangeaison. Juste le désagrément habituel. Mais je commence à m'habituer à toi.

— On a les maladies qu'on mérite, répondit le roi du bon mot.

Je suivis les autres sur une petite allée très propre qui menait à la porte. Nous passâmes devant un petit bijou de Rover rouge devant le garage, et je remarquai l'autocollant d'une université américaine sur la lunette arrière, un petit drapeau israélien et sur la banquette arrière un siège de sécurité pour bébé. Flanquée d'une Siobhan toujours sur le qui-vive, Uma déclencha le carillon. Un mezuzah était accroché sur le montant droit de la porte.

Il y eut un grand fracas à l'intérieur, suivi d'un « Nom de nom ! » aigu. Un bruit plus important encore retentit derrière la porte, que j'assimilai à une bataille de niveleuses. Uma actionna de nouveau la sonnette et un « J'arrive, pour l'amour du Ciel ! » étouffé nous parvint.

La femme qui ouvrit la porte était encore plus petite que Pahoo. Elle portait un jean avec des poches aux genoux, des baskets Nike blanches et un sweat-shirt noir orné de Bugs Bunny jaillissant au-dessus du logo de la Warner Bros. Ses cheveux coupés court étaient teints en noir, saupoudrés de quelques mèches blanches. Le gris envahissait également ses sourcils broussailleux. Elle avait le visage joufflu, avec sur le côté gauche un gros grain de beauté d'où pendaient trois poils plutôt longs, et une ombre de moustache aussi, de la sorte qu'ont les femmes après la ménopause. Je lui aurais donné pas loin de soixante-dix ans, mais pas à haute voix, car elle avait des yeux brillants et un regard perçant qui se posa sur chacun de nous à tour de rôle.

— Uma ? dit-elle.

— Oui. Et vous êtes Mrs Stein ?

— Lily, la pria la vieille dame en lui tendant une main que Uma serra avec légèreté. C'est si gentil d'être venus. Je vous en prie, entrez.

L'Indienne franchit le seuil de la maison.

— Vous devez être Siobhan, dit Lily Stein avec une pointe d'accent assurément américain et en offrant de nouveau sa main, que l'Irlandaise serra avec vigueur. Quelle femme bien bâtie. Et ce teint. Très joli. Il faut que nous parlions des soins de peau.

— Avec plaisir, répondit Siobhan.

Je ne l'aurais pas juré, mais je crus la voir rougir. Cette Lily me plaisait bien.

– – Vous devez être Pahoo.

Elle prit la main du petit homme dans la sienne, qui était encore plus menue, et enchaîna avant qu'il ait pu répondre :

— Où avez-vous trouvé un nom pareil ? Pahoo ? Je ne l'avais encore jamais entendu. Remarquez, j'ai une cousine qui a prénommé sa fille Ariel, vous vous rendez compte ? C'est ce qui arrive quand vous habitez à Syosset, croyez-moi. Ariel. Qu'est-ce qu'elle est ? Un baril de lessive ? Meshuga !

Pahoo hocha simplement la tête et suivit Siobhan à l'intérieur.

— Martin Burns, dit Mrs Stein en me considérant de la tête aux pieds. C'est un réel plaisir d'accueillir une vedette telle que vous chez moi. Je me souviens de vous dans *Salt and Pepper*. Oh, ma fille – elle est médecin maintenant, vous savez, et elle a son propre cabinet –, elle avait le béguin pour vous. Avec les films et les revues, elle nous rendait fous. Et votre nouvelle série est vraiment bien. Il y a peut-être un peu trop de poursuites de voitures et de shiksas avec les seins siliconés, mais c'est très distrayant.

— Merci, dis-je avec un sourire un peu gêné. Appelez-moi donc Marty. Enchanté.

Je lui serrai la main. Sa peau était tiède et douce, et elle appliqua une très légère pression de ses doigts sur les miens avant de rompre le contact. Je ressentis alors une sorte de secousse électrique au niveau de la tempe, là où avaient commencé mes migraines. Elle me fit signe d'entrer et j'obéis

317

promptement.

Les autres attendaient dans le vestibule, l'air nerveux et aussi bizarres qu'un groupe de parents rendant visite à leur tante dans sa maison de retraite. Même Uma.

— Quoi, vous voulez rester debout? dit Lily. Passez dans le salon et installez-vous.

Ils suivirent aussitôt ses instructions. Notre hôtesse me saisit le bras et m'escorta dans le couloir derrière eux.

— Vous êtes américaine, dis-je.

— Bien sûr. Pourquoi pas?

Je ne savais pas comment répondre à ça. Pourquoi pas, en effet?

Les autres étaient entrés dans le salon et attendaient, au milieu de la pièce, qui était vaste. Quant à la décoration, elle était… spéciale. La moquette était épaisse, orange et en très mauvais état. Il n'y avait rien de critiquable avec aucun meuble – en fait, les sièges se révélèrent très confortables – mais ils étaient tous dépareillés, tout comme la couleur des murs n'allait pas vraiment avec celle du sol. Deux bibliothèques vitrées massives regorgeaient d'ouvrages à reliure de cuir, et un grand téléviseur trônait contre un mur. Dans celui d'en face une porte-fenêtre donnait sur un patio et un petit jardin. Une abondance de bibelots décorait la pièce, ainsi que plusieurs dizaines de photographies encadrées de gens que je supposai être les membres de la famille Stein. Mon attention fut attirée par une série de petites figurines d'argile grise. Leur silhouette était grossière, mais elles suggéraient une angoisse existentielle curieusement émouvante. Naturellement, elles détonnaient avec le reste. J'en pris une pour l'examiner de plus près.

— Elles vous plaisent, Marty? Je les fais moi-même, dit Lily, non sans une certaine fierté.

— Elles sont… très puissantes, dis-je.

L'homme miniature dans mes mains semblait hurler sous la torture, bien que sa tête ronde n'eût pas de visage à proprement parler. Impressionnant.

— Asseyez-vous, nous suggéra Lily.

Nous obéîmes avec un ensemble presque parfait, Uma et

Siobhan occupant le canapé, Pahoo et moi deux fauteuils énormes et très confortables. Le mien possédait un petit bouton sur un des accoudoirs. Je l'enfonçai et le siège se mit à bourdonner et à vibrer.

— Agréable, n'est-ce pas ? demanda Lily en m'indiquant la réponse correcte d'un hochement de tête. J'ai un peu de sciatique.

— C'est super, dis-je en éteignant le mécanisme.

— Je vais vous préparer à tous un petit en-cas, annonça-t-elle avant de s'éclipser.

Nous restâmes assis dans le salon, pas très à l'aise à vrai dire. Siobhan ne cessait de regarder par la porte-fenêtre, tandis que Uma observait les étagères surchargées de livres. Pahoo faisait de son mieux pour ne pas disparaître dans son fauteuil trop moelleux – il ressemblait à une mouche prise dans une dionée – et pour ma part j'essayai de retrouver trace de mes pieds dans la moquette épaisse.

— Vous êtes sûre que c'est la bonne adresse ? demanda Pahoo encore une fois.

Uma acquiesça, mais elle paraissait incertaine.

Après quelques minutes Lily revint avec un grand plateau en argent chargé de tasses et de sous-tasses, d'une théière et d'une cafetière. Elle posa le tout sur la table basse devant Siobhan et lui dit :

— Soyez chou et servez tout le monde, vous voulez bien ?

Siobhan s'exécuta et Lily repartit vers la cuisine.

Pahoo prit du café, Siobhan et Uma du thé. Je n'avais pas soif. Lily réapparut avec un second plateau, plus petit celui-là. Elle apportait un assortiment de biscuits et de petites pâtisseries. Siobhan l'interrogea du regard et notre hôtesse lui répondit :

— Du thé, s'il vous plaît, ma chère, avec un nuage de lait et deux sucres. Vous êtes adorable.

Elle prit place sur le canapé, entre l'Irlandaise et Uma, et remarqua alors que je n'avais pas de tasse.

— Du café, Martin ? Du thé ?

— C'est Marty, je vous en prie. Non, rien, merci.

— J'ai des jus de fruits dans la cuisine. Orange ? Pomme ?

— Non, ça ira.

— Un Coca ?

— Merci, non, dis-je encore, avec un sourire idiot.

— De l'eau minérale ? Plate ou gazeuse ?

— Vraiment, je n'ai pas soif maintenant. Plus tard, peut-être.

Lily fit une grimace qui semblait signifier : Qui a jamais entendu chose pareille ?

— Mais vous mangerez quelque chose, Martin, dit-elle, et ce n'était pas une question.

— Bien sûr.

Je pris un ruggalah et une serviette en papier sur le plateau. J'enfournai sans hésiter la douceur dans ma bouche.

— Rrès hon, dis-je en postillonnant des miettes.

Et ça l'était. Les pâtisseries étaient toutes délicieuses et nous couvrîmes Lily de compliments quand elle avoua avoir elle-même préparé les ruggalah au chocolat et aux noisettes. Nous fîmes assaut de propos d'une vacuité excessive pendant que nous nous régalions, pour enfin en venir au sujet de notre présence ici.

— Eh bien, dit Lily, qu'allons-nous faire avec ces salopards de nazillons ?

Uma narra notre petit périple automobile à Lily, jusqu'aux événements qui avaient entraîné la mort de Baba Dutty. Elle ne lui épargna aucun détail, sans hésiter à mentionner les tueurs de la Thulé que Siobhan avait exécutés à Woodhenge et Liverpool. En revanche elle ne parla pas des blessures de l'Irlandaise, mais pendant qu'elle parlait, Lily regarda fixement Siobhan et lâcha :

— Ma pauvre et brave chérie.

Je ne pense pas qu'elle faisait allusion uniquement à des blessures physiques.

Uma relata à la vieille dame mes migraines et ma perte de conscience, ainsi que les rêves singuliers de Baba Dutty dont je lui avais parlé. Même à Uma, je n'avais rien dit de précis sur les silhouettes sombres qui hantaient mes rêves, et j'étais trop embarrassé pour aborder le sujet maintenant. Lily se tourna pour me considérer pendant que Uma parlait, et ses yeux eurent l'effet de lampes chauffantes sur mes joues. Je tentai de soutenir son regard, sans succès. Son expression était intense, mais indéchiffrable. Un long silence assez déplaisant s'établit après le récit de Uma.

— Alors que proposez-vous, ma chère ? demanda enfin Lily. Que cherchez-vous ici ?

— Vous ne le savez pas déjà ?

— Oh, je sais beaucoup de choses. Je sais comment faire une délicieuse soupe de pois cassés. Je peux nommer tous les arrêts de la ligne de Piccadilly. Croyez-le ou non, je saurais changer le filtre à huile de la Rover garée devant la maison, et ainsi je n'aurais pas à payer ces gonif de mécaniciens. Mais à présent, ce que je vous demande, c'est qu'est-ce que vous cherchez, exactement.

Perchée au bord du canapé, Lily avait parlé en souriant et l'œil pétillant, mais derrière ses paroles je sentais un sérieux que je ne comprenais pas totalement. Uma éprouva sans doute la même chose car elle réfléchit longuement avant de répondre, et aucune joie n'éclairait son visage.

— Nous recherchons le tzaddik, dit-elle. Un des Trente-Six.

Lily acquiesça, comme si l'Indienne venait de prononcer un mot sacré, et elle s'assit plus confortablement.

— Et si vous trouviez ce tzaddik, si je pouvais vous présenter au lamed vavnik, que feriez-vous ?

Uma prit une profonde respiration.

— Mon objectif est toujours de terminer le processus rituélique que nous avons commencé. Je pense qu'on peut le faire ici, à Londres. À Spitafields. J'ai entendu raconter ce qui est arrivé il y a soixante ans, comment un grand tzaddik a mis en déroute les forces obscures rassemblées par Crowley et Mosley lors de la Bataille de Cable Street. Il en est qui disent que cet événement a marqué un tournant dans la guerre qui s'annonçait. J'accomplirais la même chose, de nouveau, alors qu'une autre guerre semblable n'est encore qu'une crainte. J'ai pensé que nous pourrions le faire nous-mêmes, mais sans l'aide de Baba Dutty le cercle n'est pas complet. Je demanderais au tzaddik de ressouder le cercle avant qu'il ne soit trop tard.

— Je vois, dit Lily.

Elle paraissait hésiter entre deux options.

— Que savez-vous du lamed vavnik? demanda-t-elle encore.

— Ce terme ne m'est pas très familier. Vous voulez parler des Trente-Six?

Lily hocha imperceptiblement la tête.

— Je connais la légende kabbalistique : à toute époque, il a existé trente-six individus vertueux dont les mérites soutiennent le monde. Ils ne sont jamais plus de trente-six et ce sont eux qui invoquent la présence et la bienveillance de Dieu. Ils sont invisibles et anonymes, mais comme les leys sous la surface du sol, tout dépend de leur bien-être. Et j'en suis venue à comprendre qu'un tzaddik, l'un des Trente-Six, peut être trouvé à Londres.

Il y avait une question muette dans la dernière phrase de Uma, mais Lily n'y répondit pas.

— Et vous? fit notre hôtesse à Pahoo.

— Je n'avais jamais rien entendu de tout ceci jusqu'à aujourd'hui. Je ne m'intéresse qu'au pouvoir de la terre. Je ne fréquente pas les gens comme vous.

Lily se rembrunit, mais se tourna vers Siobhan.

— Vous?

— Je fais ce que Uma me dit de faire. Je ne prétends pas comprendre, mais j'accepte. Je fais ce qu'on me demande tant que je pense que c'est juste. Uma ne m'a jamais donné aucune raison de douter d'elle.

Lily approuva.

— Et vous, Martin?

— Moi quoi?

— Que savez-vous du lamed vavnik?

— Bah, j'ai l'impression de m'être trompé de salle au cinéma. Comme si j'avais payé pour voir le dernier John Woo et que je me retrouvais à regarder un film d'art et essai bulgare en version originale sans sous-titres. Comme je n'arrête pas de le dire à Uma, j'ai connu quelques situations bizarres par le passé, mais j'ignore de quoi vous pouvez bien parler en ce moment. Votre lamed vavnik pourrait être un pudding aux nouilles polonais, pour ce que j'en sais.

Lily eut un petit rire.

— D'accord. J'apprécie votre honnêteté, Martin, fit-elle en plissant les yeux légèrement pour me dévisager. Vous êtes juif, n'est-ce pas ?

Je ne sais jamais comment répondre correctement à cette question.

— Pas réellement, dis-je en manière d'excuse. Je veux dire, du point de vue culturel, plutôt, mais je ne suis pas pratiquant.

— Votre mère ?

— Sa propre mère était juive, oui.

— Vous avez fait votre bar-mitsva ?

— Non, dis-je. Seulement à la télé.

— Tss-tss, fit-elle. Circoncis ?

Les autres me regardaient fixement, et Siobhan eut un rictus malveillant. Je me sentis rougir.

— Hem… oui.

— Bien, décréta Lily.

J'avais l'impression que le médecin venait de me donner une sucette après la piqûre, pour récompenser ma bravoure de gamin.

— Vous allez nous mener au tzaddik, alors ? demanda Pahoo.

Il se tortillait sur son siège et paraissait particulièrement mal à l'aise. Au lieu de lui répondre, Lily se tourna vers Uma.

— Savez-vous quel est le prix à payer pour affronter le lamed vavnik ?

— Je l'ignore. Mais je suis prête à payer ce qui me sera demandé, quoi que ce soit. Je ne peux pas faire plus.

— C'est très bien, ma chère, mais ce n'est pas vous qui paierez.

— Je ne comprends pas.

— Je le sais bien, soupira la vieille dame. Le prix est payé par le tzaddik, par le lamed vavnik. Il va seul dans ce monde, en secret, comme vous l'avez dit. Le prix de la révélation ne peut être que la mort.

— Oh, souffla Uma.

— Ce qui ne veut pas dire que le lamed vavnik ne serait pas disposé à payer ce prix si c'est ce qu'il convient de faire. Pour quelle autre raison le lamed vavnik existerait-il ?

— Je ne pense pas que je pourrais demander à quiconque de payer un tel prix, déclara Uma.

— La décision ne vous appartient plus, ma chère.

Les yeux brillants de Lily s'assombrirent et sa voix prit des accents de puissance et d'autorité inédits.

— Ce que vous appelez le réseau de leys, je l'appelle la cinquième sephiroth : gevurah, qu'on peut traduire approximativement par « pouvoir ». C'est pour le gevurah que se déroule ce grand combat contre les sitra achra, ceux de l'autre côté. Ce combat dure depuis que le Nom a été prononcé pour la première fois et que l'univers est né du chaos. Il se poursuivra jusqu'à ce que le Nom soit effacé et oublié. Ce qui revient à dire que ce combat est éternel. Les sitra achra représentent les ténèbres, et n'existent que dans le but de séparer l'humanité de la shekhinah, la lumière de l'être pur. Les ténèbres sucent la lumière comme des sangsues, elles en tirent leur existence. Sans les ténèbres, bien sûr, il n'y aurait pas de lumière. Les sitra achra existent à l'intérieur des sephiroths, les structures divines de l'harmonie, mais ils constituent aussi une limitation nécessaire à celle-ci. Le lamed vavnik s'assure que les sitra achra ne dévorent pas trop de la lumière, afin que le monde ne soit pas plongé dans les ténèbres.

— Je comprends, dit Uma, ce qui la mettait nettement au-dessus de moi. Vous parlez du bodhisattva, du karuna.

— Oui, ma chère. Pour le cœur pur, tout cela est la même chose. Après tout, une samosa n'est qu'un knish épicé, et un dosa un gros blintz.

— Bon, alors la Thulé, c'est quoi ? fis-je. Du sang de poulet ?

— Les membres de la Thulé sont une autre manifestation des sitra achra, dit Lily. Ils le savent, mais jamais ils ne l'admettraient. Ils se croient spéciaux. Ils se drapent dans toutes sortes de théories insensées – l'odinisme ! – mais au fond ce ne sont que des théosophes de bas étage. Blavatsky, Crowley, tous n'étaient que des ratés qui n'auraient pas distingué leurs tuchis du tétragrammaton. La plupart de ces misérables antisémites ignorent que tout leur système de croyances dérive de la Kabbale. Malheureusement, leur ignorance ne les rend pas moins dangereux. La Thulé est peut-être un outil pathétique des sitra achra, mais un marteau dans la main d'un enfant peut toujours détruire la plus belle des sculptures.

— Alors vous nous aiderez ? demanda Uma.

— Je vous aiderai.

— Quand pourrons-nous voir le tzaddik ? insista Pahoo.

Lily le dévisagea et sourit. Uma tourna la tête et je vis des larmes dans ses yeux. À cet instant, je saisis – je pense que Siobhan aussi – et je compris pourquoi Uma pleurait. Nous regardâmes tous Pahoo.

— Quoi ? fit-il, sur la défensive.

— Mon cher, dit Lily en réprimant son hilarité, vous êtes en face du tzaddik. Si vous n'étiez pas un machiste impénitent, vous auriez vu que je suis le lamed vavnik.

— Nooon, souffla Pahoo en se levant.

Il nous dévisagea successivement jusqu'à comprendre que c'était la vérité. Alors il se mit à rire. C'était un rire qui grandit en lui et l'envahit, jusqu'à ce qu'il puisse à peine se tenir debout. Il dut prendre appui contre le dossier du fauteuil. Je sentis une goutte d'acide me brûler l'estomac.

— Il y a quelque chose de drôle, mon cher ? dit Lily.

Pahoo eut un geste dédaigneux dans sa direction. Il marcha jusqu'à la fenêtre et agita les deux mains devant lui, par deux fois. Une poignée de secondes plus tard, les vitres explosèrent et des échardes furent arrachées du bois. Un groupe de trois hommes encagoulés et armés d'Uzis fit irruption dans la pièce par la porte-fenêtre. Siobhan avait bondi sur ses pieds et dégainé son arme, mais deux autres types en noir entrés par une autre issue de la maison se jetèrent sur elle. Le premier lui assena un coup de crosse dans le ventre, qui la plia en deux, et l'autre l'assomma d'un coup de son pistolet à la nuque. Nous n'avions pas encore bougé.

Pahoo approcha de l'Irlandaise au sol et lui décocha un coup de pied parfaitement gratuit dans les côtes.

— Salope d'Irlandaise. Ça fait des jours que j'ai envie de buter cette gouine. Mais je vais d'abord la baiser, pour qu'elle sache ce qu'elle a raté.

Il contourna le canapé et s'arrêta devant le fauteuil où Lily était assise. Se courbant en avant, il lui releva le menton d'un doigt.

— Le lamed vavnik, hein. Le grand mage kabbaliste, fit-il en secouant la tête avec incrédulité. Pauvre conne de pute youpine. Je vais te saigner comme la truie que tu es, et ensuite je mangerai ton foie avec un grand verre de lait.

Lily lui cracha au visage. Il éclata de rire, essuya le crachat d'un revers de manche, et la frappa en plein visage, de toutes ses forces. J'entendis son nez se briser.

— Amenez les bétaillères, ordonna-t-il.

18

Pahoo et les sbires de la Thulé me lièrent les poignets avec du ruban adhésif. Ils ne prirent pas cette précaution avec Lily et Uma, mais ils se montrèrent très attentifs à rendre Siobhan impuissante, lui ligotant les jambes et doublant la sécurité avec des menottes. Même ainsi, dès qu'elle commença à revenir à elle, Pahoo lui décocha un coup de pied dans la tête, et elle sombra de nouveau dans l'inconscience. Le côté de son visage ressemblait à une aubergine pourrie. Une aubergine pourrie qui aurait saigné.

— Vous n'aviez pas besoin de faire ça, lança Uma.

— C'est vrai, reconnut la petite crevure. C'était juste pour le plaisir…

— Il ne m'a jamais plu, ce mec, maugréai-je. Dès la première minute j'ai trouvé qu'il puait, dans tous les sens du terme. Et puis il a tué le lapin.

— Qu'est-ce que tu as avec ce putain de lapin ? s'exclama Pahoo. On va vous faire bien pire, mon pote, alors à ta place je commencerais à m'inquiéter d'autre chose que d'un lapin.

— J'aurais dû être plus attentive, Marty, dit Uma. Je sentais que quelque chose n'allait pas, mais je n'ai pas réussi à définir ce que c'était. Je n'ai rien vu du tout.

— C'est parce qu'au fond tu n'es qu'une putain de métèque, et que tu seras toujours moitié moins intelligente que n'importe quel Blanc.

— Je suis un Blanc, objectai-je, sans aucune fierté d'ailleurs.

— Ouais, mais tu es à moitié youpin, pas vrai ? Et en plus une tantouze d'acteur. Au fait, ta série, c'est de la merde.

— J'ai toujours pensé que tous les critiques étaient des nazis. Je n'avais pas deviné que tous les nazis sont des critiques, aussi. Mais je n'ai jamais été très doué pour les syllogismes.

— Nous ne sommes pas nazis, aboya Pahoo.

— Oh, toutes mes excuses. Dis, c'est bien une croix gammée que tu as dans ta poche ?

— Tu as du culot, hein ? On verra si tu en auras encore quand je t'aurais ouvert la panse et que tu regarderas tes intestins se déverser sur tes cuisses.

— Alors vous ne vous dites pas nazi, mon cher ? fit Lily.

C'étaient les premiers mots qu'elle prononçait depuis que Pahoo lui avait cassé le nez, qu'elle tenait dans une main. Du sang tachait les manches de son sweat-shirt, et la chair sous son œil virait déjà au violet.

— Je suis de leur côté, évidemment, mais je ne m'identifie pas à eux, rétorqua Pahoo. La Thulé constitue une race plus pure qu'eux, plus proche de nos racines nordiques. Hitler et Himmler ont tourné le dos à Wotan, à la Thulé et à l'Ordre Noir. Sans eux ils se sont égarés, ils ont oublié quels étaient les fondements de leur pouvoir et ce qu'ils auraient dû aspirer à bâtir. Nous, nous n'avons pas renié la pureté de l'esprit de la terre pour la chaleur artificielle de la technologie.

— Ô Seigneur, dis-je sans le vouloir.

— Je n'ai aucun problème avec les métèques et toute cette engeance. Tant qu'ils sont à leur place. Je ne les aime pas, mais ils ne me posent pas de problème. Tant qu'ils ne croient pas avoir leur place ici.

— Et pour les Juifs ? demandai-je.

— Tout le monde déteste les Juifs, répliqua aussitôt Pahoo. Posez une question stupide…

— Le monde est de feu et de glace, poursuivit ce taré. C'est une vérité fondamentale. Et ces îles, l'Ultima Thulé elle-même, sont au cœur de la glace. Nous sommes le peuple de la glace, c'est prouvé, écrit dans la nature et dans l'histoire. Votre race… – il désigna Uma avec un rictus méprisant – est née du feu. Vous prétendez vous soucier du pouvoir des leys, de la terre, mais vous ne voulez pas accepter la vérité, qui est que votre seule présence les contamine, les pollue et les affaiblit. La terre de glace, le peuple de la glace ne pourront jamais être purs tant que votre race subsistera. Nous représentons la pureté. Nous sommes de glace. Nos ancêtres se sont fortifiés par la glace et la neige. La glace est l'héritage naturel des peuples nordiques.

— Tu es glacialement enfoiré, ça, je te le concède, dis-je. Où as-tu pêché ce ramassis de conneries?

— Hoerbiger, intervint Lily.

Pahoo la regarda avec surprise.

— Futée, la youpine, commenta-t-il.

— Qui? demanda Uma.

— Hans Hoerbiger, expliqua la vieille dame. Le père fondateur de la *Welteislehre*, la doctrine de la glace cosmique. Un fatras pseudo-scientifique de la pire espèce. C'est une corruption lamentable des mythes nordiques et des *eddas* islandaises, Ymir, les Géants du Givre et tout cela, avec un peu de Wagner et des *Nibelungen* comme musique d'accompagnement. Hoerbiger était très apprécié des nazis dans les années qui ont suivi la chute de la république de Weimar, en partie à cause de la manière dont sa *Welteislehre* se mêlait au mythe teutonique, mais aussi parce qu'elle contenait un rejet total de la science contemporaine, la science juive, comme ils la voyaient. Plus les choses changent…

— Tu peux toujours dire ça, l'interrompit Pahoo, mais tu es incapable de seulement commencer à comprendre.

— Ce qu'il y a de pathétique, reprit Lily, et en même temps d'ironique, et je suis certaine que notre cher petit nazi ici présent l'ignore, c'est qu'il existe toute une école contemporaine de racistes noirs qui développe à peu près les mêmes arguments pour démontrer que les Africains sont naturellement supérieurs aux Européens. Mais les idioties sont des idioties, et un nazi est un nazi. Quel que soit le nom dont il s'affuble.

Pahoo alla s'asseoir sur l'accoudoir du fauteuil de Lily. Il s'inclina vers elle, passa un bras autour de ses épaules et l'embrassa brutalement sur les lèvres. Quand elle voulut le repousser, il écrasa son pouce sur le nez brisé de la vieille dame jusqu'à ce qu'elle crie. Il en profita pour l'embrasser à pleine bouche.

— Je suis ta mort, *ma chère*, dit-il. C'est tout ce que tu as à savoir.

Juste après dix heures, Pahoo envoya un de ses hommes déplacer la Rover de Lily et chercher une camionnette noire qu'ils firent entrer en marche arrière dans le garage.

— L'heure a sonné, annonça Pahoo.

— Où nous emmenez-vous? s'enquit Uma.

— À la maison. Spitafields. Finalement, tu vas jouer un rôle dans un rituel, mais pas celui que tu prévoyais. Maintenant que nous détenons le tzaddik, nous avons beaucoup mieux que des lapins à sacrifier cette nuit.

— Je suppose que vous ne pouvez pas me déposer au Savoy, marmonnai-je.

— J'ai besoin d'aller aux toilettes, dit Lily.

— Pisse dans ta culotte, youp.

Deux des brutes de la Thulé traînèrent sans précaution aucune Siobhan toujours inconsciente hors de la maison et la jetèrent à l'arrière de la camionnette. L'Irlandaise grogna, mais elle était toujours hors du coup. Ils lièrent les mains de Lily et Uma, et nous poussèrent dans le véhicule à côté de Siobhan. Un chauffeur et un homme prirent place à l'avant, les deux autres et Pahoo restèrent à l'arrière avec nous. Le petit fumier gratifia Siobhan d'un autre coup de pied quand il monta dans la camionnette, mais elle ne réagit pas. Sa tête avait gonflé et était déformée.

Le conducteur adopta une vitesse moyenne dès que nous fûmes sortis de l'allée, et la camionnette s'engagea dans les rues tranquilles de la banlieue londonienne nord. Il n'y avait pas de lunette arrière, et de là où j'étais assis je voyais tout juste un morceau du pare-brise qui me permettait de compter le haut des réverbères. À un moment je perçus le hululement d'une sirène de police, les lumières syncopées du gyrophare et je repris espoir. Mais la camionnette se rangea le long du trottoir et la voiture de patrouille la dépassa en trombe.

Quelques minutes plus tard, nous nous arrêtâmes brutalement, comme si nous avions heurté un obstacle massif placé en plein milieu de la rue.

Je me retrouvai précipité sur le flanc et je me cognai la tête contre le coffre de la roue de secours. Uma tomba sur moi et un de nos gardes s'écroula sur elle. J'entendis Pahoo jurer, mais étant sous tout ce monde je ne pus voir ce qui se passait. Il y eut un grand bruit quand le pare-brise explosa, suivi d'un cri perçant. Des détonations retentirent.

— Dégage, salope! hurla Pahoo en repoussant Lily et l'autre garde.

On tira encore trois balles à l'avant. Il y eut encore un bruit de verre brisé et un autre cri de terreur.

Le type de la Thulé qui était tombé sur Uma se releva, et Uma roula sur le sol. Courbé en deux, le garde fonça vers l'avant qui, je m'en rendais compte maintenant, était désert. Alors qu'il passait la tête par-dessus le siège du conducteur, l'arme prête, une énorme ombre noire jaillit sur le côté et le saisit par le cou. Il réussit à tirer quelques cartouches, mais elles traversèrent le toit de la camionnette. Une seconde plus tard il était subitement attiré hors de ma vue.

Son cri fut interrompu par un bruit écœurant. Des os qu'on broie, à mon avis.

Pahoo était à genoux, derrière Lily qu'il étranglait d'un bras. Son dernier homme récupéra son Uzi.

— Tue-les tous, commanda Pahoo. Tout de suite.

Le garde vérifia son arme et hésita un moment entre Uma et moi. Il se décida enfin et pointa le canon de son arme sur ma poitrine.

Mauvaise décision.

Mains toujours ligotées dans son dos, Uma pivota sur son postérieur, bascula sur le côté et frappa de sa jambe gauche. L'Uzi sauta des mains de l'autre avant qu'il comprenne ce qui se passait. L'Indienne roula sur elle-même deux fois, pivota de nouveau et détendit sa jambe droite. Son talon percuta le menton du type. Sa tête rejetée en arrière heurta rudement la paroi de la camionnette. Hurlant comme un démon, Uma replia les jambes, roula de nouveau et se redressa vivement, tête en avant, pour enfoncer le ventre du garde. Celui-ci poussa un cri de bébé avant de se casser en deux. Uma fléchit les jambes et se redressa brusquement. Elle le frappa de l'épaule en plein visage. Elle dut se faire mal, mais cette fois l'autre se cogna l'occiput contre la paroi métallique et s'écroula d'une pièce pour ne plus bouger.

À l'extérieur, le calme était revenu. Aucun signe des gardes de la Thulé ni de leur agresseur. Uma semblait étourdie mais elle fit volte-face à croupetons pour affronter Pahoo. Il paraissait très petit, même pour lui, et effrayé à présent, mais les muscles épais de ses bras formaient un étau mortel autour du cou de Lily. Elle se débattait faiblement, mais avec les mains liées elle ne pouvait pas faire grand-chose. La terreur agrandissait ses yeux.

— Recule, ou je la tue, menaça Pahoo.

Uma se figea et resta agenouillée. Je me tournai légèrement et vis Pahoo accentuer son étranglement. Lily étouffait.

— Ne sois pas stupide, connard, me dit-il. Tu n'es pas vraiment un héros, tu ne fais qu'en jouer un à la télé.

C'était une impasse. La langue de Lily saillait de sa bouche ouverte et elle émettait des râles. Où que nous nous trouvions, quelqu'un avait pourtant bien dû entendre ce raffut de tous les diables. Cela ne pourrait pas continuer encore très longtemps.

En effet.

Un poing gris déchira la paroi métallique de la camionnette, comme s'il s'agissait d'une feuille de papier, s'ouvrit et agrippa une poignée des dreadlocks de Pahoo. Puis tira violemment en arrière.

La tête du nazillon entra en contact avec la paroi de la même façon qu'une balle de tennis touche le cordage de la raquette d'un joueur professionnel : elle *s'écrasa*, tel est le terme adéquat.

Pahoo lâcha Lily. Je me souviens d'avoir lu quelque chose sur le souffle qu'émettent certaines blessures à la poitrine, et j'imagine qu'il ressemble aux hoquets désespérés que poussa Lily en cherchant à avaler de l'air. Uma roula immédiatement jusqu'à elle mais, toujours ligotée, elle ne pouvait lui être d'une très grande aide.

Incroyable mais vrai, le crâne de Pahoo n'avait pas été pulvérisé par le choc et il se remit sur ses genoux. C'était une mauvaise idée car le poing réapparut, cette fois en déchirant la paroi de métal soixante centimètres à gauche du premier trou. Une deuxième main se matérialisa. En un instant la tôle fut mise en pièces, et soudain le flanc de la camionnette n'exista tout simplement plus.

Devant le trou béant, dans la nuit où indubitablement les créatures les plus sauvages croissent, se tenait une… créature, justement. Je ne sais quel autre nom lui donner.

Cela avait forme humaine, avec deux bras, deux jambes, une tête toute ronde, et mesurait plus de deux mètres. Mais la chose n'avait pas d'yeux et seulement une vague excroissance en guise de nez. Une entaille pareille à la fente d'un monnayeur tenait lieu de bouche, sans aucune expression, laquelle aurait d'ailleurs été difficile puisque la créature était également dépourvue de lèvres. Elle semblait absorber le peu de lumière ambiante mais sa… peau ? était d'un gris marbré, grumeleuse et grossière. Ses proportions n'étaient pas tout à fait justes, comme si elle avait été façonnée par quelque artiste essayant de recréer la forme humaine d'après une description verbale. Cela ressemblait à…

À une de ces petites sculptures singulières dans le salon de Lily.

— *Golem*, murmura Uma, pétrifiée.

Pahoo, qui dans un dessin animé aurait eu la tête entourée d'une ribambelle de petits oiseaux, la regarda et cligna lentement des yeux. Puis il se retourna.

Parfois, dans mes pires cauchemars, j'entends encore ses cris.

Le golem passa les deux mains informes dans la camionnette et saisit Pahoo par les épaules. Il le sortit dans la nuit. Je rampai en avant et aperçus – la chance ? Le destin ? Un plan préconçu ? – que la camionnette avait stoppé dans une rue déserte, en pleine zone industrielle. Le genre de lieu où l'on rencontre rarement des promeneurs, surtout après la tombée du jour.

Pahoo donnait des coups de pied au golem, qui ne les sentait même pas. À un moment Pahoo le toucha à l'entrejambe, mais la créature, qui n'avait aucun vêtement, était aussi dénuée de sexe que de traits. En tout cas elle ne réagit pas.

À moins que vous ne comptiez comme réaction le fait qu'elle arracha un bras à Pahoo. Certains le penseraient, pour ma part je pense que la succession de ces deux événements est pure coïncidence.

Pahoo hurla alors qu'un geyser de sang jaillissait de son épaule. Le golem garda un instant le bras dans son poing, puis il le jeta de côté. Puisqu'il n'avait pas d'yeux, je ne comprenais pas comment il pouvait voir ce qu'il faisait (bien sûr, je ne pouvais même pas comprendre comment il existait, mais pourquoi demander pourquoi ?), pourtant il devait posséder un certain sens esthétique, ou le goût de la symétrie, car l'instant suivant il arrachait l'autre bras de Pahoo.

En toute honnêteté, je ne peux pas dire que ses hurlements s'aggravèrent. Je ne pense pas que c'était possible. Le golem le lâcha et il tomba lourdement sur le sol. Agité de spasmes terribles, il roula sur l'asphalte de la rue. La créature impossible restait immobile, tenant le deuxième bras arraché par le petit doigt.

Lily réussit à ramper auprès de moi. Mâchoire pendante, Uma n'avait pas bougé. Lily se releva et regarda par le trou béant dans le flanc de la camionnette.

— Ô mon Dieu, coassa-t-elle.

Elle leva une main et fit signe au golem. Ignorant Pahoo qui se tordait à ses pieds en hurlant de douleur, la créature marcha droit sur notre véhicule. À son approche je retins mon souffle, et en même temps je m'émerveillai de l'existence d'une telle chose. Il n'avait pas de peau et était entièrement façonné avec de la glaise. Quand il se pencha pour prendre Lily, je vis à quel point ses doigts étaient malformés – comme ceux d'Homer Simpson. Je baissai les yeux et m'aperçus que ses pieds étaient deux blocs, sans trace d'orteil.

Il souleva Lily et la déposa sur le trottoir avec une douceur surprenante. Les jambes de la vieille dame flageolèrent un peu et aussitôt la créature plaça une main dans son dos pour la soutenir.

Lily avança en titubant jusqu'à l'endroit où Pahoo gisait dans son propre sang, et le golem la suivit comme un toutou bien dressé. Le petit homme avait cessé de tressauter et de tressaillir, mais il criait toujours. Lily s'agenouilla auprès de lui, en prenant garde de ne pas toucher la mare de sang. Il tourna la tête vers elle, mais j'ignore si à ce stade il voyait encore quoi que ce soit.

— *Chazza*, dit-elle, et elle lui cracha au visage.

Elle se redressa et recula d'un pas. Le golem la contourna et ramassa le petit homme en le tenant par la gorge d'une seule de ses énormes mains. Pahoo tremblait, à présent, de peur ou à cause du choc, je ne saurais le dire. Le golem leva son autre main et de ses doigts massifs couvrit les yeux de Pahoo.

Il referma la main et écrasa la gorge de Pahoo. Si Pahoo émit un autre son en mourant, seul le golem l'entendit, en admettant qu'il le pût.

Le vrombissement d'un moteur alerta Lily qui scruta le bout de la rue. Par chance pour l'automobiliste tardif, son itinéraire ne croisait pas le nôtre. Rassurée, elle retourna à la camionnette, le golem sur ses talons. La seule vue de la créature me filait une pétoche grand format.

— Allons-y, dit la vieille dame. Il nous reste peu de temps, et beaucoup à faire.

19

Le pare-brise avait explosé, la moitié du flanc du véhicule était arrachée et des impacts de balle ponctuaient le toit, mais nous n'avions pas d'autre choix que de conduire la camionnette noire jusqu'à l'appartement de Uma, dans l'East End. Si les autres gars de la Thulé n'avaient pas été aussi amoureusement démembrés que Pahoo, tous étaient morts. Extrêmement morts, dirais-je même. Nous abandonnâmes leurs cadavres dans la rue, dans un quartier appelé Tottenham où, d'après Lily, « personne ne les remarquerait », et empruntâmes des petites rues aussi souvent que possible. Si un flic nous arrêtait, nous aurions beaucoup de mal à lui expliquer ce que nous fabriquions. Sans parler de la présence de la grosse poupée d'argile à l'arrière.

Siobhan avait enfin repris connaissance, mais elle avait du mal à s'asseoir, et était incapable de conduire. Uma n'aimait pas rouler à gauche et c'est Lily qui prit le volant et suivit ses indications. Le flot de sang s'écoulant des entailles à la tête de l'Irlandaise avait pu être stoppé, mais elle gardait les yeux vagues et j'imagine qu'elle était sévèrement commotionnée. Ses paupières ne cessaient de se fermer, aussi Uma et moi nous relayâmes pour lui parler et la maintenir éveillée. Je crois me souvenir, dans un vieux téléfilm où je faisais une apparition, qu'il est primordial de ne pas laisser s'endormir une personne commotionnée. Siobhan semblait reconnaître Uma et elle était lucide par intermittence pendant que l'Indienne lui expliquait ce qui s'était passé, mais elle ne cessait de m'appeler « Bono » et me rembarrait sans arrêt.

Même pendant que je lui parlais, je ne pouvais m'empêcher de regarder le golem. Le commandant par gestes, Lily l'avait fait monter dans la camionnette où il s'était allongé sur le plancher. Elle avait enfoncé deux doigts dans sa petite bouche et en avait retiré un morceau de parchemin qu'elle avait empoché. La créature s'était instantanément pétrifiée et n'avait plus bougé un muscle – avait-elle des muscles ? – depuis. Même immobile, elle constituait un spectacle très impressionnant. Uma lui jetait également des coups d'œil fréquents.

— C'est un prodige à observer, dit-elle.

— Vous en aviez déjà vu un avant aujourd'hui ?

— Seamus ? demanda Siobhan en regardant fixement la grande forme maintenant inanimée.

— Non, dit Uma en lui tapotant la main. Bien sûr, j'ai lu sur de telles créatures, mais jamais je n'aurais imaginé avoir le privilège extraordinaire d'en rencontrer une. Une telle créature ne peut être créée que par le lamed vavnik. Marty, je ne sais pas si vous imaginez le pouvoir, la force incroyable qu'une telle création représente. C'est bien au-delà de tout ce que je connais.

— J'imagine, mais je ne comprends pas, répondis-je avec un soupir. Mais on pourrait remplir un océan, un grand océan, avec le volume de toutes les choses que je ne comprends pas.

Uma acquiesça, ce que je ne trouvais pas très réconfortant.

— Je crois que Pahoo a compris, lui glissai-je perfidement.

— Oui, dit Uma, mais elle ne rit pas.

— Ce n'est pas votre faute.

— Non ? fit-elle.

— Sac à merde, cracha Siobhan.

Elle devait parler de Pahoo, mais ses yeux s'étaient brouillés de nouveau, et ce n'était pas clair. Je lui accordai le bénéfice du doute.

— Amen, dis-je. Vous pensez que vous auriez dû savoir qui… ce qu'il était, n'est-ce pas ?

— Je suis très mortifiée, Marty. Je suis une imbécile. Ma tâche était de m'assurer que notre mission réussisse. Mais je n'ai pas senti la véritable nature de Pahoo, et cet échec risque de nous avoir tous condamnés. Il a en tout cas condamné ce pauvre Baba Dutty. Et le rituel pratiqué à Tintagel a sans doute possible été souillé par les pratiques noires de Pahoo. Même vous, vous l'avez senti.

— Moi ?

— Oui. À plusieurs reprises vous avez mentionné le sacrifice du lapin.

— Je plaisantais à moitié, quand je parlais du lapin, Uma. Je veux dire, Baba Dutty a sacrifié un poulet dans le *oufò*, lui aussi.

— Oui, mais je m'y attendais. Les offrandes sacrificielles au *loa* sont nécessaires, elles constituent un élément intrinsèque de la pratique *vaudoun*. Pas les sacrifices druidiques. Cela m'a troublée, mais je n'ai pas approfondi la raison de ce malaise. Je suppose que l'attaque sur Pahoo à Woodhenge m'avait convaincu qu'il était digne de confiance.

— C'était un coup monté, n'est-ce pas ? dis-je en me remémorant la scène. L'embuscade avait pour seul but d'écarter tout soupçon de Pahoo. Ces salopards qui nous ont canardés ont dû viser de manière à ne pas le blesser sérieusement. N'empêche, je parierais qu'ils ignoraient que cela se terminerait par leur mort. Il faut en avoir pour rester assis et se faire tirer dessus, je reconnais ça à cette petite ordure, mais je pense que Pahoo avait oublié de parler de Siobhan à ses potes skinheads.

— *Sunday, bloody Sunday*, chantonna Siobhan en entendant son nom.

— J'en suis sûre, me répondit Uma. Je vois maintenant que depuis le début le plan de la Thulé était de nous manipuler afin de découvrir l'identité du tzaddik. Tout comme moi, ils ont dû entendre les rumeurs sur la présence d'un lamed vavnik à Londres. Par eux-mêmes ils n'auraient jamais pu découvrir Lily, et ils n'auraient pu avoir la certitude d'empoisonner les leys et de réussir leurs desseins occultes tant qu'un lamed vavnik demeurait dans le pays. Et c'est moi qui la leur ai dévoilée.

— Heureusement, elle a de la ressource, dis-je en jetant un coup d'œil au golem. Et maintenant ?

Uma baissa légèrement la tête.

— J'abandonne ma position de chef de ce groupe. J'ai apporté la mort, j'ai causé la mort de ceux qui avaient mis leur confiance en moi. Je ne le ferai plus.

— Foutaises, dit Siobhan en ne s'adressant à personne en particulier.

Je ne trouvais rien à ajouter.

Dans un monde peuplé de golems qui marchent, de *loas* possédant les corps et de druides nazis assoiffés de pouvoir, un trajet en camionnette sans histoire dans le Londres nocturne peut ne pas sembler remarquable, mais lorsque je sortis du véhicule en ruine dans l'allée sombre derrière le restaurant de Uma, j'avais l'impression d'avoir vécu un petit miracle. Uma sauta la première hors de la camionnette, et je compris la raison de sa hâte : une demi-douzaine de jeunes Asiatiques à l'air très méchant étaient apparus comme par magie – si vous me passez l'expression – et nous encerclaient. Ils inclinèrent la tête en voyant Uma et s'évanouirent dans les ténèbres.

— Bordel, murmurai-je pour moi-même.

Siobhan pouvait se mettre debout, cependant elle accepta de mauvaise grâce la main secourable que je tendis pour l'aider à descendre de la camionnette. Bien qu'elle vacillât sur ses jambes, elle refusa toute autre aide et tituba jusqu'à la porte arrière du restaurant, une main plaquée sur le côté de son crâne, comme s'il risquait de se détacher du reste. Lily abandonna le volant et nous rejoignit derrière le véhicule. Nous contemplâmes le golem.

— Pas de risque qu'on vienne ? demanda Lily.

Uma scruta l'obscurité et secoua la tête.

— Aucun risque.

— Je m'en doutais. Alors je vais le laisser ici.

— Vous êtes bien certaine que c'est sans risque ? insistai-je.

— Il ne peut aller nulle part sans ceci, dit-elle en brandissant le morceau de parchemin.

— Qu'est-ce que c'est, au juste ?

— Le nom de Dieu, mon cher.

J'opinai du chef d'un air entendu, tout en pensant : *Je n'y toucherais pas, même avec une perche de trois mètres de long*.

À la suite de Siobhan nous traversâmes la cuisine enténébrée et pénétrâmes dans la salle du restaurant, qui pour une fois était déserte. Siobhan rapprocha deux tables et s'y allongea sur le dos, yeux clos.

— Eh ! m'écriai-je. Je crois que tu ne devrais pas dormir.

— Je ne dors pas, branleur, rétorqua-t-elle d'une voix pâteuse. Je repose juste mes yeux.

— Je m'occupe d'elle, déclara Uma sur un ton qui trahissait sa souffrance.

Elle alla dans la cuisine et en revint avec un paquet de serviettes mouillées. Elle s'assit près de l'Irlandaise et entreprit de nettoyer son visage et son crâne. Je vis Siobhan grimacer et tressaillir à plusieurs reprises, et gémir une fois, mais cela signifiait au moins qu'elle était toujours consciente.

— Il y aurait quelque chose à boire ? demandai-je.

Uma désigna un grand réfrigérateur à portes vitrées près de l'entrée de la cuisine. Il était plein de cannettes de Kingfisher.

— *Heaven, I'm in Heaven…* commençai-je à chanter, ce qui arracha un grognement torturé à Siobhan. Quelqu'un veut quelque chose ?

— Un thé serait le bienvenu, dit Lily.

Uma approuva de la tête. Elle avait l'air désespérée.

Je passai dans la cuisine et pris une bière au passage, que je vidai à moitié avant de faire quoi que ce soit. Je repérai un gros distributeur d'eau chaude, mais je ne pus trouver comment l'utiliser. Finalement je fis bouillir de l'eau dans une casserole sur la gazinière. En fouinant un peu je dénichai des sachets de thé. Je versai une tasse pour Siobhan, juste au cas où.

— Comment, sans lait ? protesta Lily quand je déposai le thé devant elle.

Je trouvai un carton de lait dans un des frigos de la cuisine et le rapportai dans la salle, non sans m'attribuer une deuxième Kingfisher au retour.

— Autre chose ? fis-je en tendant le lait à Lily.

— Du sucre ?

Les sucriers étaient rangés sur une étagère, dans un coin. J'allai en chercher un.

Lily versa son nuage de lait dans le thé et ajouta deux cuillerées de sucre. Elle remua le tout un moment, puis but une gorgée avec délice.

— Excellent, mon cher, me dit-elle.

Je m'assis en face d'elle et bus un peu de ma bière.

— Comment va le nez ? lui demandai-je.

Lily posa sa tasse et d'un doigt effleura l'arête de son nez. Elle grimaça un peu.

— Douloureux.

— Je crois qu'il est cassé.

— Martin, vous êtes médecin, maintenant ? Peu importe. Nous avons d'autres soucis autrement plus importants. – Elle regarda Uma et Siobhan, qui s'était assise sur les tables. – Vous voulez vous joindre à nous, mes chères ? Ou en avez-vous assez ?

Uma lança à Lily un des regards les plus mauvais qu'il m'ait été donné de voir, mais ne répondit rien. Elle se leva, renversant sa chaise dans le mouvement, et se dirigea vers les toilettes.

— C'est difficile pour tout le monde, me glissa Lily. Très dur.

Non sans effort, Siobhan se leva de la table et tangua jusqu'à une chaise libre à côté de nous, où elle s'écroula.

— Heureuse de vous revoir parmi les vivants, ma chère.

— Tu appelles ça vivre ? grogna Siobhan.

— Demande à Pahoo, lançai-je.

— Ah, je regrette d'avoir raté ça. J'aurais adoré voir arracher les bras de ce petit fumier.

— Il n'est pas bon de parler ainsi, dit Lily.

— Pas bon ? C'est ton monstre qui l'a déchiré en petits morceaux, non ?

— En effet, reconnut Lily d'une voix douce.

— Comment avez-vous fait ? demandai-je. D'où diable le… le golem vient-il ?

— Le golem est… ce qu'il est. Il est de glaise et animé par le nom de Dieu. Étant celle qui lui a donné sa forme, il me répond quand… C'est difficile à expliquer. Vous pouvez le voir comme un de mes familiers. Bien qu'il y ait certaines choses qu'il ne ferait pas, même si je le lui ordonnais.

— Pourquoi donc ?

— Parce qu'il est animé par le nom de Dieu.

— Je ne pige pas, avouai-je. Pourquoi refuserait-il de…

— Écoutez ! s'écria Lily, perdant patience. Il m'a fallu une vie entière de dévotion, des décennies d'études du *Heikhalot* pour comprendre assez le *masseh bereshit* et façonner un golem. Quand vous aurez fait la même chose, vous pourrez formuler des objections.

Elle prit sa tasse et je vis que sa main tremblait. Peut-être le traitement infligé par sa créature à Pahoo l'avait-elle surprise, elle aussi. Le silence me parut un bon refuge.

— C'est toi, gronda Siobhan en agitant une serviette ensanglantée dans ma direction. Tu rends tout le monde dingue, pas vrai ?

Je secouai la tête et levai les deux mains en signe de reddition. Je me sentais horriblement coupable, sans savoir de quoi. Par chance Uma revint des toilettes à cet instant, et nous nous la regardâmes tous les trois. Épaules voûtées, elle traversa la pièce et s'arrêta à mi-chemin entre notre table et la porte de la cuisine. Elle nous contempla une seconde, puis jeta un coup d'œil à la porte donnant sur l'arrière du restaurant. J'ignore à quoi elle pensait, mais à l'évidence elle était en train de prendre une décision.

Elle resta immobile une demi-minute au moins. Puis elle se redressa et marcha d'un pas assuré vers nous. Elle prit la chaise vide et se tourna vers Lily.

— Merci, ma chérie. Ce n'est pas facile, je le sais.

Uma répondit d'un simple hochement de tête.

— Et quant à vous, mon chou, dit Lily à mon adresse, je m'excuse de m'être emportée. Ce n'était pas mon intention. Mais la nuit a été très longue.

342

— Oubliez ça, dis-je.

Elle me tapota la main.

— Je crains que ce ne soit pas encore fini. Il reste à faire, et ce ne sera pas plaisant.

C'était irréel.

J'ai habité dans des villes toute ma vie, et j'ai pas mal traîné dans la rue, à n'importe quelle heure du jour ou de la nuit. Je me suis retrouvé à New York lors d'un blizzard inattendu en plein mois de mars. Je me souviens d'être sorti de mon hôtel vers trois heures du matin, et pour la première fois d'avoir vu la ville totalement figée, sans même un taxi jaune en maraude dans les rues silencieuses.

Il n'y avait peut-être pas de neige, mais l'East End était encore plus calme que la Grosse Pomme cette nuit-là.

— Où sont les gens ? murmurai-je. Vous avez fait quelque chose ? Ou la Thulé ?

— Vous croyez que je suis magicienne ? répondit Lily.

Je la regardai bêtement.

— Oui, d'accord. Mais comment pourrais-je faire cela ?

Il n'y avait pas une âme en vue alors que nous passions devant les rideaux baissés des commerces et les fenêtres enténébrées dans Commercial Street, personne, pas une voiture, pas même un chat de gouttière à la recherche d'une compagne. Sans les changements de feux, j'aurais pu croire que le temps lui-même avait fermé les yeux et retenait sa respiration, dans l'attente de ce qui allait se produire.

— Je crois que c'est de la magie, dit Uma. Une sorte de magie, en tout cas. Je pense qu'à certains moments même les êtres les moins doués spirituellement peuvent sentir l'imminence d'événements très importants, tout comme ils sentent intuitivement les leys. Peut-être sont-ils incapables de définir ce qu'ils ressentent, et sûrement la plupart ne peuvent pas, ne pourraient pas comprendre la nature de ce phénomène. Mais ils le ressentent quand même. Alors ils s'enferment chez eux. Ils dorment. Ils restent assis dans le noir ou se tournent et se retournent dans leur lit en attendant et en espérant que passe ce moment.

— Ils ont l'air foutrement plus malins que nous, alors, marmonnai-je.

— C'est très probable, approuva Uma.

— Amen, conclut Siobhan.

Aussi endolorie et chancelante qu'elle fût, avec le crâne enveloppé dans un tablier de serveur déchiré qui sentait encore le curry, elle avait insisté pour venir. Uma avait bien tenté de l'en dissuader, mais je crois que nous étions tous heureux de sa présence. Grâce aux jeunes amis de Uma adeptes de l'obscurité, elle était armée jusqu'aux dents.

— Et le golem? m'enquis-je.

— Il est avec nous, dit Lily sans s'expliquer.

Avant notre départ, je l'avais vue remettre le morceau de parchemin dans la bouche de la créature, qui était instantanément revenue à la vie. Elle s'était mue comme une ombre lorsqu'elle était descendue de l'arrière de la camionnette. Lily avait posé la pointe de ses doigts sur son front d'argile, et le golem s'était fondu dans les ténèbres environnantes.

Il ne faisait aucun bruit en marchant.

Alors que nous abordions un lent virage, Christ Church de Spitafields, avec son étrange clocher blanc qui réfléchissait le clair de lune, apparut à nos yeux, pareil à un fantôme au sourire éclatant. Sans nous concerter nous fîmes halte et contemplâmes l'édifice. L'église était quasiment un phare dans la nuit. Plus longtemps je la regardais et plus elle semblait luire. Je fermai les yeux, puis les frottai de mes paumes, mais quand je les rouvris, la lumière me parut s'être encore intensifiée.

— C'est moi? dis-je.

— Qui veux-tu que ce soit d'autre? grommela Siobhan.

— C'est vous, Martin. C'est nous tous. Et ceux qui sont déjà en bas.

— Je crois que ça a commencé. La Thulé est là.

— Super, dis-je. En piste, les clowns.

— Pas *dans* l'église, avait expliqué Lily au restaurant, *sous* l'église.

— Il y a un sous-sol ?

— On appelle ça une crypte, Martin. Comme à Canterbury.

— N'importe.

— C'est encore plus bas que la crypte, avait dit Lily. Sous tout le reste. Au Moyen Âge, les Chrétiens s'en servaient comme d'une fosse où ils jetaient les cadavres des pestiférés, parce qu'ils ne comprenaient pas et qu'ils avaient peur des énergies qui émanent du site. C'était déjà un endroit de pouvoir il y a des millénaires, bien avant que cette ville soit connue sous le nom de Londres. Les Romains avaient construit un temple là et ils enterraient dans ce sol sacré les morts qu'ils voulaient honorer particulièrement. Mille ans avant eux, les druides dansaient leurs rondes meshuga et aspergeaient la terre de sang pour louer leurs dieux. Je ne serais pas surprise que les premiers êtres humains à avoir foulé le sol de ces îles aient prié et sacrifié et enterré leurs enfants ici. C'est un lieu très ancien.

— Et la Thulé sait tout cela, avais-je dit.

— Oh oui. Les catacombes et les souterrains sous Spitafields traversent le cœur magique de ce pays. C'est d'ici qu'irradie ce que Uma appelle le réseau de leys, ce que moi j'appellerais la chair de la *sephiroth* sur terre. C'est le point focal de toutes les énergies mystiques de Grande-Bretagne. Et c'est pourquoi la Thulé sera présente, pour empoisonner le puits si elle le peut.

— Chouette.

Alors que nous passions devant l'église, je relevai la tête pour englober du regard le clocher au-dessus de moi, et je sentis une vague d'électricité me submerger. J'éprouvai une vibration au plus profond de mes os, comme une série de mini-tremblements de terre, et j'imaginai que ma moelle épinière entrait en ébullition. Un autre éclair de douleur me transperça le crâne, et pendant une seconde je crus que j'allais m'écrouler, mais le phénomène disparut rapidement.

En esprit je vis les silhouettes obscures, et un frisson involontaire me parcourut.

Lily ouvrait la marche dans la rue déserte en direction de l'autre bout du pâté de maisons, après Spitafields Market. Nous tournâmes au coin et nous engageâmes dans une série d'allées étroites. Lily s'arrêta devant une bâtisse relativement récente et actionna la sonnette. Je ne l'aurais pas juré, mais en regardant en arrière vers l'église pour m'orienter, je pensai me souvenir que nous nous trouvions très près de l'endroit où Jack l'Éventreur avait commis son dernier meurtre. Nous n'avions pas fait de séance photo ici parce que Mahr s'était plaint que l'architecture moderne de l'endroit gâcherait l'atmosphère qu'il désirait. Dommage qu'il ne soit pas ici en ce moment, comme moi il aurait eu la chair de poule.

Le silence profond fut finalement brisé par le claquement de verrous qu'on manipule. La porte s'ouvrit, révélant une femme de petite taille, sur son trente et un pour une soirée d'enfer au Club Taliban : elle était couverte de la tête aux pieds d'un grand drap noir, y compris les yeux, avec seulement une mince fente dans la capuche pour voir. En réalité je suppose que c'était une femme qui se trouvait sous cet accoutrement, mais ç'aurait tout aussi bien pu être Jimmy Hoffa ou un ours russe apprivoisé. Le tissu noir masquait toute forme et quiconque se trouvait dedans ne prononça pas un mot. La silhouette nous regarda un instant, puis s'inclina devant Lily et s'effaça pour nous laisser passer.

Lily reprit la tête de notre petit groupe et avança dans le couloir moquetté. J'entendis les verrous claquer derrière nous et quand je me retournai, la petite silhouette en noir avait déjà disparu. Siobhan regarda elle aussi vers la porte et répondit d'un haussement d'épaules à mon mouvement de sourcils interrogateur. Cependant je notai qu'elle avait maintenant au poing un Beretta 9 mm. Nous passâmes devant une série de portes qui donnaient sur de grandes pièces presque vides. Dans l'une j'aperçus quelques cartons dispersés ici et là, dans une autre des chaises pliantes formant un cercle, mais rien n'indiquait que quelqu'un vécût ici. Murs nus, pas de téléviseur ou de fauteuils. Pas même un vieux journal ou un emballage de barre chocolatée oubliés dans un coin. Nous étions certainement seuls.

Lily ouvrit la dernière porte qui donnait sur un escalier raide qui descendait. Elle actionna l'interrupteur de la minuterie et des globes disposés à intervalles réguliers au plafond dispensèrent une lumière faiblarde. Elle s'engagea sur les marches sans un mot. Uma suivait, puis moi, et Siobhan.

Lily tira sur une cordelette qui pendait du plafond quand elle atteignit la dernière marche – une excellente chose, car la première minuterie s'éteignit une seconde après –, ce qui déclencha une autre lumière au plafond, si chiche qu'elle ne parvenait pas à chasser les ombres des coins du sous-sol. C'était sans doute aussi bien car ce qu'on en voyait était réellement sale. Le sol de ciment gris était recouvert d'une couche de crasse. Le portier au *hijab* noir n'était visiblement pas une femme de ménage.

À l'autre bout du sous-sol on distinguait une porte en bois, et pendue à un clou fiché dans le mur près du chambranle, une clef longue et fine. Il y avait bien une serrure, mais pas de poignée.

— Bravo pour les mesures de sécurité, commentai-je. Imaginez que le proprio doive expliquer cette disposition à son assureur après un cambriolage…

Lily se retourna vers moi et me sourit.

— Voulez-vous nous faire les honneurs ?

— Pas de problème.

Je m'avançai et levai la main vers la clef. À peine mes doigts effleurèrent-ils le métal que j'écartai la main avec un cri de douleur.

— Putain de merde ! hurlai-je.

Le simple contact avec la clef était aussi douloureux que de plonger la main dans une marmite d'eau bouillante. J'examinai mes doigts et vis les petites cloques qui se formaient à leur extrémité. L'odeur de la chair brûlée flottait dans l'air.

— Ah, merde…

— Évitez de la ramener, la prochaine fois, mon cher, me dit Lily.

Uma eut une moue qui exprimait tout son désespoir.

La vieille dame ôta la clef du clou. Aucun problème. Pas de doigts brûlés, pas de chairs calcinées, pas de cloque. Elle introduisit la clef dans la serrure et ouvrit la porte, puis nous fit signe d'entrer. Siobhan passa la première, Uma et moi la suivîmes. Lily referma la porte derrière elle et raccrocha la clef à un autre clou fiché de ce côté du mur.

— Un problème? me dit-elle en voyant que je regardais fixement la clef.

— Non, non. Très bonnes mesures de sécurité, à la réflexion.

Elle acquiesça et reprit la tête du groupe.

Le souterrain était doté d'un plancher en bois, mais il avait été creusé à même la roche, comme en attestaient les parois. De petites lumières éclairaient faiblement le chemin. Dans les rues à la surface, il faisait doux, mais ici la température était nettement plus basse. Je sentais un courant d'air léger mais continu me caresser la nuque, ce qui me mettait un peu mal à l'aise. D'accord, un peu plus mal à l'aise.

— Qui paie les factures d'électricité? m'étonnai-je.

— Quoi?

— Ces loupiotes. Elles sont électriques, non? Ce n'est pas un autre tour de passe-passe.

— Pas de tour de passe-passe, non.

— Alors qui paie la facture? Je veux dire, quelqu'un doit bien casquer, non? La compagnie d'électricité n'envoie certainement pas ses factures à « la femme fantomatique en noir ». Alors qui paie?

Lily me saisit par le bras.

— Mon cher, quelle différence cela fait-il? Ne pensez-vous pas qu'il y a des choses plus importantes dont se soucier à l'heure actuelle?

— Je suppose que si, bougonnai-je.

N'empêche, j'aurais bien aimé avoir une réponse à cette énigme.

Le tunnel s'inclinait progressivement, et sa largeur variait selon les endroits. Nous passâmes devant une série de tuyaux marqués du sigle de la Compagnie Britannique du Gaz, et j'en déduisis que nous nous trouvions dans un tunnel de maintenance. C'est donc la CBG qui réglait les factures. Néanmoins je m'abstins de tout commentaire.

Le tunnel prenait fin par un escalier métallique en colimaçon, si étroit qu'une seule personne à la fois pouvait le descendre. Son accès en était interdit par une grille à laquelle pendait une grande pancarte frappée du mot DANGER en lettres rouges. Cependant la grille n'était pas verrouillée, et il suffit à Lily de la tirer pour l'ouvrir.

— Et cette pancarte, c'est pour que les gens n'aillent pas plus loin ? demandai-je.

— Um-hmmm.

— Bon, alors ce n'est pas vraiment dangereux, en réalité ?

— Je n'ai pas dit cela.

Les marches étaient étroites et hautes, et nous prîmes notre temps pour les descendre. Aux niveaux inférieurs nous rencontrâmes deux plates-formes plus larges, mais nous ne nous arrêtâmes pas. En bas de l'escalier, une autre grille métallique, identique à la première, à ceci près qu'elle était verrouillée. Nous dûmes nous livrer à quelques contorsions et un petit numéro de danse sur l'escalier pour que Siobhan parvienne à se glisser devant. Elle poussa la grille deux fois, sans résultat. Puis donna un coup d'épaule. Le métal me sembla plier un peu, rien de plus. Elle nous fit remonter de quelques marches et, se tenant à la rambarde, décocha un coup de pied directement dans la serrure.

La grille s'ouvrit.

La seule lumière en bas était celle dispensée par l'éclairage restreint de l'escalier, et elle ne s'étendait pas à plus de dix mètres de la dernière marche. Au-delà, les ténèbres absolues, peut-être un mur, ou une armée d'ennemis. Je commençais à me sentir de nouveau dans mes petits souliers, mais soudain j'aperçus l'éclat d'une canette de Coca cabossée sous la dernière marche. *Dieu bénisse l'Amérique*, pensai-je.

Siobhan sortit les torches électriques du sac qu'elle portait en bandoulière. Elle en tendit une à Lily et garda l'autre. Lily alluma la sienne – qui était beaucoup plus puissante que l'éclairage de l'escalier – et le pinceau lumineux révéla un large tunnel devant nous. Le sol était de terre battue, les murs de roche. Il n'y avait rien d'autre à voir ou à entendre.

— On imaginerait bien des rats dans un endroit pareil, dis-je.

— Non. Les rats sont trop malins, dit Lily en avançant.

Très rassurant.

La pente du souterrain n'était pas très prononcée, mais il nous menait inexorablement plus bas, toujours plus bas. L'atmosphère se refroidissait et la force du courant d'air s'accroissait. Il changea également de direction. Quand enfin le sol revint à l'horizontale et que le passage s'élargit assez pour que le faisceau des torches électriques n'atteigne plus les parois, nous étions dans la même situation que des usagers attendant le métro à une station, avec le déplacement d'air qui accompagne la rame. Ce qui était étrange avec ce vent, pourtant, c'est qu'il ne produisait aucun son.

Lily marchait toujours devant. Elle gravit une volée de marches grossièrement taillées dans la roche, et soudain le tunnel s'étrécit de nouveau. Dans la brève illumination des pinceaux des lampes-torches, je vis qu'on avait gravé des signes sur les parois. Tout d'abord je crus qu'il s'agissait de runes, mais celles-ci avaient un aspect différent de celles que j'avais déjà vues. J'aperçus également des mots gravés dans la roche, dans ce qui me parut être un sabir incompréhensible d'hébreu et de latin mêlés. D'autres successions de signes ressemblaient à des mots, mais qui auraient été écrits dans un alphabet totalement inconnu de moi. À un moment j'approchai la main de la paroi et touchai un de ces mots. Je la retirai aussitôt.

La roche était aussi glacée que la clef avait été brûlante.

Le tunnel obliqua si brusquement que Lily, qui n'était qu'à trois mètres devant moi, disparut un instant à ma vue. Comme un chiot qui s'est aventuré un peu trop loin devant son maître, je me retournai vers Siobhan pour un peu de réconfort. Quand je vis l'expression qu'elle affichait – la même que lorsqu'elle avait senti le danger de l'embuscade à Woodhenge –, je regrettai de l'avoir fait.

Devant nous le souterrain s'élevait un peu puis redescendait, avec plus loin une source lumineuse qui éclairait cette petite bosse. Uma se pencha sur l'épaule de Lily quand celle-ci lui dit quelque chose à l'oreille. La vieille dame éteignit sa torche électrique et la donna à l'Indienne. Elle gravit la pente, redescendit de l'autre côté et disparut. Uma s'était arrêtée.

— Que se passe-t-il ? lui demandai-je quand j'arrivai à son niveau.

— Elle a dit d'attendre ici.

— Pour quelle raison ?

— Contente-toi de faire ce qu'on te dit, grogna Siobhan.

Quelques secondes plus tard, la silhouette de Lily réapparut progressivement et elle nous fit signe de venir. Nous franchîmes la bosse et amorçâmes la descente. La lumière provenant de devant nous était de plus en plus forte. Uma confia la torche électrique à Siobhan qui la rangea avec la sienne dans son sac. Elles n'étaient plus utiles à présent.

En bas du tunnel j'aperçus la forme d'une vaste entrée par où se déversaient le vent et la lumière. Lily fit halte là, bras étendus en croix. Alors que nous arrivions auprès d'elle, je me rendis compte que je ne pouvais plus regarder devant moi tant la lumière était vive. Lily se tourna vers nous et je jure qu'elle était un peu bronzée. Ses bajoues roses lui donnaient un air de grand-mère de pub.

— Venez, dit-elle.

Et elle avança dans la lumière.

Nous franchîmes le seuil de la salle et nous trouvâmes immergés dans une clarté intense. Je n'aurais pu dire quelle était sa source. Il fallait que je plisse les yeux et que je les abrite derrière une main pour voir quoi que ce soit, mais je pus constater que nous étions entrés dans une immense salle souterraine. La lumière était partout et nous enveloppait comme un brouillard électrifié. Nous laissions de brèves traces d'obscurité dedans à chaque mouvement, comme lorsqu'on écrit d'un doigt sur une vitre gelée. Et ici régnait un bourdonnement bas et continu, comme si la même note était jouée à différentes octaves, répétée en écho et soutenue. Je trouvais ce son curieusement rassurant.

Lily protégeait ses yeux du creux de son bras.

— Les lunettes, dit-elle par-dessus son épaule.

Dans le bourdonnement, sa voix était presque inaudible.

Siobhan en sortit quatre paires de son sac. Lily prit celle à verres ronds fumés, style John Lennon, tandis que Uma et Siobhan mettaient des Wayfarers très classe. Je me retrouvai pour ma part avec un gros modèle du genre porté par Roy Orbison, en plus laid. Je faillis bien protester – Uma était ravissante avec les siennes – mais le moment aurait été mal choisi.

Même avec les verres fumés il était difficile de ne pas plisser les yeux, mais au moins je pus mieux discerner ce qui nous entourait. La salle était énorme. Bien qu'il soit difficile de voir le plafond, je l'estimai à une hauteur d'une vingtaine de mètres. La chambre souterraine affectait une forme circulaire d'un diamètre d'une soixantaine de mètres. Ce que j'avais été incapable de distinguer avant de chausser les lunettes, c'étaient les pierres dressées disposées sur le sol au centre de la salle et en lignes à quelques dizaines de centimètres des parois, en divers endroits. Elles étaient de taille et de forme variables : certaines trois fois plus hautes qu'un homme, d'autres à peine plus grandes que des boîtes à chaussures. Elles me rappelaient un peu les dolmens de Stonehenge, mais celles-ci étaient plus raffinées, manifestement sculptées et taillées. Si elles formaient une figure déterminée, j'étais incapable d'en saisir la forme d'où nous nous trouvions, mais il se dégageait de l'ensemble une très forte impression de régularité.

Et ces pierres semblaient faire partie de la lumière. Il fallait en regarder une fixement pour la distinguer. Je ne sais si la roche dont elles étaient faites absorbait la lumière ambiante ou si elle en était la source.

— Qu'est-ce que c'est que cet endroit? demandai-je à Lily.

La lumière avala presque mes paroles et s'insinua dans ma bouche comme une présence palpable.

— C'est plus ancien que la mémoire humaine. C'est la fontaine d'espoir. C'est le cœur de Londres, le cœur de la Grande- Bretagne, cria-t-elle en réponse, alors que je n'entendis qu'un murmure. C'est l'un des cœurs du monde.

Eh bien, voilà qui expliquait tout.

— C'est sans danger? demandai-je encore.

Lily fit demi-tour et malgré l'intensité de la lumière elle retira ses lunettes et me fixa du regard.

Je reçus le message 5 sur 5.

— J'ai rêvé de cet endroit, dit Uma. Mais j'ai cru que c'était le paradis.

Elle regardait autour d'elle en tournant lentement la tête, une expression extatique sur le visage.

— Ça l'est peut-être, ma chère, répondit Lily, mais ce lieu basculera directement en enfer si nous ne commençons pas.

Uma approuva de la tête, mais elle semblait rechigner à bouger. Lily prit le sac de Siobhan et fourragea à l'intérieur. Elle en sortit une baguette en argent longue d'une vingtaine de centimètres, à la poignée délicatement ciselée et terminée par une petite main à l'index seul tendu.

— *Mene, mene tekel upharsin*, récitai-je en me remémorant les paroles bibliques dans un épisode de *Night Gallery*.

Lily me considéra avec une pointe d'étonnement.

— C'est curieux de dire cela maintenant. Vous voulez que j'écrive ces mots sur la paroi avec le *yad*? dit-elle en brandissant la baguette.

— Je ne sais pas pourquoi j'ai dit ça. Je suppose que cet endroit me fait penser à la tanière du lion.

— Mais vous savez que ces mots ont été écrits sur le mur de Belshazzar, non dans la tanière des lions. Et Daniel avait un ange pour le protéger.

— Mes cours de catéchisme remontent à pas mal d'années, dis-je. – Sans parler de *Night Gallery.* – Et puis, nous avons Siobhan.

Sans répondre, Lily alla jusqu'au centre de la salle et s'accroupit. De la pointe de la baguette, le *yad*, elle se mit à dessiner des formes dans la poussière. J'observai les alentours avec plus d'attention et me rendis compte que les pierres étaient en fait disposées selon un schéma grossier : une série de quinconces rapprochés. Lily traçait des lignes qui reliaient les piliers au centre de chaque quinconce. Bras croisés sur la poitrine, Uma restait immobile et la regardait faire.

Le son fut ce qui m'alerta en premier.

Le bourdonnement avait gagné en intensité pendant que Lily travaillait. Il venait de partout autour de nous et, pensai-je soudain, de l'intérieur de nous aussi. Des années durant j'ai entendu l'expression « la musique des sphères », et je sais qu'elle est supposée être le son parfait créé par l'univers en mouvement, mais je ne peux imaginer que, si une telle musique existe, elle puisse être aussi jolie que ce que j'entendis alors dans cette grande salle sous Londres.

Jusqu'à ce qu'une note discordante s'y immisce.

J'eus l'impression que la note jouée – Par quoi ? Et où ? – était légèrement altérée. Dans un premier temps cela ajouta une richesse supplémentaire à l'ensemble, comme le fait la plus légère imperfection, ce que tous les grands artistes savent. La note sonna d'abord comme un contre-chant bas à l'harmonie générale. Mais une deuxième note discordante naquit alors. Puis une troisième. Et soudain le bourdonnement apaisant et paradisiaque me donna la chair de poule.

Un changement affectait également la lumière. Les dessins de Lily avec le *yad* n'avaient pas ajouté la moindre intensité à la lumière, ils l'avaient plutôt stabilisée, conférant à ma vision une clarté presque cristalline. Chaque angle, chaque plan avait acquis une définition parfaite. Un peu comme lorsque vous regardez à travers les lunettes d'une autre personne, mais sans la sensation d'étourdissement que cela procure. C'est ainsi que le monde aurait toujours dû être vu, me surpris-je à penser.

Mais cette netteté s'estompait. La lumière demeurait vive, mais elle devenait voilée, opaque. Je crus d'abord que ce n'était qu'un effet de mon imagination, mais lorsque j'agitai la main devant mon visage, les traînées d'obscurité dans le sillage du mouvement se dissipèrent moins vite. Et Uma et Lily commençaient à être plus difficiles à distinguer à cause de cette densification lumineuse. Je regardai Siobhan, qui se dirigeait maintenant vers les autres. Je la suivis, en prenant garde de ne marcher sur aucune des lignes tracées au sol par Lily. On n'est jamais trop prudent.

Lily avait interrompu sa tâche et pointé le *yad* vers la voûte. Elle et Uma scrutaient la salle dans toutes les directions. J'aperçus de longs serpentins de ténèbres qui descendaient vers la lumière et nous, telles des anguilles obscures. Siobhan avait dégainé son automatique, et malgré la mauvaise visibilité je reconnus son expression d'alerte. Lily dit quelque chose que je ne parvins pas à comprendre, puis s'accroupit vivement et traça d'autres lignes sur le sol.

C'est alors que les gamins apparurent.

Ils étaient une douzaine, et aucun ne devait dépasser la taille d'un mètre.

Je ne sais pas comment ils étaient arrivés ici ; la lumière était devenue si lourde qu'ils auraient pu venir de n'importe où, y compris du tunnel que nous avions emprunté. D'ailleurs j'ignorais si la salle n'avait pas cent autres issues semblables. Tout ce que je savais, c'est qu'au beau milieu de la nuit, dans cette grotte étrange sous la surface de l'East End de Londres, dans cette lumière et cette musique merveilleuses – au cœur du monde, s'il fallait en croire Lily (et qui étais-je pour douter d'elle ?) – nous étions encerclés par des enfants, comme dans un jeu bizarre de maternelle.

Des enfants vêtus de toges noires et de chapeaux noirs au bord tombant.

Des enfants qui tenaient à la main des couteaux acérés et des pioches brillantes.

Des enfants avec de longues barbes rouges.

Des enfants qui n'étaient pas du tout des enfants, mais

des créatures proches de nains contrefaits.

— *Alfar*, murmura Uma.

Les petits copains de Blanche-Neige eurent tous le même rictus. Et ce rictus découvrit des dents pointues aussi inquiétantes que leurs armes.

— Tuez-les ! s'écria Lily.

Ils se ruèrent sur nous.

20

Siobhan se mit à tirer dès que Lily cria. Une volée de projectiles à bout portant dans le plus proche des nains. La chose lâcha sa pioche quand les impacts la rejetèrent en arrière. Ses traits furent réduits en une bouillie sombre, et ses dents aiguisées cascadèrent sur le sol comme des flocons de neige argentés. Quoi que soient ces salopards de poche, on pouvait les blesser, même si le sang du nain grésilla en touchant le sol tandis qu'un liquide noir et bouillant jaillissait de sa face en marmelade. Cette petite vérole ne voulait pas mourir.

Siobhan en fusilla deux autres qui hurlèrent comme des monstres furieux sous les impacts. L'un d'eux s'écroula et ne bougea plus, mais l'autre chargea droit sur l'Irlandaise en sabrant l'air devant lui de son poignard. Elle lui décocha un coup de pied, mais le nain réussit à lui enfoncer sa lame dans le mollet droit. Avec un cri, Siobhan tomba à la renverse. Malgré sa chute elle parvint à vider son chargeur dans son assaillant.

La créature fut littéralement coupée en deux.

Je n'eus que le temps d'apercevoir Uma qui s'interposait entre un autre groupe d'agresseurs et Lily, laquelle continuait de dessiner frénétiquement dans la poussière avec le *yad*, car un nain fonçait droit sur moi. Son visage était creusé de rides profondes et taillé à la serpe, et des… choses… se tortillaient dans sa barbe. Sa pioche retenait maintenant toute mon attention, mais il était difficile de détacher le regard de ces petits yeux noirs d'oiseau. Il voulut me frapper en se servant de l'arête de son arme comme d'une faux, et seul un saut en hauteur au bon moment m'évita de perdre un pied.

Le petit fumier fila sous moi et effectua un demi-tour digne d'un danseur pour aussitôt s'élancer de nouveau à l'attaque. Deux autres nabots tueurs avançaient vers moi de la direction opposée. Je cherchai frénétiquement un morceau de roc ou n'importe quoi qui aurait pu me servir d'arme.

Rien.

Le tonnerre de cinq détonations roula en une succession rapide dans la grande salle et un de mes deux nouveaux assaillants s'effondra sous les balles de Siobhan. Traînant sa jambe blessée, l'Irlandaise se dirigeait déjà vers Uma.

Les deux derniers nains me chargèrent en tenaille, sans se soucier de leur pote haché menu par le Beretta, avec toujours ce rictus horrible de fous sanguinaires. Je tendis les muscles de mes jambes pour m'apprêter à un nouveau saut, conscient que seule ma taille représentait un avantage réel sur mes opposants.

Les nains brandirent leur arme. Et ils se figèrent.

Le bourdonnement, qui avait dégénéré en une cacophonie stridente presque insupportable, était soudain revenu à une mélodie harmonieuse. La lumière s'intensifia et devint plus limpide, au point que les nains reculèrent en se protégeant les yeux d'une main. Je pris le risque de quitter de vue mes petits salopards les plus proches et vis que leurs congénères réagissaient de la même manière. Ce n'était pas trop tôt, car trois s'étaient avancés dangereusement près de Uma, qui ensanglantée était tombée auprès de Lily. Celle-ci repoussait la pointe d'une pioche avec son *yad*. Siobhan avait déjà choisi sa prochaine victime, mais elle aussi se mit à regarder autour d'elle.

Le sol trembla doucement – 2,8 sur l'échelle de Richter, croyez-en un habitant de Los Angeles – et pendant une seconde le bourdonnement atteignit l'harmonie parfaite. Très vite il reprit une tonalité plus viciée, bien que conservant une certaine pureté, bientôt doublée d'un son plaintif et rude, évoquant les chairs d'une grande bête qu'on déchirerait.

Le sol sur lequel Lily avait dessiné se mit à rouler et à frémir. La poussière s'éleva dans l'air en lents tourbillons paresseux, qui formèrent une sorte de mont. Des parcelles de terre se détachèrent de cette structure mouvante, et l'on eût dit qu'un sculpteur invisible la travaillait de son ciseau, jusqu'à ce qu'il ne reste plus que la forme d'un homme.

Alors que les nains restaient pétrifiés par l'ahurissement, Lily se releva et de la pointe de ses doigts toucha le front de la silhouette humanoïde.

Avec un cri pareil aux vagues s'écrasant contre une falaise, le golem vint à la vie.

Dès qu'il bougea, les nains firent de même. Dans la grande salle souterraine la lumière vacilla, et le bourdonnement sonnait par intermittence aussi doux que Stan Getz et aussi âpre qu'Ornette Coleman. Quelle que soit la sensibilité primordiale existant dans ce lieu, elle semblait troublée par la présence de deux forces aussi diamétralement opposées.

Le golem entra en action d'abord contre les nains qui représentaient la menace la plus immédiate pour Lily et Uma. Il arracha du sol le plus proche et l'écrasa simplement dans ses mains monstrueuses, comme un individu ordinaire fait une boule d'une feuille de papier, avant de lancer cette horrible bouillie au loin. Les autres, dont mes deux agresseurs, convergèrent vers la créature de glaise en une attaque concertée. Le golem en ramassa deux autres et partit dans un mouvement rotatif proche de celui d'un lanceur de disque. Quand il lâcha les deux nains, je suivis la trajectoire de l'un, qui percuta à une vitesse folle la paroi. Je ne vis pas l'autre, mais j'entendis le bruit écœurant du choc.

— *Short people got no reason to live*, me pris-je à chanter, en me rappelant Randy Newman, et il me sembla que le bourdonnement m'accompagnait.

Deux autres de ces petits fumiers attaquèrent le golem par en bas, mais ils n'avaient pas vraiment le choix, il est vrai. Avec leur pioche et leur coutelas ils faisaient sauter des morceaux d'argile des jambes de la créature. Celle-ci se courba et en balaya un d'une claque si puissante que le torse du mini-monstre s'en trouva presque à l'envers par rapport à l'axe du reste du corps. Je perçus distinctement le craquement de la colonne vertébrale. Mais l'autre frappa profondément le golem derrière un genou, et la créature tituba avant de s'écrouler en avant. Le nain sauta aussitôt sur sa proie pour enfoncer sa lame dans la tête de son adversaire. C'est alors que jaillit de nulle part Uma, qui effectua un coup de pied sauté parfait. Ses deux talons joints percutèrent le nabot en pleine poitrine et l'envoyèrent valser au loin. Elle se reçut plutôt rudement sur le postérieur, au point qu'elle en eut le souffle coupé. Un autre nain se précipita sur elle, mais une balle bien ajustée de Siobhan – la dernière du chargeur, apparemment – écarta la menace de son arme de l'Indienne. L'autre se remit sur pied presque aussitôt, mais trop tard quand même. Le golem s'était reconstitué – sa jambe semblait de nouveau intacte – et il referma l'étau de ses deux mains sur la tête du nabot. Une simple pression et le corps de la petite vérole se terminait au niveau de ses épaules.

Il ne restait plus que trois des monstres miniatures, qui tournaient lentement autour du golem, en tentant des attaques sporadiques, mais je ne leur donnai plus une chance. Siobhan enclenchait un chargeur neuf dans son Beretta, et Uma comme Lily s'étaient remises debout. La vieille dame se tenait au centre du grand dessin qu'elle avait tracé. Yeux clos, elle oscillait doucement tout en murmurant, un peu de la même manière que les vieux Juifs que j'avais vus prier dans les synagogues. La lumière prenait peu à peu la clarté du cristal, le bourdonnement se faisait plus puissant et plus doux à la fois, et j'avais la très nette impression que le rituel de protection était presque achevé.

Le tir en pleine tête qui toucha Lily aurait rendu honteux Lee Harvey Oswald. Ou le type sur le terre-plein gazonné.

Uma hurla quand la cervelle du tzaddik jaillit littéralement de son crâne. La lumière baissa d'un coup d'intensité et le bourdonnement se dérégla.

Cinq silhouettes sombres alignées émergèrent dans la lumière vacillante, et je me figeai : la vision cauchemardesque qui m'avait hanté devenait réalité devant moi. Ce n'étaient que des hommes, finalement, je m'en rendis compte après un instant, mais je discernai la forme de leurs armes et je me mis en mouvement. Des détonations éclatèrent, et les projectiles ricochèrent sur les pierres anciennes, mais je ne m'arrêtai pas. Siobhan s'était à moitié relevée et au passage je l'entraînai dans ma course, nous propulsant tous deux vers le pilier rocheux derrière lequel Uma avait traîné Lily. Dès que nous fûmes à l'abri, l'Irlandaise me repoussa et fit volte-face, l'arme braquée.

Les silhouettes sombres – les membres de la Thulé, bien sûr – avaient reculé dans la lumière de plus en plus opaque et boueuse.

Le golem était toujours encerclé par ses petits assaillants. Un ou plusieurs hommes de la Thulé lui tirèrent dessus, mais les balles n'avaient aucun effet sur cette créature de glaise. Siobhan riposta dans leur direction, bien qu'il fût impossible de les viser correctement.

L'impasse.

Uma était penchée sur Lily, laquelle serrait toujours dans sa main le *yad* en argent. C'était incroyable, mais le lamed vavnik n'était pas mort. Cependant le trou béant dans son crâne et la mare de sang dans laquelle elle gisait indiquaient qu'elle ne tiendrait pas plus de quelques minutes, voire quelques secondes.

— Qu'est-ce qu'on fait, maintenant ? dis-je.

Uma serra les lèvres. Le visage inondé de larmes, elle serrait la main libre de Lily dans les siennes.

— Montrez-vous et vous aurez une mort rapide, lança une voix éraillée. La Juive est morte. Le monstre meurt avec elle. Si vous nous faites attendre, vous serez punis par la souffrance.

— Viens en bouffer, enfoiré de nazillon ! répliqua Siobhan.

Elle tira une balle pour ponctuer sa réponse.

— Merde, soufflai-je. Le golem va mourir avec elle ?

Uma resta muette. J'ignore si elle avait la réponse à ma question, si elle refusait de me la donner où si elle était trop choquée pour parler. Je regardai en direction du golem, toujours aux prises avec ces nains de l'enfer, et soudain il me parut plus frêle. Il me sembla voir des lambeaux d'argile tomber de son corps.

— Martin, coassa faiblement une petite voix.

Parfois les morts ne veulent pas mourir. Alors que des parcelles de sa cervelle étaient visibles dans sa chevelure, Lily ouvrit les yeux. Du sang coulait de ses lèvres et de son nez cassé. J'aurais dû être abasourdi, émerveillé ou incrédule.

— Qu'est-ce qu'on fait ? m'écriai-je, paniqué.

Uma avait cessé de pleurer, et son visage exprimait tout l'ahurissement qu'elle éprouvait. Elle tenait toujours la main de Lily.

— Martin… murmura cette dernière.

Dans ce qui j'imagine était un effort surhumain, elle leva la main tenant toujours la baguette. De sa bouche monta un râle de douleur atroce, étouffé par une bulle de sang. Le doigt pointé à l'extrémité du *yad* me toucha au milieu du front.

La décharge électrique me frappa avec la force d'un coup de massue. Je fus rejeté en arrière et me retrouvai assis. Ma vision explosa en un champ de lumière blanche immaculée. Je sentis mon cœur s'arrêter, le sang geler dans mes veines. J'eus subitement sur la langue un goût de carbonisé, et je sentis…

Je sentis le parfum d'un champ de muguet.

Je redressai la tête et vis que Uma me regardait fixement, bouche bée. Elle serrait toujours la main désormais inerte de Lily. Je revins en rampant auprès d'elles et contemplai le tzaddik. Ses yeux étaient clos, et le sang ne coulait plus de ses plaies. En dépit des horribles blessures qu'elle avait subies, elle semblait remarquablement paisible.

Le yad s'était calciné et avait noirci dans sa main.

Je pressai deux doigts contre mes lèvres, puis les posai sur les siennes.

— Ils vont attaquer d'un instant à l'autre, nous avertit Siobhan.

Je vis que le golem était toujours en vie, mais à genoux. Les nains le taillaient en pièces, littéralement. Il lançait des

362

coups de poing imprécis vers eux. À l'évidence il n'en avait plus pour très longtemps.

Tout comme nous.

— Baba Dutty, dis-je.

Uma continuait de me regarder, mâchoire pendante.

— Baba Dutty, répétai-je.

— Il est mort, me dit enfin l'Indienne.

Et deux plus deux font quatre.

— Je sais. – Je tapotai le côté de mon crâne. – Mais il est aussi là-dedans.

— Alors faites-le sortir ! s'écria Uma.

— J'ignore comment faire.

— Comment savez-vous qu'il est en vous ?

— Je le sais, c'est tout. Je pense qu'il a besoin d'un… cérémonial.

— Bordel de merde ! tempêta Uma.

C'était le premier juron de ce calibre que je l'entendais prononcer.

— Si tu dois faire quelque chose, magne-toi, me lança Siobhan.

Je vis les silhouettes sombres qui avançaient vers nous, là-bas. Siobhan tira deux autres balles, sans succès.

— La pierre ! s'exclama Uma en levant les yeux vers l'étrange pilier rocheux.

C'est alors que je le vis, moi aussi. Il n'était pas décoré ou consacré comme celui dans le *oufò* de Baba Dutty, mais il ressemblait exactement à un poteau-mitan, jusqu'à la petite plate-forme à sa base.

— Comment allons-nous faire ? demandai-je.

— Je ne sais pas, dit Uma, qui regardait autour d'elle comme si la réponse était écrite quelque part.

— Les filles… siffla Siobhan.

— Une offrande ! s'écria soudain Uma en se frappant le front du plat de la main.

— Quoi ? Qu'est-ce qui peut faire office d'offrande ?

L'Irlandaise tirait maintenant avec régularité, pour tenir les ennemis à distance. Combien lui restait-il de balles ?

— Je ne sais pas, répéta Uma. Quelque chose de rare, de

précieux. En or ou en argent, peut-être.

Elle portait un anneau en or à la main droite. Elle essaya de l'ôter, mais le bijou ne bougea pas.

— Il est coincé !

Je lui saisis la main et tirai sur l'anneau jusqu'à ce qu'elle crie de douleur.

Inutile.

— Dernier chargeur ! lança Siobhan en se remettant à tirer.

— Est-ce que les pièces de monnaie contiennent de l'argent ? demandai-je en tapotant mes poches.

— Je ne le crois pas.

Il y avait un autre objet dans ma poche. Quelque chose de rond. Je l'avais trimballé avec ma monnaie pendant des jours, le fourrant dans la poche de mon pantalon chaque matin sans même y penser.

La chevalière que Siobhan avait prise sur la main du type de la Thulé qu'elle venait de descendre. Je la montrai à Uma.

— Oui ! s'exclama-t-elle.

Je me jetai au pied du pilier. Je n'avais pas la moindre idée de ce que je faisais. Je fermai les yeux et me représentai le large visage noir de Baba Dutty. Je m'imaginai de retour dans le *oufò*, en train de chevaucher Alourdes.

Je plaquai la chevalière à la base du prétendu poteau-mitan.

La décharge électrique maintenant trop familière incendia l'arrière de mon crâne. Je commençai à me sentir aussi allumé qu'un flipper qui fait TILT.

Le rire tonitruant de Baba Dutty échappa de mes lèvres.

— Sainte Mère de Dieu, jura doucement Siobhan.

Je me relevai et posai les mains de chaque côté du pilier. Des mots se mirent à cascader de ma bouche sans que j'en comprenne le sens :

— *Papa Legba ouvri baye-a pou mwen. Pou mwen pase. Le ma tounen, ma salyie loa yo.*

364

Un autre coup de tonnerre explosa dans la salle, comme si la terre elle-même avait un renvoi. Je sentis mon corps tressaillir et se trémousser tandis que la décharge d'électricité courait follement le long de mon épine dorsale. J'avais déjà vécu cela, pourtant, et je reconnus la danse-*loa* pour ce qu'elle était. Je sentis la présence m'investir dans une chaleur soudaine. Une fois encore, je devenais *cheval*. Mais pas pour Maître Carrefour, cela je le savais intuitivement. À la différence de ma première expérience dans le *oufo* à Liverpool, je conservai ma propre identité, et toute ma conscience.

C'est un *loa* beaucoup plus puissant qui se manifestait.

Je m'écartai du poteau-mitan et baissai les yeux vers Uma. Elle inclina la tête et détourna le regard.

— Vishnu, l'entendis-je murmurer.

Et je sus que tel était mon nom, bien que quelque part je perçoive Baba Dutty qui riait, car pour lui je m'appelais Samedi.

Et d'un autre endroit – qui ne pouvait être qu'en moi, dans les tréfonds de mon être – une autre voix s'éleva : celle d'une vieille dame, et elle m'appela d'un autre nom encore :

— *Uriel*, dit-elle. Mon cher.

Et ce nom également était le mien.

Le golem, qui gisait sur le dos, massacré par les nains infernaux connus des Nordiques sous le nom d'Alfar, se redressa subitement. Les nabots parurent interdits un instant, puis ils regardèrent dans ma direction.

— C'est assez chaud pour vous ? raillai-je.

Ils s'enfuirent en courant.

Je marchai jusqu'au centre du dessin complexe que le lamed vavnik avait tracé sur le sol de la grande salle, au cœur de Londres. Je parlais dans un mélange de langues qu'il m'était totalement impossible de comprendre : hindi, hébreu, créole. J'oscillai et tournai sur moi-même et je dansai tout en déclamant, et à chaque mot prononcé la lumière devenait plus brillante et aiguë, la musique des sphères plus parfaite, plus exacte, jusqu'à ce que les notes forment un nom, et ce nom était l'essence pure de l'être.

Là-bas les armes crachaient la mort sur moi, mais les projectiles fondaient et se dissolvaient dans l'air. La lumière se densifiait autour de moi, en un tourbillon qui enflait et enflait, annihilant toute trace d'obscurité. Le golem passa devant moi, prit Uma et Siobhan dans ses bras pour les protéger dans cette étreinte inhumaine.

La lumière devenait toujours plus brillante, au point que l'on ne pouvait plus rien voir dans son éclat. Un tourbillon incandescent m'enveloppait, dégageant des vagues de puissance qui calcinèrent tout mal présent. Des cris s'élevèrent dans les coins reculés de la salle, mais ils furent très vite engloutis par la pureté de la lumière. Le bourdonnement atteignit les limites de l'unisson : une harmonie conquérante, implacable, sans défaut.

Puis tout s'arrêta.

Je restai là, environné d'un halo lumineux, pendant un temps que je n'aurais pu mesurer. Des voix résonnaient dans ma tête, mais elles s'estompaient peu à peu. Je crus entendre Lily et Baba Dutty rire de concert, mais cela aussi se dissipa comme un rêve aux premières lueurs de l'aube.

— Marty ? dit Uma.

Elle m'approcha avec circonspection. Siobhan était juste derrière elle. Toutes deux semblaient frappées de stupéfaction. Le golem restait immobile où elles l'avaient laissé, dans une attitude de style très *golem*.

— Ouais, soufflai-je. Ce n'est que moi.

Uma ne put retenir un sourire radieux.

— Par tous les dieux… murmura-t-elle.

— Tu n'es peut-être pas aussi branleur que ça, après tout, Martin Burns, lâcha Siobhan.

Sacré compliment, pas de doute.

Il n'y avait pas trace des nabots et de leurs maîtres de la Thulé dans la salle. Uma désigna une série de lignes sombres sur le sol et suggéra que c'était peut-être tout ce qui restait d'eux, mais nous n'avions aucun moyen d'en avoir la certitude.

— Ce n'est pas réellement important, déclara Uma. Ceux-là sont sans doute morts, mais il y en a beaucoup d'autres au-dehors.

— Eh bien, voilà un commentaire réconfortant, dis-je.

— C'est simplement la réalité. Il y en aura toujours, et toujours plus.

— Ouais, mais on a sauvé ce truc, maintenant, pas vrai ? fis-je en englobant d'un geste la chambre lumineuse et chantante.

— Oui, répondit Uma avant de soupirer. Pour l'instant.

— Et la vieille femme ? questionna Siobhan. Nous emportons son corps ?

— Non, décrétai-je, à la surprise de Uma. Cet endroit est fait pour elle. C'est ici qu'elle doit reposer.

— Comment allons-nous ressortir, sans elle ?

— Je connais un guide, dis-je en montrant le golem du doigt. Pas vous ?

Immobile depuis qu'elle avait relâché Uma et Siobhan de son étreinte protectrice, la créature avança, nous dépassa et se dirigea vers une issue située à l'opposé de celle par laquelle nous étions entrés.

— Bon garçon, Fido, dis-je.

Évidemment, le golem n'avait pas de visage, donc il ne leva pas les yeux au ciel, ni ne grimaça. Pourtant il tourna la tête dans ma direction et je saisis le message.

Il ne s'appelait pas Fido.

En silence nous parcourûmes plusieurs tunnels successifs qui tous allaient en pente ascendante. Le golem avait adopté un rythme de marche assez rapide, et bien que nous ayons bandé la jambe blessée de Siobhan, il n'était pas facile de le suivre. À certains moments nous avions l'impression de tourner en rond, mais les souterrains étaient tellement semblables que cela n'avait rien d'étonnant.

Nous n'avions pas d'autre choix que de faire confiance au golem.

Enfin les vieux tunnels creusés dans la roche cédèrent la

place à d'autres, plus récents. Leurs parois étaient en béton, l'éclairage électrique ponctuait la voûte régulièrement et le sigle de la CBG apparut de nouveau. Le golem continuait d'avancer, sans se soucier du reste.

Il nous mena jusqu'à un petit escalier en haut duquel nous trouvâmes un mur de brique. On voyait encore la trace de la porte qui avait été murée des dizaines d'années plus tôt, sinon des siècles. Sans dynamite, impossible de passer.

Je me raclai la gorge à l'intention du golem. Il m'ignora.

Il enfonça son poing dans la brique, le ressortit et recommença jusqu'à avoir pratiqué un trou assez large pour permettre notre passage. Alors il s'écarta.

— Quatrième étage, annonçai-je. Basiliques en plastique, lingerie féminine, cartes postales illustrées. Tout le monde descend.

Uma se glissa dans le trou. Une fois de l'autre côté, elle tendit une main pour aider Siobhan à grimper. L'Irlandaise connut un moment pénible mais ne proféra pas la moindre plainte. J'allais les rejoindre quand je me ravisai.

— Marty ? fit Uma.

— Un dernier truc à faire, lui répondis-je.

Je me campai face au golem, plaçai deux doigts dans sa bouche et en sortis le morceau de parchemin.

Devant mes yeux la créature s'effondra. Il était là, et l'instant suivant il n'existait plus.

Je contemplai le tas d'argile sèche.

— Merci, mon cher, fit une voix, quelque part.

De l'autre côté du passage, il faisait noir. Nous en découvrîmes bientôt la raison : nous nous trouvions dans un débarras, au royaume des balais et des serpillières. Uma ouvrit la porte et nous émergeâmes dans la crypte de Christ Church, à Spitafields, comme l'indiquait le grand panneau accroché au mur, ainsi que les services sociaux assurés ici. Un vieux Noir était assis à une table au milieu de la pièce et se roulait une cigarette en lisant le journal. Il sursauta à notre apparition.

— Mais d'où sortez-vous ? bredouilla-t-il.

Je m'avançai vers lui et posai une main sur son épaule.

— Mon frère, lui dis-je, il y a des choses qu'il vaut mieux que tu ignores.

— Où avez-vous attrapé ce joli bronzage? demanda June Hanover.

Elle portait un ensemble vert dollar, et la couleur lui donnait un teint nauséeux.

— Torquay, répondis-je. C'est la Riviera anglaise, vous savez.

Elle me couva d'un regard dubitatif.

— Je blague. J'ai vu ça dans une brochure touristique. En réalité j'ai fait un saut à Cannes pendant quelques jours. Plage seins nus et tout le tremblement.

Elle hocha la tête d'un air lugubre. Visiblement cette version semblait mieux coller avec l'image qu'elle s'était faite de moi.

— Eh bien, vous avez une mine superbe, dit-elle en réussissant à sourire.

— Merci.

J'étais effectivement rayonnant, même si je n'avais pas mis un pied en France. Mais il me fallait une histoire pour me couvrir. Cette lumière extraordinaire qui s'était manifestée pendant le rituel final sous Spitafields avait laissé à ma peau un hâle doré qui ne s'était pas encore dissipé quarante-huit heures après les faits. Personne en Amérique ne pourrait croire que j'avais passé deux semaines en Angleterre. Mais bien sûr, si je revenais blanc comme un lavabo, le bruit courrait que j'avais suivi une cure de désintoxication de quinze jours. On ne peut pas gagner, à L.A.

Après être sorti de la crypte de Christ Church, notre trio avait réussi à retourner à l'appartement de Uma sans encombre. Pas de flics, pas de tueurs de la Thulé en embuscade dans la rue, pas l'ombre d'un nain.

Seulement le magnifique East End de Londres.

L'entaille au mollet de Siobhan était assez vilaine, et une douzaine de points de suture n'auraient pas été du luxe, mais elle refusa net. Uma nettoya la plaie et la banda. L'Irlandaise avala quelques cachets de codéine et alla se coucher. Uma et moi bavardâmes encore un peu, mais la fatigue eut vite raison de nous.

Nous nous endormîmes l'un contre l'autre sur le canapé, dans le salon.

À mon réveil peu après midi, les deux femmes n'étaient plus là. Uma avait laissé un mot pour m'avertir qu'elle reviendrait plus tard dans la journée, mais je n'avais pas envie d'attendre. Je mourais d'envie de prendre une longue douche chaude, or l'appartement de Uma n'était équipé que d'une baignoire. Je m'aspergeai le visage d'eau froide, avalai le demi-verre de jus d'orange qui restait au frigo et quittai les lieux.

Je partis à pied. C'était une belle journée d'été, avec un soleil éclatant, un ciel très bleu et une température d'au moins vingt-cinq degrés à l'ombre. Elle aurait pu être importée directement du sud de la Californie.

Juste comme ça, je me rendis au restaurant indien de Uma. Je le trouvai sans problème et poussai la porte. Comme toujours la salle était bondée, mais tous les gens présents se tétanisèrent à mon entrée et me regardèrent sans aménité aucune. La table de Uma était déserte et il n'y avait pas trace de Siobhan. Je me dis que le serveur allait me reconnaître, mais lui aussi me considérait avec embarras.

— Euh, vous savez quoi ? Je vais peut-être essayer un chinois, pour changer, dis-je.

Et je battis en retraite aussitôt.

Je revins me blottir dans les bras accueillants du Savoy. Je récupérai les bagages que j'avais laissés en dépôt avant d'entamer mes aventures mystiques et montai dans ma suite. Dès la porte refermée, je me déshabillai et passai une heure entière sous une douche chaude. Enfin, chaude comme c'est possible en Angleterre. Ensuite je refis connaissance avec mon vieux copain le minibar. Je m'accordai une petite sieste, visionnai un film supposé cochon sur la chaîne payante (et cette fois c'était bien Sean Young), puis je me fis monter un énorme dîner par le service d'étage.

Je m'endormis devant la retransmission d'un concours de dressage de chiens de bergers sur la BBC.

— Il y a quelque chose de différent en vous, Marty, déclara June.

Je lui avais téléphoné un peu plus tôt dans la matinée et nous avions convenu de nous retrouver dans les salons de l'hôtel. J'avais pensé qu'il serait judicieux d'apprendre les dernières évolutions de sa bouche avant d'entrer de nouveau dans la fosse aux lions.

— J'ai probablement les yeux encore écarquillés à force d'avoir maté toutes ces beautés aux seins nus sur la plage. Ouh la la!

— Non, je ne crois pas que ce soit cela. Vous avez dû faire autre chose en France.

— Maintenant que vous en parlez… – J'adoptai un murmure de conspirateur pour poursuivre : J'ai vaincu les forces du mal et j'ai préservé l'équilibre du monde démocratique.

— Oh, vous! Dites-moi simplement son nom.

— À qui?

— À cette soi-disant «force du mâle».

— Je ne sais absolument pas à quoi vous faites allusion, dis-je.

Mais je la gratifiai du sourire calibré Martin Burns, celui qui n'a demandé que vingt-cinq prises pour réussir à figurer au générique de *Burning Bright*.

— Très bien. Comme vous voudrez.

Je fis signe à un serveur et commandai deux cafés, bien que le tout soit destiné à ma note.

— Alors quoi de neuf du côté de Doggy Island? Est-ce que Mahr crache toujours trois fois avant de se signer quand il entend mon nom?

June posa la main sur mon bras.

— Pas du tout, Marty. Vous n'avez pas vu les chiffres?

— Euh, non.

— Vous n'avez même pas parlé à votre agent? ajouta-t-elle, incrédule.

— Non. Quand je m'enterre, je m'enterre aussi profond que possible. La marmotte, on me surnomme? Croyez-moi, je n'ai rien vu ou entendu sur la série depuis notre dernière discussion.

— Oh, Marty. Mais quelle sorte de star êtes-vous donc?

— Lee Minor. L'Homme qui Valait Trois Pence. Alors, quelles nouvelles?

— J'aurais apporté les chiffres pour vous les montrer, si j'avais su. Marty, les scores d'audience sont magnifiques. Vous êtes revenu dans la liste des tout premiers, et tout le reste est définitivement oublié. La semaine dernière *Burning Bright* a réalisé le quatrième meilleur score d'audience selon le pointage du *Star*, et le deuxième cette semaine.

— Sans rire? fis-je, avec un grand sourire. Qui est en première place?

— Les compétitions de snooker, répondit June. Évidemment.

Je fus pris de fou rire, et je dus m'essuyer les yeux. Quand je vis le type, je les essuyai encore.

Un grand gars blond et mince, aux allures très européennes, vêtu de cuir noir de la tête aux pieds, avec des cheveux blonds coupés trop ras nous souriait. Il s'inclina en avant et offrit à June Hanover un baiser-amygdalectomie qu'elle lui rendit avec une ferveur égale.

Il avait un petit anneau passé dans une narine et deux de ces clous affreux à un sourcil.

— Salut, fit-il en se redressant.

— 'Jour, dis-je en réprimant une grimace.

— Marty, voici Terry. Mon…

— Ami, devinai-je.

— Oui, fit-elle en me lançant un regard bizarre.

— Ouah! s'exclama Terry en ramassant quelque chose sur la table basse devant nous. C'est parfait!

C'était une vieille pelure d'orange dont les bords avaient tourné au pourpre. L'oxydation, je suppose.

— C'est exactement ce que je cherchais, dit-il.

— Hein ?

— Terry crée des œuvres, m'expliqua June. Des boîtes, surtout. C'est un artiste. *Time Out* a qualifié sa dernière exposition d'« intemporelle ».

Était-ce un compliment ? Par sécurité, je pris l'air impressionné. Terry essaya une expression modeste-gênée à la Ron Howard, mais les clous dans son sourcil gâchèrent la tentative.

— Ça ressemble à une plaie, dit-il en examinant la pelure d'orange. Une plaie sanguinolente.

— Chouette, fis-je.

Ça ne ressemblait en rien à une plaie, et j'étais bien placé pour le savoir.

Mais il avait l'air tellement heureux que je n'eus pas le cœur de le détromper.

June voulait m'emmener à Canary Wharf pour un peu plus de débilités avec les gars du service de presse, mais je m'excusai. Je l'embrassai chastement, et elle quitta le Savoy avec son Terry qui d'une main lui malaxait la fesse comme s'il s'était agi d'une balle en caoutchouc.

Quelque peu rassuré sur mon statut professionnel, je serrai les dents et j'appelai mon agent. Depuis que j'avais disparu de la circulation, Kendall était en surchauffe. Elle alla jusqu'à dire « Merde » et « Bordel » plus d'une fois, ce qui me prouva à quel point elle était irritée. Je craignis même que Hollywood ne finisse par la dénaturer. Je réussis cependant à la calmer, et elle me confirma ce que June m'avait appris : *Burning Bright* était un réel succès dans tout le Royaume-Uni et j'avais toujours la cote. Elle exprima quelques inquiétudes concernant mon comportement bizarre, de l'aveu général, mais je finis de la rassurer en lui promettant sur l'honneur que, à condition qu'il reste une place libre en première, je serais dans l'avion du lendemain pour L.A. Je raccrochai assez satisfait de moi et quittai le Savoy. Du trottoir, je hélai un taxi.

— On va où, chef ?

— Commercial Street, dis-je. Spitafields.

Je descendis devant Christ Church et contemplai le clocher. Je secouai la tête en me demandant s'il existait au monde un édifice aussi remarquable, autant en surface que sous terre. Je me souvins alors que Lily avait dit que ce n'était là « qu'un » des cœurs du monde.

Je m'offris le plaisir d'une promenade dans les environs. J'envisageai de faire halte dans un pub pour avaler une pinte, mais la crainte de tomber sur King en train de pontifier m'en dissuada. Je déambulai dans les rues tristes autour de l'église, mais elles ne me parurent pas aussi lugubres qu'auparavant. Je tournai dans Brick Lane, suivant le trajet de la manifestation, passai devant la grosse mosquée assaillie de petits Asiatiques en vêtements blancs longs, devant les innombrables épiceries et autres restaurants de kebabs. J'arrivai à l'extrémité nord de la rue, où deux échoppes de baguels faisaient face aux restaurants indiens. Au début le contraste m'avait frappé, mais à présent je le comprenais beaucoup mieux.

Je retournai jusqu'à Whitechapel High Street et la traversai en direction du restaurant de Uma. J'ouvris la porte. La salle était bondée, inutile de le dire, mais cette fois les clients me jetèrent un simple coup d'œil désintéressé. Uma était assise dans le coin, en compagnie de Siobhan, et un service à thé occupait la table entre elles. Je pris la chaise libre et le serveur déposa immédiatement une Kingfisher devant moi.

— Que recommandez-vous ? dis-je en souriant.

— Trouve-toi un vrai boulot, ironisa Siobhan.

— Crois-moi, j'y pense sérieusement.

— Comment vous sentez-vous, Marty ? me demanda Uma.

— Très bien, et je suis le premier surpris de le constater. Les choses sont… satisfaisantes. Très satisfaisantes.

— Je suis heureuse de l'entendre.

— Comment va ? dis-je à Siobhan.

— Affûtée comme une lame et prête à l'amour.

— J'imagine la scène.

— Tu ne sauras jamais ce que c'est, répliqua-t-elle avec un rictus digne d'un nain tueur.

— Vous nous quittez, Marty ?

— Demain. L'appel de Hollywood. Comme Gregory Peck ficelé au dos de la baleine.

Elles me considérèrent toutes deux avec étonnement.

— Faudra que je pense à avoir une vie en dehors du cinéma, marmonnai-je. Et vous deux ?

— Il reste encore beaucoup à faire, répondit Uma. De nombreux combats restent encore à gagner. La vigilance éternelle est le prix de la liberté. Ainsi que le dit Bouddha.

— Je croyais que c'était de Thomas Jefferson.

Uma haussa les épaules.

— En tout cas, ce n'est pas de Gerry Adams, ajoutai-je.

— Fais gaffe, branleur, gronda Siobhan.

— Et la Thulé ? demandai-je.

— Elle est toujours là. Ils ont toujours été là, et ils seront toujours là.

— Ça n'a rien de réjouissant.

— Nous avons accompli notre tâche avec succès, ce qui n'est pas un mince résultat. Nous leur avons infligé un rude coup, mais ils reviendront. Ceux que nous avons détruits seront remplacés par d'autres. Hélas, il n'y a pas de limite à la haine.

— Et vous allez continuer à les combattre ?

Uma acquiesça.

— Comment ferez-vous, sans moi ?

— Je pense que nous trouverons un moyen, lâcha Siobhan.

— La Thulé est organisée en cellules, fit Uma. Nous avons éliminé un groupe particulièrement puissant et cela va se savoir. Mais d'autres viendront les remplacer.

— Par chance, dit Siobhan, j'ai une certaine expérience des organisations clandestines structurées en cellules.

— Je n'en doute pas.

Nous restâmes un moment silencieux, à siroter elles leur thé, moi ma bière.

— Êtes-vous impatient de retourner à Los Angeles ? me demanda enfin Uma.

C'était une question en forme de conclusion, mais j'y réfléchis une pleine minute avant de répondre :

— En fait, oui.

Et c'était la vérité. Le tournage de la nouvelle saison de *Burning Bright* démarrerait dans quelques semaines, et je me rendais soudain compte que j'étais impatient de commencer.

Cela m'a pris presque quarante ans dans la Cité des Anges pour en arriver à ce stade, mais je crois que je suis devenu un vrai natif de cette ville.

Je regardai Uma, et j'avais sur le bout de la langue une liste interminable de questions que je mourais d'envie de lui poser. Ses yeux s'agrandirent légèrement et ses lèvres s'étirèrent sur l'ombre d'un sourire forcé.

Je ne posai pas une seule question.

Je serrai Uma dans mes bras et déposai un baiser humide mais chaste sur sa bouche close. Quand je me tournai vers Siobhan, je vis la lueur de terreur pure qui brillait dans ses yeux. Je savais qu'il y avait de fortes chances qu'elle soit armée, mais je pris le risque.

Je l'étreignis brièvement, puis je sortis du restaurant.

J'arrivai en avance à l'aéroport, comme toujours. C'est une habitude réellement stupide, parce qu'une fois sur place je reste assis là à attendre nerveusement l'heure de l'embarquement. Ce qui est encore plus stupide, c'est que j'arrive tôt à l'aéroport mais que j'embarque dans l'avion aussi tardivement que possible, même si les passagers de la première classe peuvent s'installer avant les autres s'ils le désirent. C'est simplement que je déteste attendre assis dans un avion à l'arrêt. Bien sûr, je n'aime pas spécialement non plus attendre assis dans l'aéroport, mais les habitudes ont leur logique propre, souvent illogique d'ailleurs, et on n'y peut rien.

Je m'installai au bar et commandai une bière. J'aurais pu me rendre dans le salon réservé aux premières, mais les gens qui boivent dans ces endroits me donnent la chair de poule. Martin Burns, l'Homme du Peuple, préfère boire avec les prolos.

Ils avaient annoncé mon avion, mais l'embarquement des comptoirs 23 et 30 était toujours en cours, aussi je commandai un autre demi de Stella. Deux Anglais en complets vestons bleus bon marché étaient assis à côté de moi et sirotaient leur bière tiède en se donnant force claques dans le dos, comme il est de règle chez les ivrognes. Ils parlaient un peu fort, mais j'étais décidé à les ignorer et je concentrai toute mon attention sur les délices ambrées de la meilleure distillerie belge (sous licence). Je n'avais pas remarqué l'Asiatique qui venait d'arriver.

— Putain de Pakistanais, entendis-je un des complets bleus grommeler.

Son camarade de beuverie approuva.

— Sont partout, ces enculés.

L'Asiatique les avait très certainement entendus, mais il simula la surdité. Après avoir payé son Coca-Cola et remercié poliment le barman, il alla s'asseoir à une des tables les plus éloignées du comptoir.

Moi aussi, j'avais eu l'intention de ne pas voir ces deux taches. Les derniers passagers de mon vol étaient attendus à l'embarquement, annonça-t-on. Je ramassai ma monnaie sur le comptoir et la glissai dans ma poche. Mes doigts effleurèrent quelque chose que j'y avais déjà mis et je sortis le petit morceau de parchemin que j'avais ôté de la bouche du golem.

Il y était écrit un unique mot, en hébreu.

— Je me rappelle, quand ce pays était encore un pays de Blancs, dit alors Complet Bleu numéro 2. Un peu moins de bronzés, voilà ce qu'il faut à ce pays.

Je regardai une nouvelle fois le mot sur le parchemin, que je rempochai posément.

Puis je descendis de mon tabouret et envoyai mon poing dans la figure de ce connard de raciste, de toutes mes forces. Il tomba de son tabouret et heurta le sol avec un bruit sourd. Son compère recula lorsque je me tournai vers lui.

— Un peu plus de tolérance, voilà ce qu'il nous faut à tous.

Je vis le barman décrocher le téléphone.

Le dernier message d'embarquement pour mon vol passa dans les haut-parleurs.

Je coulai un rapide coup d'œil en direction du Pakistanais amateur de soda. Il leva son verre à mon adresse, avec un sourire lumineux. Je le saluai d'un hochement de tête et me mis à courir.

J'attrapai mon avion juste à temps.

NOTES ET REMERCIEMENTS

Dans ce roman j'ai pris les habituelles licences accordées à l'auteur en ce qui concerne certains détails allant de la géographie de Londres aux rituels sacrés, croyances et mythologies de plusieurs religions et cultures. Mais bon sang, c'est pour qu'on dise d'un roman que c'est une œuvre de fiction.

Je me suis toutefois efforcé de ne pas m'écarter trop de la réalité, et je tiens à remercier quelques sources qui m'ont fourni des renseignements fort utiles :

On ne peut écrire sur l'East End, et Christ Church en particulier sans remercier le travail souvent étonnant de Iain Sinclair, le poète lauréat du Londres mystérieux. Pour qui serait intéressé par la lecture des observations de Sinclair à propos des fabuleuses (littéralement) églises de Nicholas Hawksmoor, je recommande son ouvrage *Lud Heat and Suicide Bridge*. J'ai connu Sinclair au travers du remarquable *From Hell* d'Alan Moore et Eddie Campbell, une narration inédite et brillante des meurtres de Whitechapel en bandes dessinées. J'ignore si la version des événements donnée par Moore a le moindre rapport avec la réalité historique, mais la qualité du scénario et de l'illustration est indéniable et tout le monde devrait acheter cet album. Ceux qu'intrigue Hawksmoor peuvent également lire le roman quelque peu elliptique de Peter Ackroyd ainsi que l'étude universitaire de l'architecte et de son œuvre par Kerry Downes, ces deux ouvrages ayant pour même titre *Hawksmoor*. *Architectural Design Profile # 22* est une étude de Christ Church éditée par Colin Amery, John Martin Robinson et Gavin Stamp. Bon courage pour en trouver un exemplaire.

Deux excellents ouvrages de référence qui m'ont aidé sont *The London Encyclopedia*, un véritable trésor édité par Ben Weinreb et Christopher Hibbert, et le *Dictionary of Jewish Lore and Legend* d'Alan Unterman. Toutes les erreurs et distorsions des faits contenus dans ce roman (volontaires ou non) me sont, bien sûr, entièrement imputables.

Je dois également présenter mes remerciements à plusieurs personnes qui m'ont permis d'achever ce roman : Louis Schechter pour son soutien, Gordon Van Gelder pour ses conseils en matière de rédaction et son caractère d'une exceptionnelle gentillesse (sans parler des paroles pour *H.R. Pufnstuff*) et, bien sûr, M. Stephen Jones.

Un merci tout particulier à Jane… pour tout le reste. Une fois encore !

5972

Composition Chesteroc International Graphics
Achevé d'imprimer en Europe (France)
par Brodard et Taupin à La Flèche (Sarthe)
le 16 octobre 2001. 9786
Dépôt légal octobre 2001. ISBN 2-290-31208-8

Éditions J'ai lu
84, rue de Grenelle, 75007 Paris
Diffusion France et étranger : Flammarion